De man uit de bergen

KJELL ERIKSSON

De man uit de bergen

Uit het Zweeds vertaald door
Tine P.G. Jorissen-Wedzinga

DE GEUS

Deze uitgave is mede mogelijk gemaakt dankzij een bijdrage van
The Swedish Arts Council te Stockholm

Oorspronkelijke titel *Mannen från bergen*, verschenen bij Ordfront Förlag
Oorspronkelijke tekst © 2005 by Kjell Eriksson
Published by agreement with Ordfront Förlag, Stockholm, and
Leonhardt & Høier Literary Agency aps, København
Nederlandse vertaling © Tine P.G. Jorissen-Wedzinga en De Geus bv,
Breda 2008
Omslagontwerp Mijke Wondergem
Omslagillustratie © Andy en Michelle Kerry, Trevillion Images
Drukkerij Haasbeek bv, Alphen a/d Rijn

Dit boek is gedrukt op FSC-gecertificeerd papier

ISBN 978 90 445 0991 5
NUR 331

De man uit de bergen

I

De wolken zakten sloom over de berg aan de andere kant van het dal omlaag. De smalle, ivoorwitte flarden slingerden zich dikwijls laat in de middag of vroeg in de avond door de bergpas aan de oostkant naar binnen, gingen in elkaar over en vormden witte sluiers, soms intens zilverachtig, verlicht door de zon die achter de bergtoppen onderging. De bomen op de bergkam tekenden zich af als soldaten in een gealuminiseerde colonne, die zich verder uitstrekte dan Manuel Alavez zich kon voorstellen.

De wolken waren de wijde wereld in geweest, naar het zuiden, naar de kust van Oaxaca, om voedsel en vocht te halen. Misschien gingen ze af en toe, voor de afwisseling, naar het noorden om de zoutheid van de Caribische Zee te proeven.

Als ze terugkwamen, dampten de bergflanken nog steeds van het vocht en uit de dichte begroeiing steeg een hete adem op. De mensen – als stipjes – de muilezels met hun last op hun rug – iets groter – bewogen zich voort op de paden naar het dorp, waar de honden hen met een vermoeid geblaf opwachtten en de rook opsteeg uit de schoorstenen op de door de zon verlichte pannendaken, die glinsterden in warme, rode nuances.

De wolken schoven genotvol op in de richting van de berg. Manuel stelde zich voor dat zij en de berg hun vocht mengden en elkaar daarna vertelden wat er die dag was gebeurd. Nu hadden de bergen niet zo veel te vertellen, hoogstens een paar roddels uit het dorp, maar de wolken namen daar genoegen mee. Ze hadden gewoon behoefte aan wat alledaagse praatjes na hun reis over een onrustig continent, zo vol wanhoop en geploeter.

'La vida es un ratito', het leven duurt maar even, zei zijn moeder altijd en ze ontblootte daarbij een bijna tandeloze opening in een smalle grimas, die haar uitspraak zowel onderstreepte als beperkte.

Hij herformuleerde haar uitdrukking later tot 'La vida es *una ratita*', het leven is een rat, een knaagdier.

Manuel, zijn moeder en zijn twee broers aanschouwden de

bergen altijd vanaf hun terras. Het terras waarop ze de koffiebonen droogden en dat hun uitzicht bood over de zestig huizen van het dorp.

Een dorp zoals zovele, afgelegen voor iedereen behalve voor henzelf, op ruim een uur lopen van de dichtstbijzijnde grote weg die hen naar Talea en verder kon leiden, en na een busreis van vijf uur naar Oaxaca.

De koffie werd in een haven verpakt, niemand wist in welke, en naar *el norte* of Europa verscheept. Als de opkopers de zakken hadden ingeladen en ze hadden afgevoerd, verloren de dorpsbewoners de controle. Ze wisten dat hun koffie lekker smaakte en dat de prijs vertienvoudigd zou worden, misschien wel vertwintigvoudigd, voordat hij zijn kopers bereikte.

Manuel leunde tegen het koele raampje van het vliegtuig, staarde naar buiten in de heldere Atlantische nacht, uitgeput na de lange reis van de bergen naar Oaxaca en nog eens zeven uur met de bus naar de hoofdstad en een halve dag wachten op het vliegveld. Het was de eerste keer dat hij vloog. De ongerustheid die hij had gevoeld was overgegaan in verbazing dat hij zich op elfduizend meter hoogte bevond.

Er kwam een stewardess langs die hem koffie aanbood, maar hij bedankte. De koffie die hij eerder had gekregen, had hem niet gesmaakt. Hij keek naar de stewardess terwijl ze de passagiers aan de andere kant van het gangpad bediende. Ze deed hem denken aan Gabriëlla, de vrouw met wie hij zou trouwen. Dat werd tijd, vond zijn moeder. In haar ogen was hij oud. Hij had het gevoel dat hij bijna verplicht was met haar te trouwen. Ze hadden elkaar jaren geleden ontmoet en gedurende zijn tijd in Californië hadden ze contact gehouden per brief. Hij had een paar keer gebeld. Ze had op hem gewacht en dat ervoer Manuel nu als een goedkeuring. Hij kon het niet over zijn hart verkrijgen haar datgene te weigeren waar ze van uit was gegaan en waar ze zo lang op had gewacht: een huwelijk. Natuurlijk hield hij van haar, dat sprak hij zichzelf tenminste in, maar hij voelde een steeds grotere angst om zich voorgoed te binden.

Hij viel tussen twee continenten in slaap en onmiddellijk kwam Angel naar hem toe. Ze bevonden zich op een *milpa* waar ze maïs, bonen en pompoenen verbouwden. Het was vlak voor de maïs-oogst. Zijn broer lag half overeind in de schaduw van een boom. Hij was uitgelaten en lachte zoals alleen hij dat kon: een klokkend geluid dat zijn oorsprong leek te hebben in zijn bolle buik. Angel was mollig en werd als kind 'El Gordito' genoemd, de kleine dikkerd.

Angel vertelde over Alfreda uit het naburige dorp Santa Maria de Yaviche. Ze hadden elkaar in februari ontmoet, tijdens de fiësta, en Angel beschreef haar gezicht en haar haar uitvoerig. Hij was altijd zorgvuldig met details.

Manuel kwam overeind, ongerust over Angels lichtzinnige geprat over de jonge vrouw. Ze was pas zeventien.

'Je mag haar niet voor de gek houden', zei Manuel.

'Zij houdt míj voor de gek', lachte Angel. 'Ze doet me beven.'

'We moeten nu terug', zei Manuel.

'Zo meteen,' zei Angel, 'ik ben nog niet klaar.'

Manuel kon alleen maar glimlachen. Angel zou schrijver kunnen worden, hij is zo goed in vertellen, dacht hij, en hij ging weer zitten.

Aan de andere kant van de akker buitelden een paar wilde konijnen over elkaar heen. Ze hipten onbekommerd rond, nieuwsgierig en speels, zich niet bewust van de havik die hoog boven hen in de lucht zweefde.

'Jij bent ook een *conéju*, maar het leven bestaat niet alleen uit spelletjes', zei Manuel, maar hij had direct spijt.

Hij was de oudste van de drie broers en nam veel te vaak de rol van de verantwoordelijke op zich, degene die moest vermanen en de juiste weg moest wijzen. Angel en zijn middelste broer Patricio waren goedlachs en hielden wel van een grapje. Ze werden net zo vaak en snel verliefd als kikkers. Ze waren nergens bang voor en Manuel was jaloers op hun optimisme en lichtzinnigheid.

Angel volgde de blik van zijn broer, kreeg de roofvogel, die langzaam door de luchtlagen omlaag gleed, in het vizier, hief zijn armen op alsof hij een geweer vasthield, richtte en loste een schot.

'Pang', zei hij en hij keek Manuel lachend aan.

Manuel glimlachte en zonk voorover met zijn gezicht naar de grond. Hij wist dat de havik spoedig een duik zou nemen en hij wilde niet zien of de vogel zou slagen in zijn jacht.

'Ik heb gemist, maar die havik moet ook leven', zei Angel, alsof hij de gedachten van zijn broer had gelezen. 'Konijnen zijn er zat.'

Manuel raakte plotseling misnoegd over het feit dat Angel Spaans sprak, maar kon hem niet terechtwijzen doordat hij plotseling wakker werd, rechtop ging zitten en naar de vrouw in de stoel naast hem keek. Ze sliep. Hij had haar blijkbaar niet wakker gemaakt toen hij opschrok.

Daar ergens beneden bevond Patricio zich. Al sinds Manuel bericht over het lot van Patricio had ontvangen, was hij heen en weer geslingerd tussen kwaadheid, verdriet en gemis. De eerste brief bestond uit drie zinnen: ik leef, ik zit in de gevangenis en ik ben veroordeeld tot acht jaar gevangenisstraf.

De volgende brief was wat uitvoeriger, zakelijker en droger, maar achter de woorden vermoedde Manuel gelatenheid en wanhoop, gevoelens die de daaropvolgende brieven domineerden.

Manuel kon zich Patricio niet achter de tralies voorstellen. Patricio, die zo gek was op de open velden en die zijn blik altijd zo ver mogelijk weg vestigde. Patricio kende een volharding die Manuel en Angel altijd had verbaasd. Hij was altijd bereid een paar stappen verder te doen om te kijken wat zich achter de volgende bocht, kruin, top of straathoek verborg.

Hij was fysiek de sterkste van de broers, en met zijn ruim één meter tachtig langer dan de meesten in het dorp. Zijn lengte en gestalte, in combinatie met zijn ogen, hadden hem een zekere reputatie gegeven van een slimme man die het waard was om een beetje extra naar te luisteren. Terwijl Angel de praatjesmaker was die zich niet graag verplaatste, was Patricio beweeglijk en een man van weinig woorden, bedachtzaam in wat hij zei en terughoudend in zijn gebaren. Ze hadden eigenlijk alleen hun lach gemeen.

Manuel had uit de brief van zijn broer begrepen dat de gevangenis in Zweden totaal anders was dan de gevangenissen in

Mexico en zijn broer vond het heel bijzonder dat ze een tv in hun cel mochten hebben en dat ze konden studeren. Maar wat moest hij studeren? Patricio had nooit van boeken gehouden. Hij was een mens die zijn leven had geleefd door de mensen en de natuur te bestuderen. Hij deed zijn werk met tegenzin, of het nu zaaien, wieden of oogsten was, hij bewoog het kapmes alsof het een vijand in zijn handen was. Ondanks zijn kracht waren zijn slagen vaak krachteloos en ongeconcentreerd.

'Als je denkt dat ik zo'n zielige *campesino* word, heb je het mis', herhaalde hij toen Manuel hem eraan herinnerde dat ze een erfenis te beheren hadden.

'Ik heb geen zin om als een *ranchero* in de bergen te zitten, bonen en tortilla te eten, eenmaal per week in het dorp te komen en me een stuk in de kraag te zuipen met *aguaerdiente* en steeds armer te worden. Zie je niet dat we voor de gek worden gehouden?'

Zou hij acht jaar lang opgesloten kunnen zitten? Manuel vreesde voor zijn leven en voor zijn gezondheid. Patricio opsluiten was in de praktijk een doodvonnis. Toen Manuel had geschreven dat hij naar Zweden zou komen, had zijn broer onmiddellijk geantwoord dat hij geen bezoek wilde ontvangen. Maar dat kon Manuel niet schelen. Hij moest erachter zien te komen wat er was gebeurd, hoe het was gegaan. Hoe en waarom Angel was gestorven en hoe Patricio zo stom had kunnen zijn om zich bezig te houden met van dat smerige handwerk als drugssmokkel.

Toen het vliegtuig door de wolken omlaag kwam, zwenkte en zich opmaakte voor de landing, gingen zijn gedachten naar de bergen, naar zijn moeder en de koffiebonen. Wat waren die bonen toch mooi! Als ze gedroogd waren en in open, uitpuilende jutezakken lagen en elk vrij stukje in huis in beslag namen, zelfs naast het bed, móést je ze wel aanraken en Manuel streek altijd met zijn hand door de opmerkelijk geurloze bonen en voelde de vreugde door zijn vingers glijden.

'La vida es una ratita', mompelde hij, sloeg een kruis en zag het vreemde land zich onder hem uitstrekken.

2

Slobodan Andersson moest lachen. Zijn hele gezicht spleet uiteen in een brede grijns, die zijn door de tabak verkleurde tanden blootlegde. Ze leken op houten pinnen die tot vlijmscherpe wapens waren geslepen.

Slobodan Andersson lachte vaak en keffend als een hondje, maar hij kon daarom niet worden beschouwd als een vrolijke vent.

Zijn vijanden, en hij had er in de loop der jaren wel een aantal gekweekt, spraken minachtend over die 'poedeljoego'. Slobodan vatte het niet verkeerd op. Soms tilde hij zijn ene been op en kefte hij nog wat extra als iemand hem aan zijn bijnaam herinnerde.

'De poedel', zei hij altijd, 'is familie van de wolf.'

Niet alleen zijn gezicht was breed. Hij was de laatste twintig jaar enorm uitgedijd en had steeds meer moeite het tempo bij te benen dat hem als restauranthouder beroemd en berucht had gemaakt. Wat hij met de jaren aan fysieke beweeglijkheid was kwijtgeraakt, compenseerde hij met ervaring en een toenemende meedogenloosheid. Hij liet mensen vaak verbaasd en soms gebroken achter, en deed dat met een onverschilligheid die niet kon worden verzacht door een lach of een dreun op iemands rug.

Zijn levensgeschiedenis, die de kroegtijgers in de stad maar al te graag opnieuw opdisten en voorzagen van schokkende elementen, zat vol onduidelijkheden, en Slobodan hield deze graag in stand met een mengeling van zeldzaam gedetailleerde en drastische episodes uit ruim dertig jaar in de branche, afgewisseld door vage uitspraken die ruimte lieten voor verschillende interpretaties.

Wat men zeker wist, was dat hij een Servische moeder en een Zweedse vader had, maar niemand wist of ze nog leefden en zo ja, wáár. Op dat punt was Slobodan Andersson zwijgzaam. Hij vertelde altijd over zijn jeugd in Skåne, hoe hij als vijftienjarige bij een bekende kroeg in hartje Malmö was gaan werken. Hij weigerde de naam van de eetgelegenheid in zijn mond te nemen, hij noemde haar alleen 'die tent'. Hij had er de eerste drie maanden doorgebracht met boenen en schrobben. Volgens Slobodan was de chef-kok, 'dat Duitse varken', een sadist en men beweerde dat Slobodan, die inmiddels was bevorderd tot leerling-kok, een vismes in zijn buik had gestoken. Als men hem ernaar vroeg, liet hij zijn poedellach horen en hield hij zijn buik vast. Hoe die beweging moest worden geïnterpreteerd, daarover bestonden verschillende opvattingen.

Na uitstapjes naar Kopenhagen en Spanje belandde Slobodan in de restaurantbranche van Uppsala, waar hij iedereen verbaasde door twee restaurants tegelijk te openen, Lido en Pigalle. Smakeloze namen, vonden velen, en het eten kreeg hetzelfde oordeel. Wat de twee zaken gemeen hadden, was hun dure inrichting. Het Lido werd toegerust met een elf meter lange zinken toog, waarin de bezoekers hun bestellingen konden krassen met voor de gelegenheid neergelegde schroevendraaiers. Die werden echter na een geval van mishandeling verwijderd.

Pigalle was een donker hol met een mislukte mengelmoes van oriëntalisme, met wierook en donkere draperieën, en een mediterraans restaurant waar visnetten aan het plafond, schelpen en een opgezette zwaardvis de gasten moesten herinneren aan hun tripjes naar Mallorca eind jaren zestig.

Beide etablissementen gingen binnen een jaar failliet. Slobodan Andersson kocht de inrichting op, bracht een groot deel naar het afvalpunt van Hovgården maar behield datgene wat van enige waarde kon zijn en begon Djengis Khan. Met een betere uitgangspositie. Djengis Khan kreeg geen naam omwille van enige culinaire sensatie, maar werd een populaire bar. Men zag nu dat Slobodan talent had om een flitsende omgeving te combineren met een stemming die grensde aan familiair. Hij stond vaak zelf achter de bar, was tegelijkertijd royaal en satanisch, en wist zijn favorieten onder de gasten te kiezen; mensen die trouw waren en meer bezoekers genereerden.

Djengis Khan ging roemrucht ten onder, of liever gezegd, ging op in rook, want het begin van het eind was een brand in de keuken, de aanschaf van nieuwe apparatuur en daarna drie inbraken op rij en uitstel van betaling.

Slobodan verdween uit Uppsala. Het gerucht ging dat hij naar Zuidoost-Azië was vertrokken, anderen zeiden West-Indië of Afrika. Er werd beweerd dat hij een kaartje naar het gerechts-deurwaarderkantoor had gestuurd. Na een jaar kwam hij terug, bruingebrand, met een lang niet zo omvangrijke buik als voorheen en zijn hoofd vol nieuwe projecten.

Er was opeens weer geld, veel geld. Hij stopte de dienst be-slagleggingen een paar honderdduizend kronen toe en kort daarna opende Alhambra zijn deuren. Dat was eind jaren negentig en sindsdien was zijn imperium alleen maar gegroeid.

Alhambra was gehuisvest in een oud pand in het centrum, op een steenworp afstand van Stora torget. De ingang was overdadig, met speciaal besteld marmer op de trap en een bewerkte koperen deur met de initialen van de eigenaar en de naam van het restau-rant in sierlijke zilveren letters.

Als je eenmaal binnen was, werd de pompeuze indruk enigszins afgezwakt. De inrichtingsvoorstellen waar chef-kok Oscar Ham-mer mee kwam, werden met een poedellach afgewezen.

'Dat is te kil', zei Slobodan terwijl hij over zijn beginnende kale kruin wreef toen hij naar de ontwerpen keek die Hammer had laten maken.

'Het moet veel bling-bling zijn, tierelantijntjes en veel goud.'

En dat kwam er ook. Velen vonden dat het zó consequent was doorgevoerd dat het zelfs stijlvol werd. De goud- en magenta-kleurige muren waren bezaaid met lampjes en wazige, gedrukte prenten in brede, witte lijsten. De afbeeldingen hadden allemaal motieven uit de Griekse mythologie.

'De tent heet toch Alhambra', zei Slobodan, toen Hammer er wat tegenin wilde brengen.

De tafels in de eetzaal, gedekt in rococostijl en met zwaar bestek van nieuwzilver en kandelaars, werden geregeld door Armas, die al jarenlang de vertrouweling van Slobodan was.

Nu stond Slobodans imperium voor een nieuwe uitdaging. Deze keer haalde hij zijn inspiratie uit een nieuw continent. Het res-taurant werd Dakar genoemd en voor het eerst klopte alles. De muren waren versierd met foto's van West-Afrika, sommige uit-vergroot tot op de vierkante meter, met motieven van markten, het leven in de dorpen en sportevenementen.

De fotograaf was een Senegalees uit het zuiden van het land die jarenlang in de regio had rondgereisd en foto's had gemaakt.

Slobodan wilde groots uitpakken. Hij wilde zich richten op de 'rijkelui', zoals hij het zelf uitdrukte. Het doel was ze weg te krijgen uit Svenssons Guldkant en Wermlandskällaren en ze naar Dakar te lokken.

'Die oude bolsjewiek', zei hij vol verachting over de eigenaar van het visrestaurant waar het burgerlijke Uppsala meestal lunch-te. 'Ik zal ervoor zorgen dat die wijven hierheen komen. Ik zal zo veel sterren krijgen dat de wereldpers op straat in de rij moet staan. Mijn menukaarten komen in de leerboeken als voorbeeld van de perfecte keuken.'

Er zat geen rem op de ideeën en overtuiging van Slobodan Andersson dat hij Uppsala en de wereld versteld zou doen staan.

'Ik heb koks nodig!' barstte hij tijdens de eerste ontmoeting met Hammer en Armas uit.

'Je hebt vooral geld nodig', meende Hammer.

Slobodan keek hem even snel aan en de chef-kok verwachtte de gebruikelijke scheldkanonnade die meestal op tegenwerpingen volgde, maar de scherpe blik van de restauranthouder maakte deze keer plaats voor een grijns.

'Dat is geregeld', zei hij.

3

'Op weg', mompelde Johnny Kvarnheden, en hij zette de autoradio wat harder. De lage avondzon baadde in het water van het Vättern. Het eiland Visingsö lag in het water als een slank oorlogsschip dat koers zette in zuidelijke richting, en de veerboot naar Gränna leek een kever op een gouden vloer.

Zijn vlucht had iets van een film, alsof iemand zijn weemoed had geregisseerd, het licht had geënsceneerd en muziek had toegevoegd. Hij was zich bewust van het filmachtige en werd gestuurd, liet zich sturen, werd gevangen door het klassieke in de scène: een eenzame man op weg van zijn oude leven naar iets onbekend nieuws.

Een telefoontje was genoeg geweest, een vliegensvlugge afweging om een beslissing te kunnen nemen, zijn weinige bezittingen in te pakken, veel te weinig, veel te overhaast, en op weg te gaan.

Hij wilde dat zijn vlucht voor eeuwig kon zijn, dat de inhoud van de benzinetank, zijn trek en zijn blaas mochten beslissen. Dat de verplaatsing op zich de hoofdzaak werd, dat hij losgekoppeld van alles, behalve van de frictie tussen de banden en het asfalt, voort kon suizen.

Als hij een camera moest instellen, zou hij die richten op de weg, op het zwarte asfalt, op de sporen van het verkeer en de groeven van de tanden van de sneeuwploegen, en niet op zijn gezicht of op het landschap dat langs flitste. Het geluid zou niet de stem van Madeleine Peyroux uit de cd-speler zijn, maar het ritmische gebonk van de weg, de onverbiddelijkheid van de assen en de krampachtige grip van zijn handen om het stuur – dat was de taal die de kijker zou aanspreken.

Hij gaf niet toe aan zijn teleurstelling en zijn verdriet, maar ook niet aan zijn hoop en zijn dromen. Hij dacht aan beschrijvingen van voedsel, vulde het ene bord na het andere met gerechten. Het feit dat hij kok was, redde hem voor dat moment.

Als minnaar was hij waardeloos, hij kreeg hem niet eens meer omhoog, als partner op zich was hij al net zo mislukt. Dat was hem langzaamaan duidelijk geworden en dat inzicht had hem de avond ervoor met volle kracht getroffen toen Sofie zijn pogingen als pathetisch had gekarakteriseerd.

'Jij leeft niet,' had ze gezegd in een aanval van plotselinge welbespraaktheid, 'en jouw zogenaamde bezorgdheid om onze relatie is belachelijk. Het verstikt me. Jij bent niet in staat lief te hebben.'

Hij had haar vastgepakt, haar lichaam tegen het zijne geduwd en voor het eerst sinds maanden lustgevoelens gehad. Ze had zich walgend losgemaakt.

'Verstikken,' zei hij hardop, 'wat is dat voor woord?'

Hij passeerde Linköping en Norrköping. Vervolgens denderde hij verder de provincie Södermanland in met een accelererende wanhoop die maakte dat hij veel te snel reed. Hij had niet langer de regie. Hij zette de muziek nóg wat harder, draaide telkens dezelfde cd.

Bij de toegangsweg naar Stockholm probeerde hij aan zijn nieuwe baan te denken. 'Dakar' klonk goed. Hij wist niet meer over het restaurant dan wat hij de nacht ervoor snel op internet had gelezen. Het menu zag er op papier wel oké uit, maar er was iets in de toon wat niet klopte, alsof het taalgebruik chiquer probeerde over te komen, maar niet echt kon beantwoorden aan zijn eigen superlatieven. Het ontbrak hen daar niet aan zelfvertrouwen. De tekstschrijver had gewoon wat te veel uit de kast gehaald.

Zijn zus in Uppsala had hem over de baan getipt en hij had de eigenaar gebeld. Die had snel een paar referenties genoteerd en een half uur later teruggebeld en meegedeeld dat hij was aangenomen. Het was alsof hij vermoedde in welke situatie Johnny zich bevond.

Hij wist niet meer over Uppsala dan dat er een universiteit was. Zijn zus had niet zo veel verteld, maar dat hoefde ook niet. Hij moest ... tja, wat eigenlijk? Koken, maar verder?

4

'Wat zou het heerlijk zijn om te zeilen.'

Eva Willman lachte bij zichzelf. Het artikel over het vakantie-paradijs in West-Indië was geïllustreerd met een foto van een zeewaardig jacht. Het voer halve wind en de golven spatten op tegen de boeg. De wimpel hing in top. Op het achterdek stond een man gekleed in een blauwe korte broek en een wit hemd met een blauwe pet op zijn hoofd. Hij zag er ongedwongen en ontspannen uit hoewel hij de verantwoordelijkheid voor zo'n grote boot had. Eva vermoedde dat hij degene was die de koers hield. Zijn blik was omhoog gericht naar de bolle zeilen. Ze meende een glimlach te zien.

'Ik zou niet eens geld hebben voor die pet', vervolgde ze wijzend.

Helen leunde voorover en keek vluchtig naar de dubbele pagina voor ze weer op de bank naar achteren leunde en verderging met het vijlen van haar nagels.

'Ik word zeeziek', zei ze.

'Maar stel je eens voor wat een vrijheid je hebt', zei Eva terwijl ze verder las.

Het artikel ging over de buureilanden Aruba, Bonaire en Curaçao. Ze werden beschreven als paradijselijke eilanden; een eldorado voor snorkelaars en duikers. Een plek waar je de beslommeringen van alledag kon vergeten.

'De Antillen', mompelde ze. 'Wat zijn er toch veel mooie plekken.'

'Boten zijn niets voor mij', zei Helen.

Eva keek een tijdje naar de kaart van het parelsnoer van eilanden ten noorden van Venezuela. Ze volgde de kustlijn en las de vreemde plaatsnamen. Het krassende geluid van de nagelvijl ging haar steeds meer irriteren.

'Ik zou vissen willen zien, van die tropische in alle kleuren van de regenboog.'

Ze keek op de digitale klok van de video voordat ze verder bladerde.

'Je zou een cursus moeten doen', zei ze plotseling. 'Leren zeilen, bedoel ik. Dat is misschien niet zo moeilijk te leren.'

'Ken jij iemand met een zeilboot?'

'Nee,' zei Eva, 'maar je kunt iemand léren kennen.'

Ze staarde nietsziend naar de volgende dubbele pagina. Die ging over een school in Zuid-Zweden die was afgebrand.

'Misschien kom ik ooit nog een lekker ding tegen met een boot. Maar dan wel een zeilboot. Niet eentje met een motor.'

'Wie zou dat moeten zijn?'

'Een mooie, knappe vent. Een lieve man.'

'Die zit te wachten op vrouw op leeftijd met twee kinderen? Geloof je het zelf?'

De woorden kwamen onverwacht hard aan.

'Kijk naar jezelf', zei ze hatelijk.

De vijl stopte. Eva bladerde verder. Ze voelde Helens blik. Ze wist precies hoe haar vriendin zou kijken: haar ene mondhoek omlaag, een verticale rimpel in haar voorhoofd en de moedervlek tussen haar wenkbrauwen als de punt in een uitroepteken.

Helen kon er echt misnoegd uitzien, alsof ze voortdurend om de tuin werd geleid. Wat ook zo was. Haar man bedroog haar constant.

'Wat bedoel je daarmee?'

'Ach, niks', zei Eva terwijl ze haar vriendin een snelle blik toewierp.

'Jezus, wat ben jij bezig, zeg! Ik kan er toch niks aan doen dat je je gedumpt voelt.'

'Ik ben niet gedumpt! Ik ben na elf verdomd lange jaren opgezegd.'

Eva schoof de krant van zich af en stond op. Het was niet voor het eerst dat Helen het woord 'gedumpt' gebruikte. Eva haatte dat. Ze was vierendertig en absoluut niet uitgerangeerd als mens.

'Ik ga een nieuwe baan zoeken', zei ze.

'Veel succes', zei Helen, en ze ging door met vijlen.

Eva verliet de woonkamer en ging naar de keuken, griste de

papieren van het arbeidsbureau bij elkaar en propte ze tussen de kookboeken op het aanrecht. Patrik zou zo thuiskomen.

Het methodische gevijl was zelfs in de keuken hoorbaar. Eva bleef voor de kast staan waar de O'boy stond. De meest doodgewone bezigheden werden belangrijk, elke beweging, zoals melk en cacaopoeder pakken, kreeg betekenis. Ze stak haar hand uit naar de kast. De witte streep op haar pols, waar haar horloge had gezeten, herinnerde haar eraan hoe de tijd verstreek. Ze bewoog zich afwachtend, alsof ze een vreemde in haar eigen keuken was, terwijl de seconden, minuten en uren onverbiddelijk doortikten. Haar hand was warm maar haar pols koud. Haar arm was bruin en bezaaid met levervlekjes. Dat waren er de laatste jaren steeds meer geworden.

Eva deed de kast open. Het vijlen was opgehouden en het enige wat je hoorde was het geritsel van Helen die in een krant bladerde.

Op de planken stonden suiker, meel, havermout, popcorn, koffie en andere kruidenierswaren. Ze bekeek elke verpakking alsof ze hem voor het eerst zag.

Pas toen Eva Patrik de voordeur hoorde opendoen, werd haar verlamming verbroken. Ze pakte snel de cacaopoeder, deed de koelkastdeur open en pakte melk. Nog maar iets minder dan twee liter. De komkommer bijna op, de kaas een schoenzool, eieren oké en voldoende yoghurt, constateerde ze.

'Hallo', riep ze, verbaasd hoe vrolijk ze klonk, maar alleen al het geluid van zijn voeten in de hal deed haar glimlachen.

Achter zijn slepende bewegingen en zijn wat norse blik zat een attendheid die haar bleef verbazen. Hij werd steeds verstandiger. Als ze dat zei, was hij afwijzend en als ze hem prees, keek hij haar niet-begrijpend aan, alsof hij niet wilde weten dat hij voorkomend of vooruitziend was geweest.

Hij kwam de keuken binnen en ging zitten. Eva dekte zwijgend de tafel.

'Wie zit er binnen?'

'Helen. Ze komt het strijkijzer lenen.'

'Heeft ze er zelf geen?'

'Dat is kapot.'

Patrik zuchtte en schonk melk in. Eva keek naar hem. Zijn broek begon slijtplekken te vertonen. Als hij beweerde dat dat zo hoorde, moest ze lachen. Toen versleten kleren in de mode kwamen, hadden zij ook eens geluk.

'Ik weet een baan voor je', zei Patrik opeens.

Hij smeerde zijn vierde boterham.

'Hè?'

Patrik keek haar aan en Eva meende ongerustheid in zijn ogen te zien.

'De moeder van Simon had het erover. Haar broer gaat naar Uppsala verhuizen. Hij heeft een baan.'

Hij dronk een slok O'boy.

'Wat heeft dat met mij te maken?'

'Ze hebben ook een serveester nodig. Hij is kok.'

'Het heet serveerster. Niet serveester.'

'Maar kok is wel goed.'

'Moest ik serveerster worden? Wat zei ze nog meer? Had ze het over mij?'

Patrik zuchtte opnieuw.

'Wat zei ze dan?'

'Je moet zelf maar met haar gaan praten.'

Hij stond op, een boterham in zijn hand.

'Ik ga vanavond naar de film.'

'Heb je dan geld?'

Hij stond zonder antwoord te geven op, snelde naar zijn kamer en deed de deur achter zich dicht. Eva keek op de wandklok. De moeder van Simon, dacht ze en ze begon af te ruimen, maar bedacht zich. Hugo zou zo uit school komen.

Helen kwam naar de keuken en ging aan tafel zitten.

'Was dat Patrik?'

Eva had geen zin om antwoord te geven. Helen wist heel goed dat hij het was. Eva werd plotseling kwaad over haar gelaatsuitdrukking.

'Jij vindt dat ik je verneder, ja, ik weet het', zei Helen onverwacht luid. 'Jij droomt van zeilboten en knappe, lieve kerels, maar heb je weleens bedacht ...'

Eva staarde haar aan.

'… dat je er nooit iets mee doet? Snap je? Het zijn alleen mooie woorden.'

'Ik heb een baan', zei Eva.

'Als wat?'

'Serveerster.'

'Waar dan?'

'Weet ik niet', zei Eva.

Helen keek haar aan en Eva meende een glimlach om haar lippen te zien.

Toen Helen weg was, schonk Eva het laatste beetje koffie in en ging op een stoel zitten. Niet te worden geloofd, dacht ze, dat is het ergste. Of liever gezegd, wanneer anderen geen vertrouwen in haar capaciteiten hadden. Helen had geprobeerd haar spottende glimlach te verbergen, ze wist dat haar vriendschap met Eva niet tegen álles bestand was, maar het razendsnelle inzicht dat haar vriendin haar in de toekomst zou blijven herinneren aan die baan als serveerster, maakte Eva razend. Helen zou zeker in het voorbijgaan vragen of het wat was geworden. Waarom? Gewoon, om zich superieur te voelen. Om haar frustratie uit te leven op Eva terwijl ze juist haar eigen leven op orde zou moeten brengen. Helen had geen werk sinds ze een paar jaar geleden als gastouder was gestopt.

Ze dronk een slok koffie. Uit de kamer van Patrik klonk muziek. Eva wilde dat hij in de keuken was gebleven en wat meer had verteld over wat de moeder van Simon had gezegd. Hoewel ze vermoedde dat dat niet zo veel meer was. Ben ik minder waard? Die vraag overviel Eva Willman toen ze zich uitstrekte naar een nieuwe vuilniszak onder het aanrecht. Op de bodem van de vuilnisbak lagen een bananenschil in verregaande staat van ontbinding en een plakkerige, stinkende, bruine massa, die in het midden tot leven leek te zijn gekomen. Ze pakte een nieuwe zak en trok tegelijk de emmer eruit en zette hem op het aanrecht. Ze bleef op haar hurken zitten en staarde in de ruimte onder de spoelbak waar de afvoerpijpen omlaag liepen.

Ze wilde Patrik roepen, hem meenemen naar de keuken en hem

laten zien hoe vies het werd als je niet eens zoiets eenvoudigs deed als het vuil wegbrengen, maar waarom zou ze? Ze vonden haar toch al zo'n zeurpiet.

Hoe vaak in de week gooide ze het vuil weg? Hoe vaak strekte ze zich uit onder het aanrecht, drukte het vuil wat verder aan, trok de zak omhoog en knoopte hem dicht?

De scherpe lucht drong door tot haar neusgaten. Dat is mijn lucht, dacht ze, en dit is mijn aanblik, afvoerpijpen en een verzameling verpakkingen met schoonmaakmiddelen en borstels. Ze stak haar hand uit naar het schuursponsje, dat tussen de pijpen zat ingeklemd en kreeg zin om erin te bijten, het kapot te kauwen tot geel-groene kruimels en de smaak te proeven van afwas, schoonmaak en alledaagse beslommeringen die haar dreigden te overmannen.

De afvoerpijpen maakten een gorgelend geluid. Zeker de buurvrouw boven aan de afwas; een Bosnische vrouw die daar pas was komen wonen. Het geluid herinnerde Eva eraan dat ze niet alleen was in de flat.

Ze zag voor zich hoe de appartementen op elkaar waren gestapeld. Vijf ingangen, vier verdiepingen en drie appartementen op elke verdieping. Zestig woningen. Ze kende een tiental huurders bij naam, knikte herkennend naar misschien vijftig mensen en ging met niemand om.

Haar benen begonnen pijn te doen. Ze ging op de vloer zitten, leunde tegen het keukenkastje, steunde met haar ellebogen op haar knieën en streek voorzichtig met haar vingertoppen over haar voorhoofd. Waarom zat ze daar, vastgenageld in haar eigen keuken, alsof een onzichtbare hand haar tegen de keukenvloer drukte?

Soms kreeg ze het idee dat ze overeind moest komen, dat ze Hugo en Patrik mee moest nemen en langs de zestig appartementen moest gaan, aanbellen en zeggen … Wat moest ze zeggen? Zouden ze überhaupt opendoen, wantrouwig als iedereen was na de schietpartij beneden bij de school? Er was weliswaar niemand gewond geraakt, maar de schoten hadden over het hele gebied geëchood.

De vrouw in de flat boven haar was net met haar twee kinderen uit de bus gestapt toen het gebeurde. Zij wist hoe een schoten-wisseling klonk en had de kleinste in haar armen genomen en de andere bij de hand, en was rechtstreeks het bos in gerend, door verdord gras en jonge struiken het beschermende bomengordijn in. Ze was naar het bos gerend, dat deden mensen in tijden van onrust altijd, en werd pas de volgende ochtend onder een boom teruggevonden door een stel oriëntatielopers van de plaatselijke sportvereniging, die controlepunten gingen uitzetten. Het was gelukkig een zwoele nacht geweest.

Er had een artikel over hen in de krant gestaan. Daarin was het levensverhaal van de vrouw beschreven. De buurt had zijn eigen bekende inwoner gekregen.

Zou zij opendoen als Eva zou aanbellen? Of Pär, die alleen-staande man die elke ochtend met een getergde uitdrukking op zijn gezicht kwam aanfietsen, maar die Eva altijd met een glimlach begroette als ze elkaar buiten tegenkwamen, zou hij opendoen?

Eva had met hem gesproken. Hij zat altijd op het bankje bij het speeltuintje zijn vijfjarige zoontje in de gaten te houden, die een oneindig aantal zandkastelen bouwde. Soms was de jongen er niet en Eva nam aan dat hij dan bij zijn moeder was. Pär kwam uit het noorden. Dat was het enige wat ze over hem wist.

De vrouw boven kwam uit het zuiden. Ze had het gehad over Tuzla, maar ook over een dorp waarvan Eva zich de naam nu niet meer herinnerde.

Ze woonden met zevenenvijftig andere gezinnen bij elkaar. Eva zag voor zich hoe ze allemaal van verschillende kanten kwamen aanlopen terwijl ze hun leven en hun familie en vrienden achter-lieten om in een huurflat aan de buitenkant van Uppsala te gaan wonen.

De buitenkant van de stad, waar je de klagende roep van de bosuil in het bos kon horen.

Ze had vroeger niet zo veel over de omgeving nagedacht. Pas nadat ze van Jörgen was gescheiden, had ze de mogelijkheid gekregen om te denken. Zo ervoer ze het althans. Toen ze samen-leefden, was het alsof hij alle tijd in beslag nam, alle zuurstof om haar heen gebruikte, de ruimte vulde met zijn breedsprakigheid en zijn bulderende lach. Er waren mensen die meenden dat hij ziek was, dat zijn voortdurende geklets veroorzaakt werd door een manische fixatie dat stilte bedreigend was, maar Eva wist beter. Het was een familietrekje, zijn vader en oom waren al net zo.

Hij leed mogelijk aan een te groot zelfvertrouwen. Het probleem was dat hij de voeding voor zijn zelfverzekerdheid uit zijn omgeving haalde, alsof hij – net als een knotcelwesp – Eva uitzoog om zichzelf te sterken.

Soms had ze medelijden met hem, maar dat was maar heel af en toe en steeds minder vaak. Toen ze bij de advocaat zaten om de scheiding te bespreken, voelde ze alleen maar moeheid en minachting. Jörgen zat maar te ouwehoeren, alsof hij niet begreep dat ze bij elkaar waren gekomen om de voorwaarden voor de scheiding en de voogdij voor de kinderen te regelen.

De jurist onderbrak zijn woordenvloed met de vraag of hij wel geld had om in de flat met de tophypotheek te blijven wonen. Toen zweeg hij en keek hij Eva verschrikt aan als om antwoord te vinden op een vraag die hij nooit had gesteld. Eva begreep dat het niet zozeer de financiën waren die hem beangstigden als wel het plotselinge inzicht dat hij in de toekomst alleen zou moeten leven.

Die ongerustheid wilde sindsdien bij hem niet meer wijken. Het bracht hem niet tot zwijgen, integendeel, maar voor Eva waren Jörgens aarzelende vragen over haar welbevinden en het aftasten van gebieden die ze nooit samen hadden verkend, een bevestiging van het feit dat hij er nooit rijp voor was geweest. Dat hij zich er niet van bewust was geweest wat het betekende om je leven met een ander te delen. Dat hun huwelijk slechts een verlenging was geweest van zijn leven met zijn alleenstaande moeder. Zijn moeder, 'die feeks', zoals Eva haar in stilte noemde, had eigenlijk maar één goede vriend, en dat was haar zoon.

Nu kwamen de aandacht en de vragen te laat. Eva hapte nooit op zijn uitgeworpen visjes dat ze het misschien opnieuw zouden moeten proberen. Ze hield afstand en was meestal overdreven formeel. Ze wist dat dat hem pijn deed, maar het gaf haar op de een of andere duistere manier voldoening. Het was een primitieve wraak, maar ze had geen zin om zijn zorgelijke monologen aan te horen. Want achter zijn verhalen over hoe moeilijk het leven toch was, lag altijd zelfmedelijden op de loer.

Jörgen kwam Patrik en Hugo om het weekend halen en Eva richtte een muur van onverschilligheid en argwaan op tegen zijn oeverloze geleuter. Ze prees zichzelf gelukkig dat ze er verder geen last meer van had, maar zorgde wel dat ze niet gemeen of ironisch werd. Hij klaagde altijd dat hij geen goed contact met de jongens kreeg, maar wanneer Eva voorstelde dat de jongens langere perioden bij hem zouden komen logeren, krabbelde hij terug.

Ze had nu alle tijd van de wereld. Het enige waar ze aan moest denken waren de afspraken bij het arbeidsbureau en de enige plicht die ze had, was twee kinderen in leven houden en zorgen dat ze enigszins op tijd op school en in bed kwamen.

Soms was ze dankbaar dat ze was opgezegd. Het was alsof haar bevrijdingsproces was begonnen met de scheiding en dat haar vrijheid nu een nieuwe en hogere vorm had aangenomen. Het was een frustrerend gevoel; die opmerkelijke combinatie van woede dat ze niet langer nodig was en de vreugde vrij te zijn om te doen wat ze wilde.

Natuurlijk was het een valse onafhankelijkheid. Ze kwam niet meer uit met haar geld. Vroeger hadden ze het een paar dagen, misschien een week wat magertjes gehad voordat het salaris kwam. Nu had ze het gevoel dat ze nooit geld had voor meer dan het meest noodzakelijke.

Ze had het idee dat het duurder was om werkloos te zijn. Toch bezuinigde ze op alles. Ze was een maand geleden gestopt met roken en ze had uitgerekend dat ze vierhonderd kronen had uitgespaard. Waar was dat geld gebleven? had ze zich afgevraagd, maar ze wist het antwoord onmiddellijk. Het aanmeten van de steunzolen voor Hugo had meer dan duizend kronen gekost.

Haar vrijheid was dan wel groter, met alle uren die ze alleen was met haar gedachten, maar haar zelfvertrouwen was nihil. Ze had het idee dat ze anders was, of liever gezegd, dat haar omgeving haar nu met andere ogen bekeek. Ze was beschikbaar voor de arbeidsmarkt. Het probleem was alleen dat niemand over haar wilde beschikken. Was dat aan haar te zien, liet de werkloosheid echt lichamelijke sporen achter? Was er iets in haar houding waardoor de meisjes bij de supermarkt, weinig ouder dan Patrik, of de buschauffeur haar als een tweederangs burger bekeken als ze midden op de dag in de bus stapte? Ze wilde het niet geloven, maar het gevoel dat ze minder waard was, had zich in haar vastgebeten.

En dan Helen, die leek te groeien ten koste van Eva. Het leek wel of ze alle mogelijkheden om Eva te kleineren zag. Dat ze op onbewuste wijze wraak nam voor haar eigen tekortkomingen en haar eigen ondergeschiktheid aan een man bij wie ze al jaren geleden had moeten weggaan.

Eva was gekrompen, was weer tegen de keukenkasten en de afvoerpijpen onder een steeds glimmender aanrecht gedrukt. Alles in de flat was schoon, opgeruimd, afgestoft. Alles was in orde, behalve het feit dat zij niet langer nodig was. Fout, dacht ze, ik ben wél nodig. Ze hadden het erover gehad op het werk, hoe belangrijk ze waren, zeker voor de oudjes die geduldig in de rij voor het loket op hun beurt stonden te wachten met brieven of afhaalbewijsjes in de hand. Toen had iemand besloten dat het postkantoor kleiner moest worden en dat het aantal zitplaatsen moest worden gereduceerd. En op een dag stonden er een paar bouwvakkers die een muurtje aanbrachten. Zo was het begonnen. De oudjes moesten staan.

Vervolgens werden de openingstijden beperkt. Het werd krap, de toon werd korzelig, er kwamen steeds meer klachten en de kassamedewerksters moesten steeds vaker de frustraties van de klanten opvangen. Op een dag lagen er lijsten op het postkantoor waarop de klanten door middel van het plaatsen van hun handtekening konden protesteren tegen de verslechterde service en het sluiten van steeds meer postkantoren. Er kwamen ingezonden brieven binnen bij *Upsala Nya Tidning*, maar niets hielp en ook het postkantoor waar Eva werkte, ging dicht. Dat was negen maanden geleden.

Jeetje, wat had ze veel gesolliciteerd! De eerste weken was ze bij allerlei winkels langs gegaan, had ze de provincie en de gemeente gebeld, contact opgenomen met vriendinnen en had ze zelfs

Jörgen gevraagd of hij haar niet aan een baan kon helpen bij het saneringsbedrijf waar hij werkte.

Maar er was niets. In de zomer had ze een paar weken in de thuiszorg gewerkt. Daarna had ze bijna een baan gekregen bij een megasupermarkt ter vervanging van iemand die ziek was, maar de zieke was op wonderbaarlijke wijze genezen en weer aan het werk gegaan.

En daarna was het stil gebleven.

5

Zo had Manuel zich een gevangenis ook voorgesteld: een grijze muur en prikkeldraad dat boven langs een hoog hek liep. Hij had ook een bemand wachthuisje verwacht waar hij zijn verzoek kon indienen, maar er was alleen een reusachtige poort met daarin een kleinere deur.

Hij liep er besluiteloos naartoe, keek naar boven en naar opzij. Hij had het idee dat hij aan alle kanten werd bewaakt door camera's die zeker het hele gebied afspeurden. Plotseling kraakte een luidspreker. Hij zag geen microfoon, dus hij sprak in de lucht, verklaarde in het Engels wat hij kwam doen en daarna klikte de deur open. Hij was binnen.

'Spreekt u Zweeds?'

Manuel keek de jongeman achter de balie vragend aan. Hij leek op Javier thuis in het dorp, donker, met een paardenstaart en lieve ogen.

'*English?*'

Manuel knikte en huiverde, de man nam hem wat beter in zich op en verklaarde dat Manuel om iemand te bezoeken een verklaring uit zijn vaderland moest hebben dat hij een blanco strafblad had. Je kon niet spontaan langskomen en denken dat je toegang tot de gevangenis kreeg.

Manuel legde uit dat hij zijn broer had geschreven, dat zijn broer met de leiding had gesproken en dat hij vervolgens had teruggeschreven dat alles in orde was.

'U bent de broer van Patricio?'

Manuel knikte en was dankbaar dat er iemand was die de naam van zijn broer noemde. Patricio was niet alleen een nummer, één van honderden gevangenen.

'Dit is geen gebruikelijke toeristische attractie', zei de man achter het bureau in een duidelijke poging hem te kalmeren, en hij noemde de regels die in de inrichting van kracht waren terwijl hij Manuel in zich opnam.

Er was niets onvriendelijks in zijn gedrag, integendeel. Manuel vond hem redelijk en hij kon een beetje ontspannen, maar toch liep het zweet hem over zijn rug.

Hij zou Patricio spoedig weerzien. Het voelde onwerkelijk dat hij zich daar nu eindelijk bevond, na zo veel nachten vol vragen en ongerustheid over zijn broer en zo veel gedachten over hoe dat andere land, het gevangenisland, er eigenlijk uitzag.

Toen hij de huurauto buiten de gevangenis had geparkeerd, was de moed hem bijna in de schoenen gezonken. Hij kreeg het idee dat hij ook zou worden opgepakt. Hij wist zo weinig over Zweden. Misschien werd hij gezien als medeplichtige?

'U kunt uw spullen van waarde in een kluisje doen', zei de man en hij wees op een rij groengeschilderde kasten. Manuel koos locker nummer tien, zijn geluksnummer, en stopte zijn portefeuille en paspoort erin. De gevangenbewaarder vroeg om Manuels tas.

'Uw broer studeert Zweeds', zei de bewaker, en hij leegde de inhoud van de tas op tafel. 'Dat gaat best goed. Hij kan zich prima redden. Als iedereen zo was als Patricio zouden er geen problemen zijn.'

'*No problemas*', zei hij glimlachend. 'Zijn dit cadeautjes?'

Manuel knikte. Dat zijn broer Zweeds studeerde, kwam als een volslagen verrassing. Het voelde op de een of andere manier niet goed.

'Wat is dit? Een cadeau?'

'Het is een vaasje,' zei Manuel, 'van onze moeder.'

'Patricio kan het niet zonder meer krijgen. We moeten het inspecteren.'

Manuel knikte, maar vroeg zich tevens zwijgend af waarom een voorwerp van aardewerk zo uitvoerig moest worden gecontroleerd.

'Als u wist hoeveel vazen we binnenkrijgen die uitstekend kunnen worden gebruikt als hasjpijp', zei de ambtenaar alsof hij Manuels gedachten kon lezen.

Plotseling verscheen er een hond in de gang voor de kleine ontvangstkamer.

Manuel stond op.

'Hé, Charlie,' zei de ambtenaar, 'hoe is het?'

De hond blafte en kwispelde met zijn staart. Manuel deed een stap achteruit en staarde naar de labrador die zijn kop nu door de metaaldetector in de deur had gestoken en Manuel met beroepsmatige interesse leek aan te kijken.

'Bent u bang voor honden?' vroeg de hondengeleider.

Manuel knikte.

'Hebben jullie in Mexico geen honden?'

'Politiehonden zijn niet aardig', zei Manuel.

'Dit is geen politiehond. Dit is Charlie. We moeten hem aan u laten snuffelen.'

'Waarom?'

De hondengeleider keek naar binnen en keek Manuel aan.

Drogas', zei hij grijnzend.

'No tengo drogas', riep Manuel uit terwijl hij verstijfd van angst zag hoe de labrador dichterbij kwam.

De hond snuffelde aan zijn schoenen en broekspijpen. Manuel stond helemaal te bibberen en er verschenen zweetdruppels op zijn voorhoofd. Hij herinnerde zich de demonstratie in Oaxaca waar een handvol herdershonden in de aanval was gegaan en als bezeten op de volksmassa had ingehapt.

'U lijkt clean', zei de hondengeleider, waarna hij Charlie riep, die zijn interesse voor Manuel nu volledig had verloren.

Manuel werd naar een bezoekersruimte geleid, waar het enige meubilair bestond uit een bed met een rode plastic tijk en een paar stoelen. In de hoek was een wastafel. Hij ging zitten wachten. De zon scheen door het van tralies voorziene raam naar binnen. Boven de muur en het prikkeldraad was een stukje van een blauwe hemel zichtbaar.

De deur ging open en daar stond Patricio. Op de achtergrond ontwaarde hij de man met de paardenstaart. Hij glimlachte over Patricio's schouder heen en knikte Manuel toe.

De broers namen elkaar ieder van hun kant van de ruimte op. Patricio was kortgeknipt, bijna gemillimeterd, net als Manuel had verwacht, maar hij zag er verder óók anders uit. Hij was aange-

komen en rond zijn mond zat een trekje van verdrietig pessimisme, een uitdrukking die Manuel herkende van hun vader.
Patricio was ouder geworden. Het groene overhemd zat om zijn
buik gespannen, de blauwe broek was te kort en de pantoffels
kwamen vreemd over.

'Je moet de groeten van iedereen hebben', was het eerste wat
Manuel zei.

Patricio begon onmiddellijk te huilen en minutenlang kon hij
niets zeggen. Manuel hardde zich. Hij wilde sterk overkomen als
de grote broer en hij was ook een beetje boos dat zijn broer stond te
janken om een situatie waarin hij door eigen toedoen verzeild was
geraakt.

Maar hij nam Patricio in zijn armen, klopte hem op de rug en
Patricio rook aan de schouder van zijn broer als om iets op te
vangen van de geur van zijn vaderland. Het viel Manuel op dat
Patricio's oren rimpeltjes hadden gekregen.

Ze gingen op het bed zitten. Manuel keek om zich heen.

'Nemen ze op wat we zeggen?'

'Volgens mij niet', zei Patricio.

'Hoe gaat het?'

'Goed. Maar wat doe jij hier?'

'Ben je je familie vergeten, of zo?'

Manuel stond kwaad op, maar Patricio reageerde niet.

'Mama heeft het alleen maar over Angel en jou. De buren
zeggen dat ze bezig is gek te worden.'

Er vloog een vogeltje langs het van tralies voorziene raam.
Manuel keek zijn broer zwijgend aan.

'Hoe word je behandeld?'

'Ze zijn aardig', zei Patricio.

Aardig, dacht Manuel, wat een woord voor mensen die in de
gevangenis werken. Nu hij de mogelijkheid had om zijn nieuwsgierigheid te bevredigen, verdween plotseling alle interesse voor
Patricio's gevangenisleven. Manuel wilde niet horen wat hij deed,
hoe hij zijn tijd verdreef.

'Wat is er met Angel gebeurd?'

Manuel was niet van plan geweest om direct naar zijn broer te vragen, maar de woorden vielen gewoon uit zijn mond, hoewel hij best begreep hoe pijnlijk het voor Patricio was om te praten over wat er was gebeurd. In de brieven naar huis had hij telkens zijn eigen schuld benadrukt, dat hij medeverantwoordelijk was voor Angels dood.

Patricio vertelde met een stem die onbekend klonk. De tijd in de gevangenis had hem niet alleen lichamelijk veranderd. Was het misschien de vreugde van het weerzien of het genoegen om weer Zapoteeks te kunnen praten waardoor hij zo openhartig en welbespraakt was?

Angel was blijkbaar helemaal van Spanje tot Duitsland geschaduwd. Hij had Patricio, die nog in San Sebastián was, ergens vanuit Frankrijk gebeld. Ze hadden afgesproken geen contact met elkaar te hebben, maar Angel was bang geweest en had gezegd dat hij achterna werd gezeten. Hij wilde terugkeren naar San Sebastián, maar Patricio had hem overgehaald om door te reizen naar Frankfurt zoals was afgesproken.

Hij wilde het pakketje weggooien, maar Patricio had hem aangemoedigd rustig te blijven. Als hij zich van de cocaïne ontdeed, zou hij grote problemen krijgen.

'Hoe is hij gestorven?'

'Volgens mij probeerde hij te ontkomen aan de politie. Hij rende over het spoor ... en toen kwam de trein.'

'Angelito', verzuchtte Manuel.

Hij kon zijn broer voor zich zien, rennend, struikelend. Als het Patricio met zijn lange benen was geweest, was het misschien goed afgelopen, maar Angel was niet gebouwd om te rennen.

'Ze hebben elfduizend peso's gestuurd', zei Manuel.

Patricio keek hem aan en herhaalde zwijgend het bedrag. Zijn lippen vormden 'elfduizend peso's' alsof het een formule was.

'Zit die dikke erachter?'

Patricio knikte. Manuel zag dat hij zich schaamde; hij herinnerde zich vast die dag in het dorp. Hoe die grote, die zich Armas noemde, samen met een dikke blanke man in een grote bestelwagen was gestapt. Wat Manuel het meest was bijgebleven, was hoe die dikzak had gezweet.

'Waar is hij?'

Patricio keek om zich heen.

'Heb je een pen?'

Patricio scheurde een stuk af van cadeaupapier waar het aarde-werken vaasje in had gezeten dat Manuel bij zich had gehad, schreef een paar regels en schoof het briefje naar Manuel toe.

'Restaurante Dakar Ciudad Uppsala', stond er.

Manuel keek zijn broer aan. Een restaurant.

'Die dikke en die lange?' vroeg hij.

'Ja', zei zijn broer. 'Ze hadden me tienduizend dollar beloofd, ook als ik vast zou komen te zitten. Ze zouden ervoor zorgen dat Maria het geld zou krijgen.'

Toen hij de naam van zijn moeder noemde, sloeg Manuel zijn ogen neer.

'Tienduizend dollar', herhaalde hij zachtjes, als om de hoeveel-heid geld te proeven, en hij vertaalde het onmiddellijk in peso's, honderdtienduizend.

'Dat is meer dan zevenduizend uur werken', zei hij en hij probeerde uit te rekenen hoeveel jaar dat was.

'Hoe hebben ze je gepakt?'

'Op het vliegveld. Ze hadden een hond.'

'Heb je niks aan de politie verteld?'

Patricio schudde zijn hoofd.

'Waarom niet? Dan kom je eerder vrij.'

Tot dan toe hadden ze het niet over Patricio's hoge straf gehad.

'Ik geloof niet dat het hier zo werkt', zei hij bedroefd.

'Het werkt overal zo', zei Manuel heftig. Hij ergerde zich steeds meer aan de passieve houding van zijn broer.

'In Zweden niet.'

Manuel probeerde het over een andere boeg te gooien.

'Dan krijg je het misschien beter, een grotere kamer, beter eten?'

Zijn broer glimlachte, maar keek even verdrietig.

'Ik heb in mijn hele leven nog nooit zo goed te eten gekregen als hier', zei hij, maar Manuel geloofde hem niet.

'Ik ga zo vaak als ik mag naar de kapel. Er is een dominee die hiernaartoe komt. We bidden samen. Het is een heel vreemde kerk', vervolgde hij, maar hij zweeg opeens.

'Hoezo?'

'Je hebt hier alle religies. Er zijn hier meer dan tweehonderd gevangenen en ze bidden allemaal tot hun eigen God. Dat maakt mij niet uit. Ik praat in de kapel vaak met een Iraniër. Hij heeft in de vs gewoond. Er is een klok in de kapel, die komt uit Jeruzalem, en als ik ernaar kijk, denk ik aan het lijden van Christus. Dat mijn problemen niets zijn vergeleken met wat de zoon van God te verduren heeft gekregen. In de kapel kom ik tot rust.'

Manuel keek zijn broer aan. Hij had nooit eerder zo veel over godsdienst gesproken.

'Maar het geld dan?' vroeg hij om het gesprek van de kapel af te leiden. 'Voor tienduizend dollar kun je het beter krijgen.'

'Jij weet niet hoe het werkt', zei Patricio. 'Ik zou hier geen lol van "die groene papiertjes" hebben. Het is beter als ze dat geld naar huis sturen. Hoe is het thuis?'

'Goed', zei Manuel.

Patricio keek hem zwijgend aan.

'Ik zal het dorp nooit weerzien', zei hij. 'Ik zal hier sterven.'

Manuel stond snel op. Wat moest hij zeggen om zijn broer niet verder in de depressie te laten wegzakken? In de brieven had hij gesproken over zelfmoord, dat alleen zijn geloof hem daarvan weerhield. Toen Manuel naar Patricio keek, naar zijn veranderde blik en zijn lichaamshouding, vermoedde hij dat de dag dat Patricio's geloof zwakker zou worden – wanneer de twijfel zich meester zou maken van het lichaam van zijn broer – tja, dat hij dan ook zou wegkwijnen en misschien zelfmoord zou plegen.

Manuel meende dat de woorden van zijn broer een onbewuste manier waren om hem, en misschien zichzelf, op een dergelijke oplossing voor te bereiden.

'Natuurlijk kun je het met geld beter krijgen', zei hij opnieuw.

'Om drugs te kopen, of zo?'

'Nee, dat heb ik niet gezegd!'

'Noem dan eens iets …'

'Patricio, je bent vijfentwintig en …'

'Zesentwintig. Ik was gisteren jarig.'
Manuel zweeg voor de blik van zijn broer.

'Patricio, Patricio, mijn broer', mompelde Manuel toen hij weer bij de huurauto op de parkeerplaats stond. Hij kon het niet over zijn hart verkrijgen het gevangenisterrein te verlaten. Hij staarde naar het gebouw, probeerde zich voor te stellen hoe zijn broer door eindeloze gangen terug naar zijn cel werd geëscorteerd en hoe de massieve deur achter hem dichtsloeg.

Het was alsof zijn broer er niet was, hij zat verstopt achter betonnen muren, door iedereen vergeten behalve door de bewakers en door Manuel.

Patricio was veranderd en zijn berusting had Manuel geschokt. Hij leek niets te willen doen om zijn situatie te verbeteren. Manuel geloofde niets van zijn praatjes dat hij het goed had. Tienduizend dollar zou zijn omstandigheden kunnen verbeteren, daarvan was hij absoluut overtuigd. Zo werkte het in Mexico en mensen waren overal ter wereld hetzelfde, maar Patricio had niets ondernomen om aan het geld te komen.

Manuel vouwde het briefje open dat Patricio had geschreven en las de naam van het restaurant. Hij deed het portier open, pakte de kaart uit het handschoenenkastje en vond Uppsala bijna onmiddellijk. De stad lag op misschien een uur rijden van de gevangenis.

Manuel hield de kaart tegen het dak van de auto en staarde opnieuw naar de gevangenismuren en het hek die Patricio opgesloten hielden. Hij begreep opeens waarom zijn broer geen aanspraak maakte op het vermogen. Hij schaamde zich en wilde zichzelf straffen. Hij kon het beter krijgen, misschien strafvermindering krijgen, maar ontkende al die mogelijkheden voor zichzelf. Hij wilde vol schuld en schaamte in zijn cel wegrotten.

Manuel bestudeerde de kaart, probeerde de plaatsnamen op weg naar Uppsala te onthouden: Rimbo, Finsta, Gottröra en Knivsta. Het was alsof het terrein van de kaart tot hem sprak, de groene en gele onregelmatige velden vormden patronen die hij voor zich probeerde te zien. Hij keek om zich heen, de bomen die het complex omringden, waaiden heen en weer in de wind, bogen voorover en rechtten hun rug. Net als thuis, maar toch zo vreemd.

Hij was nu negen uur in Zweden. Hij had slechts één doel voor ogen gehad met zijn reis: zijn broer weerzien. Hij had zich in de schulden gestoken om geld bijeen te krijgen voor een ticket en had hun moeder verzekerd dat hij voorzichtig zou zijn en niets onwettigs zou doen. Was het onwettig om die drugsdealers, die dikke en die lange, ertoe te bewegen Patricio zijn toegezegde tienduizend dollar te betalen?

Als Patricio ze niet wilden hebben, dan zouden ze Maria een zorgeloze oude dag bezorgen. Ze zou zich geen zorgen meer hoeven maken over geld. Die gedachte gaf de doorslag.

Hij vouwde de kaart op, ging in de auto zitten en reed de parkeerplaats af.

6

Het bord knipperde: 'Dakar'. Drie sterren, afwisselend rood en groen. Eva Willman zette haar fiets tegen de muur, hoewel een bord dat verbood.

Ze had Patrik gevraagd Dakar op te zoeken op internet. Hij had tienduizenden hits gekregen. Dakar was de hoofdstad van het West-Afrikaanse land Senegal. Ze hadden de atlas erbij gepakt en Eva had het gevoel gehad alsof ze aan een reis was begonnen.

Patrik had over de keukentafel voorovergebogen gezeten en was met zijn wijsvinger over het opengeslagen boek gegleden.

'Timboektoe', had hij plotseling gezegd.

De verschillend gekleurde landen, de rechte strepen die grenzen aangaven en de blauwe rivieren die de wetten van de natuur volgden en over de kaart kronkelden, zich aansloten op andere aderen en in een fijn vertakt netwerk van draden in zee uitmondden. Patrik glimlachte zwijgend bij zichzelf.

Het bleke zonlicht viel door het keukenraam naar binnen. De schaduwen en trekken in zijn jonge gezicht werden een continent van hoop. Er heerste een absolute stilte in de keuken. Eva wilde Patriks blonde haar en zijn donzige gezicht strelen, maar liet haar hand op de stoelleuning rusten.

'Dakar ligt aan zee', zei Patrik. Hij keek haar met een moeilijk te interpreteren blik aan. 'Er is niets totdat je bij Amerika komt als je naar het westen gaat, alleen maar water.'

Nu stond Eva voor een Dakar ver van zee. Het dichtstbijzijnde water was de rivier, de Fyriså. Dichter bij de Atlantische Oceaan kon ze niet komen. De Fyriså was een waterloop die zelden dromen opriep, het was een scheidslijn die de stad in tweeën deelde. Eva moest aan haar opa denken. Hij had zijn hele leven in de bouw gezeten en was tevens communist en alcoholist; een levensgevaarlijke combinatie, vooral voor haar oma, die de frustratie en haat van haar man moest opvangen. Pas toen ze in de zestig was, kon ze het opbrengen om bij haar man weg te gaan.

Eva's vader stemde uit protest altijd op de rechtse partij en was daar uit gewoonte mee doorgegaan, ook lang nadat zijn rood-aangelopen vader het aardse leven had verlaten.

Eva's erfenis was dubbel; aan de ene kant had ze een afschuw van het geveins en gekonkel, van machtsmensen, aan de andere kant geloofde ze in de persoonlijke verantwoordelijkheid van ieder mens voor zijn of haar welbevinden. Ze had altijd moeite met het collectief, met mensen die zich uitspraken in naam van de menig-te, maar die zelf niet altijd leefden zoals ze verkondigden. Daar had ze bij de posterijen genoeg voorbeelden van gezien.

Haar oma had in haar jeugd als serveerster bij hotel Gillet gewerkt, een ervaring waar ze voortdurend uit putte. Ze herin-nerde zich niet zozeer haar vermoeide voeten en de onbeschofte gasten, maar meer het gevoel dat ze werk had en daarmee waarde. Toen ze vervolgens trouwde, verbood haar man haar door te gaan als serveerster. Hij was jaloers, ervan overtuigd dat de mannen haar met hun blikken zouden bezoedelen.

Nu stond Eva voor Dakar. Ze had haar oma gebeld, die in een serviceflat woonde, en verteld dat ze werk ging zoeken bij een restaurant.

'Ik kan je nog wel het een en ander leren', had het oudje grinnikend gezegd.

Het had een halve dag geduurd voordat Eva moed had ver-zameld om Dakar te bellen. Ze had gesproken met iemand die Måns heette, maar degene die ze zou ontmoeten was de chef zelf, Slobodan Andersson.

'Hij kan een beetje bijdehand overkomen', had Måns gezegd en Eva meende dat ze hem hoorde lachen. 'Trek je niets aan van zijn lach, kijk hem voortdurend in de ogen, blijf hem aankijken, ook als hij je beledigt.'

'Hoezo, beledigt? Ik kom voor een báán.'

'Je zult wel zien wat ik bedoel', zei Måns.

Ze stond een tijdje met haar hand op de deurkruk voordat ze diep ademhaalde en naar binnen ging. De lucht van sigarenrook en bier kwam haar tegemoet. Ze hoorde een zwak gezoem en Eva vermoedde dat dat afkomstig was van een boormachine. Ze liep verder naar binnen, gespannen voor wat haar te wachten stond. Ze lette goed op haar ademhaling. Ze mocht niet te enthousiast overkomen.

Een timmerman was bezig een kast naast de bar te monteren. Achter de toog stond een dikke kerel nonchalant tegen de bar geleund het werk op te nemen. Hij had haar blijkbaar niet horen binnenkomen. Hij zei iets wat Eva niet verstond. Dat is hem vast, dacht Eva terwijl ze zijn vlezige gezicht bekeek en zijn hand die op de bar rustte.

Ze hoestte, de man draaide zijn hoofd om en zwaaide met zijn hand naar een fauteuil. Eva ging zitten. Hij gaf een goedmoedige indruk zoals hij daar stond. Hij glimlachte en knikte af en toe als om te bevestigen dat het er goed uitzag. Toen de laatste schroef was ingedraaid, wendde hij zich tot Eva.

'Je kunt nooit genoeg kastruimte hebben, nietwaar?'

'Inderdaad', zei Eva, die zich de woorden van Måns herinnerde dat ze hem moest aankijken.

'Ik ben Slobodan Andersson en dit is Armas, onze kasten-expert', zei de dikke terwijl hij naar de timmerman knikte.

De bouwvakker stapte uit de schaduw en keek haar vluchtig aan. Hij was aanzienlijk langer dan Slobodan Andersson, helemaal kaal en zijn gezicht was totaal uitdrukkingsloos, als van een stand-beeld.

'Aha, de juffrouw van de posterijen. Je zoekt een baan?'

Eva knikte.

'Die liggen niet voor het oprapen', vervolgde de uitbater. 'Wat maakt dat je denkt dat Dakar ten onder gaat als jij hier niet komt werken? Ben jij zo'n ster in het uitserveren van eten?'

'Ik doe niet anders', zei Eva.

'Hoezo?'

'Ik heb twee tienerjongens thuis.'

Hij knikte lachend.

'Zijn ze fatsoenlijk?'

'Reken maar.'

'Ik heb de pest aan hooligans. Hoe heten ze?'

'Patrik en Hugo.'

'Dat is goed', besloot Slobodan. 'Ga eens staan!'

Eva kwam aarzelend overeind.

'Loop eens een stukje tussen de tafels door.'

'Als je denkt dat je me kunt dirigeren als een robot, dan heb je het mis', zei Eva terwijl ze zich inspande om hem in de ogen te kijken. Zijn blik was niet te harden; nonchalant en spottend, alsof hij haar in de maling nam.

'Maar ik kan best een stukje lopen.'

Ze maakte een rondje tussen de tafels door, registreerde de gigantische foto's aan de muren, en keerde terug. Slobodan nam haar met een waakzame uitdrukking in zijn gezicht op, alsof ze een kruimeldief was.

'Mooie foto's', zei ze.

Slobodan keek Armas aan en slaakte een diepe zucht. Eva herinnerde zich het sollicitatiegesprek bij haar vorige werkgever. Formulieren en eindeloze gesprekken, introducties en cursussen.

'Daar is het hart van het restaurant', zei Slobodan opeens, en hij wees naar de binnenste regionen van het pand. 'De keuken! Jullie zijn alleen maar de slaven van de keuken. Niets anders dan loopjongens, of loopmeisjes zo je wilt. Ben je feministe?'

'Hoe bedoel je?'

'Vrouwen. Kleppen. Je weet wel.'

'Ik ben een vrouw en praten doe ik ook.'

Slobodan keek haar nadenkend aan. Armas, die tot nu toe geen woord had gezegd, hoestte even en knikte naar Andersson, voordat hij weer in de schaduw verdween. Slobodan keek hem na en glimlachte vervolgens naar Eva.

'Wanneer kun je beginnen?'

'Vandaag', zei Eva snel, zonder ook maar één seconde te aarzelen.

Ze streek met een snelle beweging langs haar broekspijpen.

'En de hooligans dan?'

'Die redden zich wel.'

'Je moet wat aan je haar doen. Armas, bel Elisabeth!'

Eva slikte en greep onmiddellijk naar haar hoofd.

Ze trapte als een gek door de straten. De zon scheen vanuit een heldere hemel en de verkeerslichten leken gesynchroniseerd om haar groen licht te geven.

Ze verlangde vooral naar Patrik en Hugo. Ze hadden het de avond ervoor over die baan als serveerster gehad. Dat wil zeggen, zij had gepraat terwijl haar zonen zwijgend haar kansen op ongeveer nul hadden geschat. Eindelijk zou ze met goed nieuws komen.

De enige domper op de feestvreugde waren de werktijden. Ze moest twee keer in de week met lunchtijd werken, driemaal per week 's avonds, en om het weekend. Het salaris, om te beginnen vijfentachtig kronen per uur, was minder dan waarop ze had gerekend, maar ze had het zonder te protesteren geaccepteerd. De uitbater had aangegeven dat het na een tijdje wellicht meer zou worden. Ze had niet gevraagd hoeveel de fooien opleverden, maar Slobodan had gezegd dat dat geld eerlijk werd verdeeld. Het personeel in de keuken deelde daar ook in mee, inclusief degenen die helemaal onder aan de ladder stonden, de koksmaatjes en de stagiaires van de Ekebyschool.

Bij de akkers van Ultuna kwam de vermoeidheid en ze stapte af. Er reed een combine over het veld, die goudgele stoppels achterliet. Door het stof van de machine die het stro en de aren opslokte, ontwaarde ze de bestuurder in zijn cabine. Eva zwaaide en hij zwaaide lachend terug. Ze werd gegrepen door een gevoel van saamhorigheid met de man in de stuurhut. Het tarwe dat de koks en de bakkers zouden veredelen tot voedsel en dat Eva vervolgens aan de tafels zou serveren, werd hier en nu geoogst.

Een bus reed langs. Daar zou ze spoedig in zitten op weg naar en van haar werk.

'Werk!' schreeuwde ze terwijl ze langs Kuggebro trapte.

Toen ze thuiskwam, zat Patrik aan de keukentafel een boterham te eten. Hugo zat achter de computer.

'Hij zit daar al twee uur', klaagde Patrik.

'Ik zit mijn huiswerk te maken!' schreeuwde Hugo.

'Ja, ja', mopperde zijn broer.

'Kom, Hugo', zei Eva terwijl ze aan tafel ging zitten. Hij verscheen onmiddellijk en ging in de deuropening staan. Hij leunde tegen de deurpost, bereid de strijd aan te gaan over de tijd achter de computer.

'Ik heb die baan', zei Eva.

Patrik keek haar snel aan voordat hij nog een boterham afsneed.

'Dan kunnen we elke dag in een restaurant eten', riep Hugo uit.

Het duurde een hele tijd voordat haar zonen in bed lagen. Ze wilden alles over Dakar weten en Eva had het gevoel dat ze hun iets wilde beloven, zodat ze min of meer onmiddellijk plezier hadden van het winnende lot dat ze had getrokken. Zo voelde het: een onbegrijpelijke en onverwachte triomf. Niemand had verwacht dat ze een echte baan zou krijgen, Helen al helemaal niet. Het eerste wat Eva de volgende morgen zou doen, was haar bellen.

De klok in de woonkamer sloeg twaalf. Ze had haar ouders in Ekshärad moeten bellen, nu was het te laat. Misschien zou ze een paar dagen wachten, totdat ze begonnen was bij Dakar en er een beetje in was gekomen.

Toen ze de sprei van haar bed trok, besloot ze, ondanks het late uur, te douchen en het bed te verschonen.

Daarna smeerde ze zich zorgvuldig in met de crème die naar citrus rook. Ze bekeek haar lichaam in de badkamerspiegel en het gevoel van uitverkoren te zijn werd vermengd met het gemis van iemand om haar vreugde mee te delen. De jongens waren uiteraard blij, Hugo was meteen alles gaan opsommen wat ze moest kopen, terwijl Patrik voornamelijk had gezwegen. Eva vermoedde dat zijn vreugde meer bestond uit de wetenschap dat ze nu een moeder hadden met een echte baan.

Maar de vreugde samen met haar zonen was een gecontroleerde blijdschap, waarbij ze voortdurend realistisch moest blijven: die baan bij Dakar betekende niet dat ze een geweldige carrière tegemoet ging. Het was gewoon een baan, bovendien niet erg goed betaald, en geen miljoenenwinst of een vrijkaartje voor een leven in overvloed.

Ze verlangde ernaar optimisme te voelen met een mán. Zo

simpel was dat. De crème was bedwelmend door zijn geur en soepelheid, maar het was enigszins verspilde moeite en ze kreeg een ietwat slecht geweten dat ze geld over de balk smeet.

Ze ging naar bed met een opwinding in haar lichaam die deed denken aan verliefdheid.

7

Het kantoor van Slobodan Andersson was gevestigd achter de keuken van Alhambra. Daar hadden alleen hijzelf en Armas toegang. Die twee waren al samen sinds ze elkaar twintig jaar daarvoor bij een stripclub in Kopenhagen hadden ontmoet. Armas had helemaal vooraan gezeten en had met zijn lichaamsomvang bijna twee plaatsen aan het minieme tafeltje in beslag genomen. Slobodan had daar plaatsgenomen. Niet omdat hij gezelschap zocht, maar omdat hij dicht bij het toneel wilde zitten.

De stripteasedanseressen waren middelmatig en duidelijk verveeld, want ze bewogen zich zo sloom en fantasieloos dat diverse gasten hun aandacht van het toneel afwendden. Slobodan zuchtte.

'Het is elke keer weer een teleurstelling', zei hij, maar Armas keek niet-begrijpend en haalde zijn schouders op.

Slobodan stak zijn hand uit en stelde zich voor. Na een aarzeling van een seconde pakte Armas zijn hand en mompelde hij een naam die Slobodan niet verstond.

Dat was het begin van een jarenlange samenwerking.

Nu zaten ze op het kantoortje, ieder aan een kant van het bureau. Armas was zwijgzaam terwijl Slobodan honderduit praatte. Hij vouwde een kaart open en zette zijn dikke vinger op een plaats aan de Noord-Spaanse kust.

'Hier moet het gebeuren', zei hij.

Dat wist Armas al. Hij wist überhaupt alles over de komende operatie.

'Neem de auto. Ik heb een lijst gemaakt met tenten waar je langs moet. In het bijzonder eentje ten noorden van Guernica. Rijd daar minstens een week rond, praat met chef-koks en verzamel ideeën. Alleen niet zo'n verdomde *bacalao*, ik kan geen kabeljauw meer zien. Maar koop ontzettend veel kaas. Je weet waar ik van houd. En als ze je bij de douane aanhouden, doe dan een beetje zenuwachtig over die kazen. En wijn, maar alleen Baskische soorten, dan zijn die douaniers trots. Kom over als kookgek. Bied aan belasting te betalen of wat dan ook, zeg dat je chef je wurgt als je zonder een lekker stuk Cabrales terugkomt.'

Armas knikte en keek zijn chef aan, het bezwete gezicht, het gekreukte kostuum met op de ene revers een grote vetvlek, en de dikke vingers die onophoudelijk aan de papieren op het bureau frunnikten. Slobodan zag er afgemat uit. Op het glimmende, mollige gezicht was geen rimpeltje te zien, maar rond zijn ogen werd het steeds zwarter, alsof ze steeds verder in zijn schedel drongen. Het donkere, naar achteren gestreken haar werd steeds dunner en er kwamen elke dag nieuwe grijze sprietjes bij.

'Is dat duidelijk?'

'Ja.'

'Jorge heeft van de week gemaild.'

Armas keek verbaasd op.

'Gemaild? Is hij niet goed bij zijn hoofd?'

'Ik heb alles gewist', zei Slobodan geïrriteerd.

Armas snoof.

'Je ontmoet Jorge voor het aquarium in San Sebastián. Niet ver daarvandaan, op de kade, is een restaurant. Je ziet het meteen. Ze hebben de boel versierd met een hoop vlaggen en andere rommel. Ga daar eten. Ik ken een van de obers. Hij wordt "Mini" genoemd.'

'Hoort hij er ook bij?'

'Nee, niet direct, maar hij heeft overzicht. Hij weet precies wat er in de stad gaande is, of de politie iets van plan is.'

Armas vond het maar niets. Hij mocht Jorge niet en een of andere nieuwe, Spaanse idioot, daar zat hij ook niet op te wachten. Dat was typisch Slobodan, altijd op het laatste moment improviseren.

'Ik weet wat je vindt,' zei Slobodan, 'maar wat plaatselijke back-up is goed.'

'Waarom kan Jorge niet naar Frankfurt komen, zoals de vorige keer?'

'Ik vertrouw hem niet. Je weet hoe het met die andere is afgelopen. Die Mexicanen zijn zo ontzettend onhandig. Ze stinken gewoon naar misdadiger. En die Duitse smerissen zijn slimmer dan de Spaanse.'

'Maar als ze dan zo onhandig zijn, waarom ...'

'Dat weet je!'

Armas snoof opnieuw. Hij wist hoe het allemaal was begonnen en het was soepel verlopen. Dat Angel de sigaar was geworden, daar was niet veel aan te doen. Eigen schuld. Niemand zou Angel aan Zweden kunnen koppelen en al helemaal niet aan Slobodan of Armas.

Erger was het met de volgende idioot die bij de Zweedse douane tegen de lamp was gelopen en die nu in de bak zat. Een half jaar, tijdens de verhoren en het proces, hadden ze permanent in angst gezeten maar ze hadden uiteindelijk begrepen dat Patricio niets over zijn opdrachtgevers had losgelaten. Hij zweeg gedurende het hele proces en zijn straf was door dat volhardende zwijgen ongetwijfeld hoger uitgevallen.

Slobodan gooide een map over het bureau.

'Hier is die lijst met restaurants.'

Hij wilde zijn waarschuwingen en instructies herhalen voor wat Armas in Spanje moest doen en hoe hij zich op moest stellen ten aanzien van restauranthouders, overheidsinstanties, douane, politie of wie hij ook kon tegenkomen, maar hij zag in dat dat de Armeniër alleen maar in een slechter humeur zou brengen.

Armas keek de lijst door. Hij had er geen enkel bezwaar tegen om een week lang lekker te eten. Misschien zou hij ook iets kunnen leren waar ze bij Alhambra of Dakar plezier van konden hebben.

Wat hem zorgen baarde, was die 'Mini'. Armas hield niet van onbekende troeven. Dat hij erin was geslaagd te overleven, en dat zonder ook maar één dag in de gevangenis te hebben gezeten, kwam uitsluitend doordat hij nooit op onbekende kaarten vertrouwde. 'Mini' was zo'n onbekende kaart, ook al vertrouwde Slobodan hem volkomen.

Jorge had hij in Campeche aan de Caribische kust leren kennen en hij beschouwde hem als aanzienlijk betrouwbaarder dan Angel. Die inboorling kon maar aan één ding denken: vrouwen. En dan kán het ook alleen maar slecht aflopen. Armas begon nooit een verhouding die langer dan een paar dagen, hoogstens een week duurde. Zijn record was een Française die hij in Venezuela had ontmoet. Ze waren drie weken samen geweest, maar ineens was ze spoorloos verdwenen.

Een tijdlang ging hij uitsluitend naar de hoeren. Dat waren profs, net als hij, maar het ging hem vervelen. Volgens Armas maakten vrouwen mannen het hoofd op hol zodat ze zich niet meer konden concentreren. Hij was ervan overtuigd dat dat de reden was dat Angel was mislukt. Er was vast een vrouw in het spel geweest. Hij had die Mexicaan nooit vertrouwd. Hij kletste te veel over vrouwen.

Er was maar één ding dat voor hem pleitte: hij klikte niet. Ze kenden geen andere details dan de beknopte informatie die in de Duitse kranten was verschenen. Het enige wat ze eigenlijk wisten, was dat hij zich op het Centraal Station van Frankfurt voor een trein had gegooid toen hij had begrepen dat hij was omsingeld door de Duitse politie en er geen ontkomen meer aan was.

Dat was een sterke zet, dat vonden Slobodan en Armas allebei. Slobodan had zelfs anoniem duizend dollar naar de familie van Angel gestuurd. Peanuts in groter verband, maar een vermogen voor diens familie.

Hij sloeg de map dicht.

'Zeg,' zei hij, 'je moet niet meer mailen, want ook al wis jij alles, het blijft wel bewaard.'

'O, ja?'

Armas schudde zijn hoofd. Soms kwam Slobodan over als een volstrekte idioot en amateur.

'Natuurlijk, de tuut kan zo oude berichten opvragen. Dat kost ze vijf minuten.'

'Oké, dan gooi ik deze eruit', zei Slobodan, en hij maakte een hoofdbeweging naar de computer. 'Koop een nieuwe voordat je weggaat, jij hebt daar verstand van.'

Armas lachte een van zijn zeldzame lachjes. Slobodan grijnsde. Plotseling begreep Armas waarom hij het al zo lang met die dikke blaaskaak uithield.

De telefoon ging. Slobodan nam op.

'Nee, laat die klootzak alsjeblieft daar. We nemen hem wel mee naar de keuken', zei hij terwijl hij de hoorn erop gooide.

'Gonzo is er', legde Slobodan uit. 'Hij staat aan de bar. Hij wil even babbelen.'

Armas schudde zijn hoofd.

'We zijn uitgepraat met hem.'

Armas had hem ontslagen en toen Slobodan had gevraagd waarom, had Armas hem geen eenduidig antwoord gegeven. Dat vond hij niet prettig, maar hij vertrouwde op het oordeel van Armas.

'We kunnen op zijn minst aanhoren wat hij wil', zei Slobodan terwijl hij zich uit de stoel wurmde.

Armas keek hem aan met een uitdrukking die Slobodan zich een paar dagen later zou herinneren. Wat betekende die blik? Het was niet de gebruikelijke arrogantie en irritatie in zijn normaal zo uitdrukkingsloze gezicht, nee, Armas' gelaat drukte iets anders uit. Angst? Dat kon Slobodan zich niet voorstellen, toen niet en later ook niet. Misschien ervoer Armas het alsof Slobodan zijn oordeel dat Gonzo weg moest, afkeurde?

Dat was Armas' zwakke punt. Hij kon veel hebben, maar de weinige keren dat Slobodan hem had bekritiseerd, was hij gekwetst geweest. Hij had zich zwijgend teruggetrokken. Dat was een haast beangstigende reactie van zijn kant. Slobodan zou liever hebben dat hij kwaad werd.

'Hij wil vast gewoon een beetje lullen', zei Slobodan.

Ze namen Gonzo mee naar de keuken. Armas ging op een stoel zitten. Gonzo zag er niet zo zelfverzekerd uit als anders. Hij leek zelfs te zijn gekrompen.

'Goed, wat kunnen we voor meneer Gonzo doen?'

'Het is niet eerlijk', zei de ober terwijl hij Armas vluchtig aankeek.

'Dat is afgehandeld', zei Slobodan. 'Er valt niet veel meer over te zeggen.'

'Hij stuurt me alleen de laan uit omdat hij …'

'Hou je bek!' brulde Armas.

Gonzo wankelde achteruit alsof de luchtstroom van Armas hem in zijn borst had geraakt.

'Nog één woord en je weet wat er gebeurt!'

Armas was opgestaan en leek nu nog groter dan anders.

'Het is beter dat je weggaat', zei Slobodan, hij pakte Gonzo bij zijn schouder, duwde de deur open en leidde hem de keuken uit.

Toen de klapdeur weer helemaal tot stilstand was gekomen, keerde Slobodan zich om.

'Waar gaat het om?'

'Hij is een klootzak', zei Armas.

'Kunnen er problemen ontstaan?'

'Ja, maar alleen voor hemzelf', zei Armas, en Slobodan hoorde hoe hij een luchtige toon probeerde aan te slaan.

Wat had Gonzo misdaan dat Armas zo geïrriteerd was? Personeel voor de bediening was schaars en de personeelssituatie bij Dakar was al gespannen. Ze moesten nu een onervaren serveerster de zaal in sturen. Als Tessie een dag ziek zou worden, of misschien wel twee, zou de bediening instorten. Dat wist Armas, maar toch had hij Gonzo ontslagen.

Het moest iets persoonlijks zijn. Als het iets met het werk was geweest – dat Gonzo had geknoeid met de fooien of een fles drank achterover had gedrukt – dan zou Slobodan het hebben gehoord.

Slobodan had de vraag op het puntje van zijn tong liggen, maar hield zich in, bang om zijn compagnon te kwetsen.

8

Het gezelschap helemaal achter in de eetzaal maakte zo'n herrie dat het zelfs in de keuken hoorbaar was. Johnny glimlachte bij zichzelf terwijl hij de brander boven een crème brûlée hield, zodat Pirjo tijd kreeg om te plassen.

'Dat komt door die medicijnen', zei ze verontschuldigend.

Johnny vroeg zich af wat voor pillen een meid van achttien kon slikken, maar had het niet gevraagd en geruststellend gezwaaid.

Het was een bliksemstart geworden. De dag nadat Johnny Slobodan en beide koks, Feo en Donald, voor het eerst had ontmoet, stond hij al in de keuken van Dakar. Met zijn messen in een theedoek gewikkeld, vol verwachting maar ook wat gespannen voor een nieuwe werkplek en nieuwe routines.

Hij zou meehelpen, vooral met de koude keuken en de desserts, kijken hoe de borden moesten worden opgemaakt en hoe de keuken was georganiseerd.

Feo was degene die het meest open en spraakzaam was. Hij was bijna onmiddellijk begonnen over de vrouw die hij in de Algarve had ontmoet; hoe hij haar had bediend, verliefd was geworden, geld had gespaard en op goed geluk naar Zweden was afgereisd, op Arlanda uit het vliegtuig was gestapt met een papiertje in zijn portefeuille met daarop haar naam en de naam van de stad waar ze had gezegd te wonen.

Met hulp van een aardige man buiten het station van Uppsala had hij de naam van de vrouw in de telefoongids gevonden.

'Nu ben ik heel gelukkig', zei hij, en Johnny zag dat hij het echt meende.

'Het wordt een jongen', lachte Feo terwijl hij selderij hakte. 'Dat zweer ik je!'

Hij straalde blijdschap uit, en niet alleen omdat hij vader zou worden. Ook het werk in de keuken voerde hij uit met een accuratesse die getuigde van een diepe persoonlijke bevrediging.

Johnny bleef gedurende zijn eerste werkdag vaak naar zijn collega staan kijken.

Feo's levensvreugde was ook van invloed op zijn bewegingsschema, dat vernietigend zou kunnen zijn in zo'n krappe keuken, waar de lange benen en de vechtende armen constant in beweging leken. Maar net als een professionele danser had hij volledige controle en coördinatie.

Hij had zijn liefde voor vis en schaaldieren uit Portugal meegenomen. Uit zijn visfond toverde hij de meest fantastische sauzen.

Donald, die chef-kok was, was aanzienlijk geslotener. Hij had Johnny welkom geheten, maar had daarna niet veel meer gezegd. Hij werkte altijd voor het vleesfornuis en had een meer dan grondige hekel aan Slobodan Andersson.

'Die poedeljoego is een gedrocht, een halfbloed met het slechtste uit Skåne en Belgrado in een zeldzaam mislukte combinatie', zei hij toen Johnny vroeg hoe de leiding van Dakar in elkaar zat.

'Slobodan is een varken, maar een góéd varken', voegde Feo eraan toe. 'Misschien is hij niet ... wat zeggen jullie over honden die in huis schijten?'

'Zindelijk', stelde Johnny voor.

'Juist, Slobodan is dan misschien niet helemaal zindelijk, maar hij krijgt wel bepaalde dingen gedaan.'

Terwijl ze spraken, legde hij een paar moten heilbot in de koekenpan. Donald stond als versteend boven het fornuis. In de pan siste een filet. Tessie kwam met de bestelling voor nóg een heilbot. Donald knikte en Feo lachte.

'Ja, weer een heilbot. Hé, Tessie!' schreeuwde hij Tessie achterna, die even snel verdween als ze was binnengekomen. Donald keek hem scherp aan.

Johnny glimlachte bij zichzelf. Hij had het idee dat hij het wel naar zijn zin zou hebben in de keuken van Dakar. Hij had al een paar uur niet aan Sofia in Jönköping gedacht.

'Hoelang werkt Tessie hier al?' vroeg hij Feo.

'Ze is ongeveer gelijk met mij begonnen. Ze komt uit New York.'

'Long Island', voegde Donald eraan toe.

Feo grijnsde.

'Ze is nooit verliefd, dat is haar grootste probleem', vervolgde hij. 'Ze zou een man moeten hebben.'

Pirjo kwam terug van het toilet. Tessie gaf haar twee nieuwe bonnen.

'Twee zeeduivels naar binnen', zei Donald.

'Bedankt', zei Feo.

Johnny hielp Pirjo. Gonzo kwam uit de eetzaal, liep zonder een woord te zeggen naar de spoelkeuken en begon de vaatwasser in te ruimen.

Het was zijn laatste werkweek. Iedereen had gehoord hoe hij en Armas, nadat het restaurant na het zomerreces zijn deuren weer had geopend, in de kleedruimte tegen elkaar tekeer waren gegaan. Armas was met een voldaan gezicht teruggekomen, alsof hij een rat had doodgemept.

Gonzo was vijf minuten later teruggekomen, maar was niet naar de eetzaal gegaan. Pas toen Armas binnenkwam en er wat van zei, ging Gonzo naar binnen om zijn werk te doen. Iedereen was verbaasd dat hij niet direct was opgestapt. Hij probeerde ook niet de steun van zijn collega's te krijgen in het conflict, hij stond alleen maar in zichzelf te mopperen.

Niemand had gevraagd waar het om ging, maar Tessie had iets gemompeld over dat Gonzo Armas had afgeperst, dat hij informatie had die Armas schade kon toebrengen. Feo en Donald vonden dat een belachelijke roddel; wat kon die scharminkelige Gonzo nou weten wat die krachtige Armas kon schaden?

Even na negenen kwam een vrouw de keuken binnen. Donald staarde haar aan, maar zei niets.

'Het toilet is rechts in de gang', zei Feo.

Soms namen de gasten de verkeerde deur.

'Ik kom hier werken', zei de vrouw

'Jij bent de nieuwe! Perfect! We kunnen hier wel wat mooie vrouwen gebruiken, nietwaar, Johnny?'

Feo sloeg de deur naar de warmhoudkast dicht en droogde zijn handen af aan de theedoek die aan de schort om zijn middel hing.

'Welkom. Ik ben Feo.'

'Bedankt. Ik begin morgen. Ik ben ontzettend zenuwachtig. Ik heb dit nog nooit gedaan.'

'Echt iets voor Slobban', mopperde Donald.

'Dit is Donald, hij is heel aardig, ik zweer het. Johnny praat een beetje vreemd dialect en is ook nieuw hier. Jullie kunnen mooi samen een clubje vormen. Hoe heet je?'

'Eva Willman.'

'Yes, I will man', riep Feo en Donald staarde hem aan.

'Je zeeduivel', zei hij, en Feo wierp zich weer op het fornuis.

Johnny stelde zich voor en schudde haar de hand.

'Jij bent de broer van de moeder van Simon, hè?'

Johnny knikte.

'Door haar ...'

Hij keerde terug naar zijn dessert, maar gluurde af en toe naar de nieuwe serveerster terwijl Feo enthousiast over Dakar vertelde. Ze was van Johnny's leeftijd. Zijn zus, Bitte, had verteld dat Eva gescheiden was en twee opgroeiende jongens had. Johnny bestudeerde haar schuin van opzij. Het was hem de laatste tijd opgevallen dat hij een voyeur was geworden; niet om te worden verleid maar om fouten en defecten te zoeken, alsof de tijd met Sofia zijn kijk op vrouwen had verwrongen.

Ze had hem te vaak afgewezen en toen ze vervolgens het initiatief had genomen, was hij niet in staat geweest om te vrijen. Hun tanende gemeenschappelijke leven had hem lusteloos gemaakt. Het was niet alleen de lichamelijke verandering, ingrijpender was dat zijn visie op vrouwen ook was gewijzigd. Hij was geïnteresseerd in vrouwen, net als vroeger, hij bekeek ze alleen met een andere blik en hij ervoer hoe minachting, of soms zelfs haat, als een kwaadaardig virus zijn gemoed was binnengeslopen.

De lach van een vrouw op straat, een glimp van een mooie lijn in een vrouwenlichaam of de stem van een vrouw lieten Johnny nu vrijwel koud. En áls er zich al gevoelens kenbaar maakten, dan waren dat vooral minachting en kille afwijzing. Waar hij vroeger blijdschap, begeerlijke schoonheid en veelbelovend optimisme had gezien, zag hij nu steeds vaker geveins en gekonkel.

Vrouwen waren een vreemde en vijandelijke kudde geworden. Het gevoel afgewezen te zijn was niet prettig en hij was niet content met de verandering. Het was niet iets wat hij had nagestreefd. In heldere momenten probeerde hij zijn voorstellingen uit te werken om erachter te komen waardoor hij was misleid. Was het alleen zijn catastrofale relatie met Sofia? Was er iets bij hemzelf waardoor deze nieuwe gevoelens werden aangewakkerd?

Sofia had hem afgewezen, en niet alleen in bed. Hij ervoer het ook alsof ze hem van steeds meer sectoren in haar leven had buitengesloten, alsof hij niet waardig genoeg was om met haar mee te gaan.

'Je bent zo onvolwassen', zei ze dan, en hij voelde zich betrapt als een kind.

Hij raakte steeds meer verbitterd over zichzelf. Dat hij zichzelf had toegestaan slachtoffer te worden! En op een dag deed hij wat Sofia misschien al heel lang had gehoopt. Hij pakte zijn weinige bezittingen en vertrok.

Nu keek hij naar de serveerster, die met Feo om het hardst lachte. Johnny hoorde hoe de Portugees over zijn aanstaande kind vertelde, hoe gelukkig hij was en hoe fantastisch de vrouw was met wie hij samenleefde, en hij zag hoe Eva straalde.

Donald zuchtte, rammelde wat te hard toen hij met een slordig gebaar een koekenpan in de spoelbak gooide.

'Maak die pan schoon', zei hij tegen Pirjo, die onmiddellijk gehoorzaamde en de pan onder warm stromend water begon schoon te boenen.

Haar gezicht was helemaal rood aangelopen door de warmte in de keuken. Ze keek Johnny even vluchtig aan, streek wat haar uit haar gezicht en draaide zich om alsof ze zich voor de wereld wilde verstoppen.

Je vindt mij maar een eikel, dacht Johnny en hij wilde dat hij zijn minachting kon laten blijken voor alle grietjes die meenden dat ze heel wat voorstelden in de keuken.

Tessie verscheen voor het doorgeefluik. Het was even rustig

geweest, maar nu was de drukte in de eetzaal weer toegenomen. Het was alsof de gasten Dakar met golven binnenspoelden.

Johnny vermoedde dat ze niet veel aan Gonzo zouden hebben. Hij zou de laatste week vermoedelijk weinig uitvoeren.

'Een kalfsmedaillon', zei Tessie, maar Donald gaf geen antwoord.

'Kun je dat onthouden, of wil je het zwart op wit?' vroeg Tessie op zo'n agressieve toon dat zelfs Donald zich omdraaide.

Hij keerde haar vervolgens weer de rug toe, pakte een stuk vlees en smeet het in de pan.

'Ze is eigenlijk heel aardig', zei Feo. 'Alle Amerikanen denken dat iedereen een hekel aan hen heeft.'

'Waarom?' vroeg Eva, die bij de deur was gaan staan.

'Ze bombarderen alles en iedereen', zei Feo.

'Ze zouden deze tent moeten bombarderen', zei Donald.

'Dan ben je dood', zei Feo.

'Ik bén dood.'

Donald glimlachte onverwacht naar Johnny en boog zich kippig over een bord. Hij schikte zorgvuldig een paar blaadjes in een salade, rechtte daarna zijn rug en aanschouwde het arrangement voordat hij zich weer voorover boog voor een laatste correctie.

Tessie verscheen weer in beeld.

'Sweet love', zei Donald terwijl hij het bord naar haar toe schoof.

De serveerster staarde hem aan en er verscheen een spoortje van een glimlach op haar gespannen gezicht voordat ze weer verdween.

'Denk je eens in wat je met wat diplomatie kunt bereiken', zei Donald en Johnny moest zijn opvatting over hem bijstellen. Hij zou er nog vaak getuige van zijn hoe Donald van een haast catatonische toestand overging op licht-ironisch en droog-humoristisch gekeuvel.

De nieuwe serveerster stond er nog steeds en volgde het werk aandachtig. Het was alsof de introductie van Feo en het luchtige geklets haar goed hadden gedaan, want ze zag er ontspannen uit. Johnny zag dat ze, net als de meeste toevallige bezoekers in een restaurantkeuken, moeite deed om niet in de weg te lopen. De keuken van Dakar was krap. Drie koks en een leerling verdrongen elkaar op een paar vierkante meter.

In zijn laatste restaurant in Jönköping, waar Johnny ruim een jaar had gewerkt, was de eetzaal gigantisch geweest terwijl de koks het claustrofobische gevoel hadden dat ze zich in de kombuis van een onderzeeër bevonden.

Het werk daar vereiste een choreografie met snelle maar weloverwogen bewegingen en een intuïtief vermogen om te weten waar de collega's zich bevonden en waar ze het volgende moment naar op weg waren.

'Blijf staan', zei Feo, die zich tussen het visfornuis en het doorgeefluik bevond en met een glimlach om Donald heen manoeuvreerde, die op het punt stond uit te rukken met de thermometer in hoogste staat van paraatheid.

Pirjo werd weggestuurd om meer filets te halen. Donald keek snel hoe ze het vlees modelleerde terwijl hij twee borden met parelhoen voorbereidde.

De temperatuur steeg. Feo, die een saus voor de zalm bereidde, was hoogrood aangelopen. Pirjo ging weer terug naar de desserts. Donald drukte met zijn wijsvinger op de vogelborsten en legde ze daarna op de borden die al klaarstonden. Hij goot de morieljesaus er met een cirkelvormige beweging overheen, corrigeerde de aardappelterrine met de ingebakken eendenlever en drukte op het belletje. Tessie verscheen en de borden verdwenen.

Er waren tientallen pannen en steelpannetjes tegelijk in gebruik. Er stegen hemelse geuren op van de visfond, de koekenpannen sisten, er was ergens opeens een steekvlam te zien en Pirjo rammelde met de borden die ze aan het voorbereiden was.

Feo keek op en wierp Johnny een snelle blik toe als om te zeggen: Nu begrijp je waarom we blij zijn dat je er bent.

Johnny, nog niet gewend aan de speciale routines en het bewegingsschema van de anderen, probeerde het tempo bij te benen en te zien wat de hoogste prioriteit had.

Een plotselinge stagnatie in de stroom bonnen gaf een adempauze van een paar minuten. Iedereen rechtte zijn rug, Feo dronk wat water en Donald verdween naar de spoelkeuken.

'Je rookt te veel', riep Feo.

Donald gaf geen antwoord, maar de rookwolk uit de spoel-keuken gaf aan dat hij zich weinig aantrok van het standpunt van zijn collega. Het verbaasde Johnny dat een chef-kok even wegliep om te roken. Dat had hij nooit eerder meegemaakt, maar hij zei niets.

Het was doodstil in de keuken. Pirjo rustte tegen het aanrecht, inspecteerde haar nagelriemen en keek dromerig. Feo stond bij de wastafel en bekeek zijn gezicht in de spiegel terwijl hij zijn handen zorgvuldig met een papieren handdoekje afdroogde.

Eva hing nog bij de deur. Ze had al een hele tijd niets gezegd. Ze is de kat uit de boom aan het kijken, dacht Johnny, en hij bedacht opeens dat ze hem aan zijn zus deed denken. Wat afwachtend, vaak met een koele glimlach om haar lippen, een glimlach die kon worden opgevat als superieur, maar die in het geval van zijn zus uitdrukking gaf aan een zoeken naar wederzijds begrip. Johnny ergerde zich vaak aan Bittes voorzichtigheid, haar wat slome verschijning en de tendens zich te voegen naar anderen.

Als Eva net zo was, zou ze het moeilijk krijgen. De branche eiste dat je haar op je tanden had. Als je je rechten niet verdedigde, werd je uitgebuit.

'Wat ga je verdienen?' vroeg Johnny.

Eva keek om zich heen. Feo bekeek haar in de spiegel. Donald, die was teruggekeerd van zijn rookpauze, snoof.

'Niet zo veel, maar het zou meer worden', zei Eva.

'Dat zeggen ze altijd', mopperde Donald.

'Het is wérk', zei Eva terwijl ze Donalds blik probeerde te vangen.

'Werk', herhaalde Feo.

Johnny wist dat hij met zijn vraag een stilzwijgende overeen-komst had gebroken om salarissen niet openlijk te bespreken, zeker niet als je net was aangenomen. Dan werd verondersteld dat je je mond hield en geleidelijk het totaalplaatje voor ogen kreeg; alle constructies en overeenkomsten waar de branche op was gebaseerd. Het was zaak je eerst te kwalificeren om zulke vragen te mogen stellen, en dat kon wel een half jaar duren, zo niet langer.

'De fooien worden in elk geval gedeeld', zei Eva.

Johnny hoopte dat ze niet zou vragen hoeveel dat zou opleveren, maar hij meende dat ze de boodschap begreep in de blik die hij haar toewierp, want ze slikte in wat ze had willen zeggen en lachte alsof ze niet wilde worden meegetrokken in een spel waarvan ze de regels alleen vermoedde.

'Tot morgen', zei ze, en ze glipte door de deur naar buiten om bijna weer onmiddellijk binnen te komen.

'Er zit een beroemde smeris binnen', zei ze.

Donald bleef even staan. Feo keerde zich om.

'Wie dan?' vroegen beide koks uit één mond.

'Ze heet Lindell', zei ze. 'Ze heeft een kind op de crèche naast de school waar mijn jongste zit.'

'Wat doet ze hier?'

'Eten, natuurlijk. Wat dacht jij dan?'

Feo haalde zijn schouders op en lachte. Donald staarde de serveerster misnoegd na.

'Jezus, wat een type', zei hij.

'Ik vraag me af waarom die tuut hier is', zei Feo.

'Je hoorde wat Eva zei', zei Johnny. 'Ze zit te eten.'

'Ik vertrouw de politie niet', zei Feo.

'Jezus, wat een type', herhaalde Donald. 'Gonzo is geen toppertje, maar hij kletst tenminste niet de oren van je hoofd.'

Feo keek door het luik de eetzaal in.

'De politie komt hier niet alleen maar naartoe om te eten', zei hij. 'Ze is vast op onderzoek.'

'Heb je problemen?' vroeg Johnny. 'Werk je zwart?'

Even leek het of Feo kwaad werd en hij keek Johnny woedend aan, maar trok meteen weer zijn onbekommerde gezicht.

'Nee, maar ik kom uit Portugal', zei hij.

Johnny wachtte op een vervolg, maar dat kwam niet en hij haalde zijn schouders op.

Pirjo, die de hele avond nog vrijwel niets had gezegd, moest lachen. Een grote, vreugdeloze lach waar zelfs Donald van opkeek.

'Ik kom uit Finland', zei ze.

'En ik uit Småland', zei Johnny.

'Tessie komt uit de vs', zei Pirjo.

'Gonzo komt uit Gonzoland', zei Feo.

Alle blikken waren op Donald gericht. Het was alsof het keukenpersoneel van Dakar bloedserieus was geworden, alsof iemand de keuken was binnengekomen met een triest bericht.

De vleeskok draaide een filet in de pan om en keek vervolgens om zich heen; eerst naar Johnny, vervolgens naar Pirjo en toen naar Feo. Hij had een bedachtzaam lachje om zijn lippen, streek met zijn ene hand over zijn kin terwijl zijn andere schijnbaar automatisch een koekenpan pakte.

'Ik ben geboren in Kerala', zei hij na een paar seconden van totale stilte. Hij keerde de overige aanwezigen de rug toe en trok nóg een pan naar zich toe vanaf het rek boven het fornuis. Hij hield hem een paar tellen met een gestrekte arm schuin voor zijn hoofd, alsof het een fakkel was.

'Kerala', herhaalde hij.

Feo barstte uit in een bulderende lach, maar zweeg even snel.

'Waar ligt dat?' vroeg Pirjo.

'In oostelijke richting', zei Donald.

'Lempäälä ook', zei Pirjo.

'En we komen allemaal hier bij elkaar,' zei Johnny, 'in de keuken van Dakar.'

Hij ervoer even, ondanks de beperkte ruimte van de keuken, een gevoel van grootsheid. Hij was plotseling ontzettend blij dat hij Jönköping en Sofia had verlaten. Het was alsof zijn leven een klein sprongetje had gemaakt, en niet alleen in de hoogte om weer op precies hetzelfde plekje neer te komen, Johnny wist nu ook dat zijn verhuizing naar Uppsala een vooruitgang betekende. Hij keek naar Feo, die over een bord zeeduivel gebogen stond, en vervolgens naar de chef-kok. Donald was echt een gecompliceerd iemand. Johnny kon nog niet uitmaken wanneer hij een grapje maakte en wanneer hij serieus was.

Zijn gezicht zag eruit alsof het was uitgestanst uit een standbeeld, met zware wangen en een vlezige neus boven de diepliggende ogen. Ogen die de keuken leken te beschouwen als het enig mogelijke toevluchtsoord, maar tegelijkertijd als een gevangenis voor de dromen die hij zorgvuldig achter een afwijzende façade verborgen hield.

Donald had misschien wel vijftien keukens afgewerkt in de dertig jaar dat hij als kok werkzaam was. Johnny had veel van dit soort keukennomaden gezien. Als ze een soort balans konden vinden tussen de late werktijden, de daarop volgende nachtelijke diners, de alcohol en de pogingen tot een sociaal leven, dan kon hun vakkundigheid tot bloei komen en elke stormachtige en gestreste keuken een veilige haven vormen, een rots in de branding voor veel restauranthouders.

Donald was misschien wel zo iemand. Daar zou hij vanzelf achter komen. Hij waakte als een havik over de borden die de keuken van Dakar verlieten en ze werden gekenmerkt door perfectie.

'Zo en niet anders', zei hij, en hij liet Johnny zien hoe het kalfsmedaillon eruit moest zien.

'Niet anders', herhaalde hij en veegde een voor Johnny onzichtbare vlek van de rand van het bord.

Johnny knikte, bekeek het bord en zag in dat er niets te verplaatsen viel, en hij probeerde de rangschikking te onthouden.

Om tien uur verliet Donald de keuken. Pirjo ging ook naar huis, nadat Johnny beloofd had schoon te maken. Hij ruimde op, spoelde af en schrobde de vloer terwijl Feo snel inventariseerde en de bestellingen doorbelde naar de telefoonbeantwoorders van de leveranciers.

Na afloop bliezen ze allebei uit met een biertje. Feo rookte een sigaret, eentje maar, zwijgend en met veel genoegen.

'Ga naar huis', zei Johnny. 'Ik doe het vuil wel.'

Feo schudde zijn hoofd.

'Deze tijd is het best', zei hij glimlachend. 'We drinken een bak koffie met een "calva". We moeten toch vieren dat je begonnen bent?'

'Hoe komt het dat je zo goed Zweeds spreekt?'

'Oefening', zei Feo. 'Ik praat voortdurend met mijn vrouw en zij verbetert mij. Het is net een talencursus bij ons thuis. Dat is de enige manier om de woorden te begrijpen. Moet ik hier soms rondlopen als een zwartjoekel zonder ook maar één woord te snappen?'

'Vraagje,' zei Johnny, 'waar komt Donald vandaan? Hij zei Kerala, maar dat ligt in India.'

'Zijn vader was missionaris', zei Feo. 'Donald heeft vijftien jaar in India gewoond. Je moet zijn bonenstoof en lamssteak in yoghurt eens proeven. Hij zou een Indiaas restaurant kunnen beginnen.'

Hij stond op, liep de keuken uit en kwam terug met twee espresso en twee calvados op een dienblad.

'Slobodan trakteert', zei hij.

Ze dronken zwijgend koffie. Johnny voelde de vermoeidheid in zijn lichaam als een aangenaam, dof gevoel. Vanuit de eetzaal en de bar kwamen stemmen en gelach terwijl de keuken rustte in een schemerige stilte. De beste tijd, dacht Johnny, en hij keek langdurig in de glinstering van de calvados voordat hij ervan proefde.

De drank explodeerde in zijn mondholte en hij boog naar voren alsof iemand hem hard op zijn rug had geslagen, maar slaagde erin het glas neer te zetten voordat hij naar de spoelbak rende.

Feo sloeg hem gade, maar zei niets. Johnny bleef voorovergeleund staan. Hij spoog en deed alles om de braakneiging te onderdrukken.

'Kolere,' zei hij toen zijn lichaam wat was gekalmeerd, 'het schoot zeker in het verkeerde keelgat.'

'Drink een beetje water', zei Feo.

Na een paar woorden te hebben gewisseld met Måns in de bar gingen Feo en Johnny in de steeg bij de keukeningang van Dakar uiteen. De Portugees haalde zijn fiets en trapte weg. Johnny bleef even naar de brede rug van zijn nieuwe collega staan kijken.

Hij had beter moeten weten en geen sterke drank moeten drinken. Het was een paar jaar geleden begonnen, de misselijkheid, de braakneigingen en een vage pijn in zijn buik. Een pijn die soms wel op messteken leek. Bier ging goed en witte wijn soms ook, hoewel de lol er snel af was als hij de hele tijd op de misselijkheid en de pijn zat te wachten. Sofia had hem in het begin aangespoord naar de dokter te gaan, maar daarna was het alsof ze geen interesse meer had voor zijn welzijn en was ze gestopt met opmerkingen maken over zijn grimassen.

Wat zou Feo hebben gedacht? Zou hij vermoeden dat Johnny's bewering over het verkeerde keelgat een leugen was? Feo had niets gezegd, maar uit zijn blik had Johnny opgemaakt dat hij de verklaring niet helemaal had geslikt.

Johnny liep naar huis. Het maakte hem niet uit dat het een vrij lange wandeling was, zo'n twee kilometer. Hij vond de zwoele, stille nacht juist prettig. De weinige wandelaars op straat stoorden hem niet, hij vond dat zijn nieuwe stad deed denken aan een vreemde stad. Dat was een gevoel dat hij lang met zich mee zou dragen; dat hij een gast was, een vreemdeling die geen verplichtingen had ten aanzien van de stad en zijn inwoners.

Als iemand met hem sprak, een vraag weergaf of zijn mening citeerde, kon hij zich beroepen op het feit dat hij nieuw was in de stad, een tijdelijke bezoeker, en zich op die manier onttrekken aan elke verantwoordelijkheid.

Sofia spookte rond, gekoppeld aan de droom over een zinvol bestaan. Hij wist van zichzelf dat zijn vrijwillig op zich genomen isolement een verdediging was. Hij leefde als in quarantaine. Zijn werk als kok bij Dakar was het enige wat hem tot mens maakte, tot een sociaal wezen. Hij zocht geen gezelschap van anderen, hij zocht evenmin hun warmte of goedkeuring. Hij kon net zo goed in onbewoond gebied hebben gelopen. Het was alsof hij uit gewoonte een baan had geaccepteerd toen die zich voordeed. Hij had zich willoos laten beïnvloeden door zijn zus en was naar Uppsala verhuisd.

Er was een tijd geweest dat hij van zijn werk had gehouden, maar het doel om een goede kok te worden was steeds verder weggezakt. Nu zag hij het als zijn enige mogelijkheid om te overleven, meer niet. Het leverde salaris op en de illusie dat hij een taak had. De passie was verdwenen en hij was diep van binnen verstijfd van angst. Minstens dertig jaar in het vak en de verachting voor kooktijdschriften, enthousiaste gasten en nieuwsgierige bekenden, hun voortdurende gezeur over nieuwe gerechten verveelden hem, maakten hem steeds meer verbitterd. Zijn vroegere vrienden hadden er geen idee van hoe het was om voortdurend te worden verplicht mooie borden met smakelijk eten af te leveren terwijl het leven zelf onsmakelijk en verre van mooi was.

Wanneer was het ingezet, dat afbraakproces toen het leven was gaan composteren? Of liever gezegd, was gaan rotten, want er was niets levengevends in het verloop, geen tot het leven behorende micro-organismen die ijverig en op natuurlijke wijze hun werk deden. In Johnny's binnenste was een zuurstofarm verrottingsproces, een stinkende vernietiging van vers bloed en vlees gaande.

Hij nam de verandering met angst en beven waar, maar ook met fascinatie, want hij ging als mens om met zijn eigen verval: met de verbittering van een zelfkweller. Hij wilde, maar ook weer niet, tot op de bodem zakken en van daaruit zijn onmenselijke etter verspreiden, bepantserd met zelfverachting en een steeds sterkere vijandigheid ten aanzien van zijn medemensen die nog steeds hoop leken te hebben.

Toen hij bij zijn appartement kwam, een tweekamerflat in de woonwijk Klockarängen, stak hij een kaars aan. Echte kaarsen hoorden bij de winter, het donkere jaargetijde, maar toen hij zijn spullen aan het uitpakken was, had hij een kaars gevonden die hij op de oude teakhouten salontafel had gezet.

Het licht verspreidde een zoete, vanilleachtige geur. Hij zat een tijdje op de bank van een plasticachtig kunstleer naar de flakkerende vlam te kijken, voordat hij met een zucht opstond, de kaars uitblies en naar bed ging.

Hij viel onmiddellijk in slaap en sliep tien uur achter elkaar, zwaar en droomloos, maar werd vrij laat in de ochtend wakker van een nachtmerrie. Hij ging met een schok rechtop zitten. De ochtendzon scheen door de provisorisch opgehangen gordijnen.

9

Eva Willman pakte twee appels en legde ze aan weerszijden van de keukentafel. Dat zag er mooi uit, veelbelovend, alsof de toekomst van Patrik en Hugo berustte op het feit dat er elke ochtend twee roodglanzende appels bij hun plaatsen lagen.

Hoewel het pas half zeven was, wilde ze hen het liefst wakker maken zodat ze de weinige extra minuten kon gebruiken om over Dakar te vertellen. Vroeger, toen ze klein waren, werden ze altijd vroeg wakker en hadden ze een moment samen gehad voordat Eva naar haar werk moest en de kinderen naar de voorschoolse opvang of naar school, maar nu bestond het ontbijt uit een paar vermoeide opmerkingen, wat gehakketak en een paar vlug naar binnen gewerkte boterhammen.

Ze keek naar de appels, rood, met een dikke schil en een stickertje dat aangaf dat ze uit Nieuw-Zeeland kwamen. Iemand stuurt fruit vanaf de andere kant van de aardbol, dacht ze, en ze zag een fruitboom in een vreemd land voor zich. Er waren daar mensen, gekleed in kakikleurige korte broeken en T-shirts met reclameopdruk op hun borst. Ze reden in kleine voertuigen met karretjes erachter. Soms stopten ze, rekten zich uit naar een appel en plakten er een stickertje op. Eva beeldde zich in dat ze Patrik en Hugo in gedachten hadden als ze de appels voorzichtig in een mand legden.

Ze zette koffie en wachtte tot de kinderen wakker zouden worden. Vandaag werd het menens. Ze voelde het in haar buik. Ze zou meelopen met Tessie, die haar zou inwerken.

Er was één ding waar ze zich zorgen om maakte en dat was het uitspreken van de namen van de gerechten. Zeeduivel en eendenborst waren geen probleem, maar de menukaart bestond uit zo veel meer. En dan de wijnen met hun buitenlandse namen. Eva had het menu en de wijnkaart mee naar huis genomen en de uitspraak geoefend. Soms had ze Patrik en Hugo om advies gevraagd.

En al kende ze de uitspraak enigszins, dan restte nog de vraag wat het was. 'Gekonfijt' en 'concassé', daar had ze geen idee van, en of Gevrey-Chambartin een rode of een witte wijn was al evenmin.

Ze hoopte dat Tessie geduld zou hebben en dat de gasten niet geïrriteerd zouden raken of lollige opmerkingen zouden gaan plaatsen.

Eva had besloten zwijgzaam te zijn in de eetzaal. Als ze een rustige houding aannam en niet te veel kletste, konden de gasten de indruk krijgen dat ze bekwaam en betrouwbaar was. Ze mocht deze baan niet verknallen. Ze moest tegen elke prijs een vakkundige en snelle serveerster worden, iemand op wie Slobodan Andersson kon vertrouwen.

Het was niet alleen een baan, het was de toegang tot een ander leven, zo ervoer ze het. Ze kon nieuwe verbanden aangaan, andere mensen ontmoeten dan de oude vertrouwde in Sävja en in de ICA-supermarkt in Vilan, en zelf ook interessanter worden. Ze kende niemand die bij een restaurant werkte en er waren maar weinig mensen in haar kennissenkring die naar een restaurant of café gingen. Nu zou ze eens over iets anders kunnen praten.

Plotseling werd ze bang. Stel dat het niet goed ging?

'Hugo,' riep ze, 'het is tijd.'

Het had geen zin om Patrik te roepen, hij moest 's morgens wakker worden geschud.

10

Een homp aangespoeld walvisvlees. Zo had Haver het stoffelijk overschot beschreven en Ann Lindell begreep wat hij bedoelde toen ze de foto's bekeek die op tafel waren uitgestald.

Het gevoel van walging vermengde zich met evenveel gespannen verwachting.

'Geloof je me als ik zeg dat alle onderzoekers gek zijn op een moord?' had Ottosson haar jaren geleden gevraagd. Ze had zijn gedachte toen als absurd afgedaan, maar was nu bereid hem gelijk te geven.

Alleen al het feit dat ze naar de kaart aan de wand kon lopen, gaf haar leven zin en ze bestudeerde hem met de verbeten concentratie van een veldheer, volgde de loop van de Fyriså, sloeg nieuwe namen in haar geheugen op en vroeg zich af of ze ooit in de Sunnersta-groeve was geweest, de oude grindgroeve in de heuvelrug, die een skihelling was geworden.

Haar blik ging van de heuvelrug naar de rivier en ze zag waar Lugnet was. Daar, in de rivier, in het riet, lag een mensenlichaam dat in de ogen van Ola Haver was veranderd in een homp vlees.

Het lichaam was gevonden door twee jongens die stenen hadden gegooid naar de eenden die zich in het riet schuilhielden. De ene jongen, elf jaar oud, was bij het stoffelijk overschot gebleven terwijl zijn vriend over de weilanden naar de weg was gerend om een auto aan te houden.

Toen Haver de elfjarige later vroeg waarom hij was gebleven, of hij het niet akelig had gevonden, had de jongen gezegd dat hij niet wilde dat de vogels aan de man zouden gaan pikken.

Hoewel Lindell al jaren in Uppsala woonde, had ze de weg tussen Nåntuna en Flottsund nog nooit gereden. Fredriksson had gezegd dat het een mooie weg was, vooral in het voorjaar. Hij keek er altijd naar de vogels die zich langs de rivier verzamelden. De kieviten kwamen altijd in april op de akkers bij de Flottsundsbrug bijeen.

'Dan weet ik dat het lente is', zei Fredriksson, die twee interesses in het leven had: vogels en paardenkoersen.

Ottosson had zelfs een literaire referentie. Hij beweerde dat de bekende Zweedse schrijver Göran Tunström een roman had geschreven die zich gedeeltelijk in dat gebied afspeelde en het boek was volgens Ottosson de moeite waard. Hij bood aan om het mee te nemen als iemand belangstelling had, maar er hadden zich geen gegadigden gemeld.

Lindell liet hen zonder onderbreking praten. Ze bouwde ondertussen zelf een innerlijke spanning op, die het genot verhoogde.

'Kan het een ongeval met een boot zijn?' vroeg Ottosson terwijl hij de foto's van de technisch rechercheurs bestudeerde. 'Misschien is hij overboord gevallen?'

Hij stond over de foto's gebogen.

'Met een doorgesneden strot?'

'Ja, een buitenboordmotor', zei Ottosson terwijl hij zijn hoofd omdraaide en haar aankeek met een blik alsof hij wilde zeggen: Wees het met me eens, laat het een tragisch ongeval zijn.

Het duurde een paar seconden voor Lindell begreep wat hij bedoelde.

'Met alleen een onderbroek aan?' vroeg Lindell.

'Nee, dat is vreemd', mompelde Ottosson.

'Wie is hij?'

'Hij ziet er niet erg Zweeds uit.'

'Hoezo, Zweeds?'

'Nou ja, niet geboren in Zweden', legde Fredriksson uit terwijl hij Lindell dom aanstaarde.

Lindell zuchtte, maar dat was meer uit sympathie met Ottosson dan uit verveling. Het voorjaar was catastrofaal geweest. Misschien niet wat het weer betrof, dat maakte haar niet zoveel uit, maar wel qua werk. Saaie routineklussen die elkaar aflosten met uitbraken van jeugdgeweld in Gränby en Sävja, en een messentrekker die een paar weken in het centrum had rondgelopen en nachtbrakers op weg van de kroeg naar huis had aangevallen. Hij was zeer ondramatisch en bij toeval opgepakt. Het bleek een geestelijk gestoorde man te zijn die was teruggebracht naar de kliniek waaruit hij was ontsnapt.

De zomer was al niet veel beter geweest. De vakantie had ze thuis doorgebracht met uitzondering van een week bij haar ouders in Ödeshög en een lang weekend in een geleend zomerhuisje. Dat was de beste tijd van de vier vakantieweken geweest. Erik had allerlei beestjes ontdekt en samen hadden ze tussen mieren, kevers, torren en spinnetjes gebotaniseerd. Voor hem was het een nieuwe wereld, voor haar pure fobietraining.

Ze ontdekte dat hij andere behoeften ging krijgen dan voorheen, hij werd actiever, nieuwsgieriger en extraverter, maar ook veeleisender. Papier en een paar potloden of legopoppetjes waren niet meer voldoende om hem bezig te houden. Hij wilde dat Ann meedeed, overspoelde haar met vragen en ideeën. Soms was ze niet toereikend, ging het haar de keel uithangen, wilde ze het liefst gestrekt op het strand bij het bosmeertje liggen, lezen of alleen maar filosoferen met haar blik gericht op het visarendpaartje dat over het meer zeilde. Ze kon Erik naar niemand anders verwijzen. Ze waren maar met z'n tweeën.

's Avonds als hij sliep, ging ze met een fles wijn in een roestige schommelbank met kapotte kussens zitten, schommelde zachtjes heen en weer en dacht na over haar leven. Normaliter verdedigde ze zich, maar het was alsof het landschap, het isolement van het huisje en het totale contrast met het dagelijkse bestaan haar dwongen tot nadenken. Misschien droegen Eriks nieuwe behoeften ertoe bij dat de toekomst ongewisser leek dan voorheen. Ze zag tijdens die zeldzaam zonnige dagen in het huisje in dat ze in haar eentje verantwoordelijk was voor zijn ontwikkeling. Over een paar jaar ging hij naar school en ze kon alleen maar vermoeden wat dat zou betekenen. Daarna zou hij al snel een puber worden en zou zijzelf tegen de vijftig lopen.

Ze bestudeerde de eerste pagina van het sectierapport. De man was doodgebloed door een elf centimeter lange jaap in zijn keel. Hij was dood geweest voordat hij in het water belandde. Zijn leeftijd werd geschat tussen de veertig en vijftig jaar, hij was een meter zesentachtig en woog tweeënnegentig kilo. Hij was in goede lichamelijke conditie en zonder specifieke kenmerken, buiten –

naar Lindell meende – de restanten van een tatoeage op zijn rechterbovenarm. Een lap huid van circa vijf centimeter doorsnee was uit zijn arm gesneden. Er restte alleen nog een onbeduidende donkere streep van een halve centimeter, waardoor ze meende dat daar een tatoeage had gezeten. Er waren twee mogelijke aanleidingen voor het verwijderen van het stukje huid: de identificatie van het slachtoffer moest worden bemoeilijkt of de tatoeage kon direct met de moordenaar in verband worden gebracht.

Lindell pakte de detailopname van de bovenarm van tafel.

'Wat moeten we denken?' vroeg Fredriksson. 'Is hij daar ter plekke vermoord of is hij met de stroom meegedreven?'

'Er zijn mensen aan beide zijden van de rivier aan het kijken,' zei Lindell, 'maar tot nu toe hebben ze nog niets gevonden.'

'Maar hoe waarschijnlijk is het dat een lijk in de rivier dobbert zonder dat iemand het merkt?'

'Ik heb geen idee, Allan', zei Lindell.

Ze staarde naar de foto.

'Kun je geen contact opnemen met Tattoo-Bob of hoe die gasten heten. Er zijn toch wel experts op het gebied van tatoeages?'

'Er valt weinig te laten zien', zei Fredriksson.

Ze schoof de foto over tafel zonder Fredriksson aan te kijken.

'Kijk toch maar', zei Lindell.

'*Sure, babe*', zei Fredriksson.

Lindell keek hem lang na. Sammy keek haar geamuseerd aan maar hield zich in.

'Zijn er mensen als vermist opgegeven?'

'*Nada*', zei Sammy Nilsson. 'Ik heb tot een half jaar terug gekeken. Maar ik heb het op internet gezet. Eens kijken wat dat oplevert.'

Als de doden konden spreken, dacht Ann Lindell en ze glimlachte bij zichzelf.

'Volgens mij was het geen arbeider', zei Sammy.

'Je denkt aan zijn handen?'

Sammy knikte.

'Zijn ene duimnagel was blauw', zei Lindell.

'Dat kan een bobo op de golfbaan ook oplopen', zei Ottosson.

'En zijn tanden?' vroeg Lindell.

'Goed, volgens de gerechtsarts, maar met slechte vullingen uit zijn jeugd. Misschien uitgevoerd in het buitenland.'

Lindell knikte.

'We moeten maar hopen op sporen langs de rivier', zei ze na een moment van stilte en ze stond op.

'Is er iemand die trek heeft?' vroeg ze, maar ze wachtte niet op antwoord en liep de kamer uit nadat ze haar schrijfblok van tafel had gegrist.

'Waarom bijna naakt?' mompelde ze zachtjes terwijl ze de lift naar de begane grond van het nieuwe hoofdbureau van politie nam. Hoewel dat het najaar ervoor was ingewijd, voelde Ann zich er nog steeds niet thuis. Ze miste ondanks alles het oude pand. Alles was nu wel veel lichter en functioneler, maar er ontbrak iets. Er was niemand anders geweest die iets had gezegd over heimwee naar Salagatan, dus Lindell hield haar nostalgische gepeins maar voor zich.

Ze bleef zichzelf vragen stellen tijdens de snelle wandeling naar de stad. Ze liep Svartbäcksgatan af langs de rivier. Net als bij Lugnet, waar het lijk was aangetroffen, snaterden de eenden langs de oever en in de lucht krijsten de sternen.

De verwijderde tatoeage was een essentieel detail, dat was duidelijk. Als het slachtoffer in Uppsala woonde en binnen een paar dagen als vermist werd opgegeven, als zijn identiteit kon worden vastgesteld en familie en vrienden konden worden gehoord, dan zou het niet zo moeilijk moeten zijn om erachter te komen wat die tatoeage had voorgesteld en wellicht waar en door wie hij was gezet.

Dan verviel het motief om de moeite te nemen hem te verwijderen. Bovendien was die manoeuvre een manier om de aandacht te vestigen op die tatoeage. Hem een status te geven die hij anders wellicht niet zou hebben gehad. Met andere woorden, in Lindells ogen was het een irrationele handeling.

Ze keek op haar horloge. Geen van de eettentjes waar ze langs was gekomen, was bij haar in de smaak gevallen en nu kwam ze plotseling in tijdnood. Daarom nam ze in het voetgangersgebied maar een 'Kurt', zoals haar collega's om onverklaarbare redenen een broodje met een dikke worst noemden. Ze spoelde het weg met een pakje drinken.

Terwijl ze op straat stond, met mensen die langsliepen, geëntertaind door wat op het eerste gezicht een groep straatartiesten leek, maar wat een schare missionarissen van 'Het Woord des Levens' was, kwamen de gedachten over de weggesneden tatoeage weer terug en raakte ze er steeds meer van overtuigd dat die verwijdering een symbolische handeling was.

Ze luisterde even naar het hemelse koor en daarna naar een korte getuigenis van een gemeentelid. Hij sprak over Jezus, over wie anders? De getuige zag er blij, bijna extatisch uit toen hij triomfantelijk beschreef hoe hij dankzij Jezus weer een volwaardig iemand was geworden.

'Ik leefde in armoede …!' schreeuwde hij.

'Wat verdien je nu dan?' riep iemand uit het publiek.

De getuige werd even van zijn stuk gebracht, maar ging daarna verder met zijn verkondiging.

Lindell liep terug naar het bureau. Wandelen was haar manier geworden om wat aan haar conditie te doen. Bij het laatste onderzoek had de arts geconstateerd dat die zeer slecht was.

Maar dat betekende wel dat ze steeds vaker alleen moest lunchen. Niemand van de collega's had zin om in Lindells tempo door de stad te jakkeren.

Terug op haar kamer, bezweet en nauwelijks voldaan, keek ze nogmaals de rapporten door die betrekking hadden op de vermoorde man. Hoe zal ik hem voorlopig noemen? dacht ze terwijl ze een nieuw schrijfblok uit de kast pakte.

Ze schreef spontaan 'Jack' op het blok en sloeg de eerste pagina open. Het bleek een ruitjesblok te zijn en dat stoorde haar, maar ze ging toch onmiddellijk aan de slag om haar ideeën over de betekenis van de tatoeage op papier te zetten. Dat was tot nu toe het enige waarover ze kon schrijven. Alle andere gegevens waren te vinden in het rapport van de arts. Het rapport van de technische recherche zou te zijner tijd komen.

Ze schreef een half kantje vol in haar voor de omgeving onleesbare handschrift. Ondanks de magere inleiding voelde ze zich content, zelfs optimistisch. Misschien was het de warmte van de nazomer, misschien gewoon het gevoel dat ze zich zo sterk voelde. Dat haar relatie met Charles Morgansson – de nieuweling bij de technische recherche – nu definitief achter haar lag en geen pijn meer deed. De relatie was in dat voorjaar verbroken. Er was geen sprake meer van twijfel, rancuneuze gevoelens of onopgehelderde zaken, althans niet van haar kant.

Ze hadden elkaar vorig najaar leren kennen en waren heel voorzichtig een relatie begonnen. Charles was een heel lieve man, dat was wat ze tegen iedereen zei die het vroeg, maar te zachtmoedig naar Lindells smaak. Het duurde een paar maanden voor ze met elkaar naar bed gingen en toen was het niet eens erg wellustig of zelfs ook maar aangenaam. Het was alsof hij zich elke keer verontschuldigde als hij het initiatief nam, en dat was niet zo vaak. Ann zag al vrij snel in dat hij problemen had. Even dacht ze dat hij zich misschien niet eens aangetrokken voelde tot vrouwen, maar het bleek dat zijn ervaringen van een eerdere relatie in Umeå bleven spoken. Er was iets misgegaan. Misschien was dat de voornaamste reden dat hij naar Uppsala was verhuisd, hoewel hij beweerde dat dat zijn betrokkenheid bij een verkeersongeval was. Lindell wilde het eigenlijk niet weten. Ze wilde geen maatschappelijk werkster zijn.

De korte en wat roemloze relatie was een afgesloten hoofdstuk, een ervaring die haar zelfvertrouwen opmerkelijk genoeg had vergroot. Görel, haar vriendin en trouwe oppas van Erik, had geprobeerd haar te troosten, maar Ann had alle pogingen afgewezen.

'Als er iemand moet worden getroost, is het Tjalle', zei Ann, en Görel meende dat ze meedogenloos was, maar barstte vervolgens in lachen uit.

Ze had hun avontuur gevolgd en was diep van binnen blij dat het voorbij was.

'Jij zit niet te wachten op zo'n watje', zei ze.

'Precies,' zei Ann, 'wat ik nodig heb, is …'

Ze kon haar zin niet afmaken, want onmiddellijk verscheen het beeld van Edvard op haar netvlies. Edvard, haar oude liefde, voor altijd uit haar leven verdwenen.

Görel begreep dat ze twijfelde en vermoedde waardoor dat kwam. Ze legde haar arm om Ann heen, maar was verstandig genoeg om niet met een of andere populaire opmerking te komen.

Lindell belde naar de crèche van Erik en liet Gunilla weten dat ze Erik een half uur, misschien zelfs een uur later zou ophalen. De leidster liet weten dat dat goed was, maar Lindell hoorde in haar stem een voorzichtige kritiek. Het probleem met ouders die zich niet aan de afgesproken tijden voor brengen en halen hielden, was op elke ouderavond onderwerp van gesprek.

Lindell beëindigde het gesprek met hetzelfde gevoel als anders: dat ze niet goed voor haar zoon zorgde. Hij kreeg alles wat hij nodig had en had het bovendien op de crèche naar zijn zin, maar het gevoel van ontoereikendheid bezorgde haar een slecht geweten. Bij de politie werken en alleenstaande moeder zijn was geen eenvoudige combinatie, maar ze vermoedde dat dat gold voor alle alleenstaanden met een baan. Er was gewoon geen goede oplossing voor het probleem. Je moest er simpelweg het beste van zien te maken. Lindell werkte nooit in het weekend en uiterst zelden 's avonds.

Ottosson, haar directe leidinggevende, was begrijpend en deed alles wat in zijn macht lag om het haar gemakkelijk te maken. Zonder die steun zou het aanzienlijk moeilijker, misschien wel onmogelijk zijn om deze baan vol te houden.

Ottosson had diverse keren met haar over de commissariscursus gesproken, maar ze had zijn voorstel altijd afgewezen. Die cursus vond bovendien plaats in Stockholm. En waarom moest ze zo nodig promotie maken? Ze had het prima naar haar zin in haar huidige functie en had geen behoefte om hoger op de carrièreladder te komen.

Na een paar telefoontjes te hebben gepleegd ging ze naar de koffiekamer. Daar zat Berglund voorovergeleund met zijn ene elleboog op zijn knie en met zijn hoofd in zijn handen, alsof hij hoofdpijn te lijf ging. Hij luisterde naar Haver, die vertelde over zijn plannen voor de wintersport. Lindell ving op dat Haver met zijn vrouw Rebecka en hun twee dochters naar Noord-Italië zou gaan.

'De Alpen zijn mooi', zei Berglund, vooral om iets te zeggen.

Lindell zag dat hij heel ergens anders aan dacht en toen ze ging zitten, greep hij de gelegenheid aan om op een ander gespreksonderwerp over te gaan.

'Zeg, Ann, herinner jij je Konrad Rosenberg nog?'

Ann nipte van haar koffie, dacht even na en knikte.

'Was dat die man ... was het niet iets met fraude, creditcards en drugs?'

'Precies', zei Berglund. 'Zijn naam komt voor in het onderzoek over die berovingen waar ik mee bezig ben. Niet dat ik denk dat hij er iets mee te maken heeft, maar zijn naam komt zoals gezegd voor. Weet je nog dat hij een paar jaar kreeg en moest afkicken?'

Lindell knikte en voelde plotseling voldoening dat ze zich iets herinnerde wat jaren geleden was gebeurd, een grote vreugde dat Berglund het net aan háár had gevraagd. Het was een soort bevestiging dat ze iets betekende, dat die twee een gemeenschappelijk verleden hadden.

Berglund was wellicht de collega die haar het dierbaarst was. Ze voelde zich op haar gemak bij zijn rustige temperament en zijn trouw. Bovendien was hij een zeer wijs iemand, nadenkend, oordeelde hij zelden en was hij gespeend van elke vorm van prestige en zelfbejag. Hij was geboren en getogen in Uppsala. In zijn jeugd was hij een actief sporter geweest, had aan voetballen en bandy gedaan. Later had hij zich toegelegd op oriëntatielopen en had hij in het bestuur van de club gezeten. Door de sport, zijn betrokkenheid bij de woningbouwcoöperatie van de volksbeweging en zijn lidmaatschap van de missiekerk – iets waar Lindell pas onlangs achter was gekomen en wat haar aan de ene kant had verbaasd, maar aan de andere kant ook weer niet – had hij allerlei voelhoorns in de samenleving. Hij was een soort menselijke seismograaf die de trillingen in het lichaam van de stad voelde.

Het enige waar hij niets van wist, was het Uppsala van de jeugd, de studenten en de allochtonen. Op dat gebied voelde hij zich onbeholpen en dat gaf hij grif toe.

'Hij is al jaren clean,' vervolgde Berglund, 'maar nu lijkt hij zich weer te roeren. Een van die gasten die ik over die berovingen heb gehoord, "Sture met de hoed", noemde Rosenberg. In het voorbijgaan, en toen ik er verder over doorvroeg, bleek dat het Rosenberg opeens voor de wind gaat, zoals Sture het uitdrukte.'

'Ik heb die Sture weleens ontmoet, hij is een ontzettende ouwehoer,' zei Haver, 'hij wil alleen maar schitteren, interessant doen.'

'Zoals zoveel anderen', zei Lindell.

'Dat zou kunnen', zei Berglund.

'Misschien was het een afleidingsmanoeuvre, of weet hij helemaal niets maar wilde hij toch coöperatief zijn en met iets komen', vervolgde Haver.

Berglund maakte een gebaar met zijn hand als om aan te geven dat dat mogelijk was, maar Lindell zag dat hij een andere mening was toegedaan.

'Hij heeft pas een spiksplinternieuwe Mercedes gekocht', zei Berglund. 'Ik heb met een kennis bij Philipson gesproken en volgens hem had Rosenberg het gewoon voor het oprapen.'

'Heeft hij contant betaald?'

'Zonder afdingen', zei Berglund.

'Heb je met de narcoticabrigade gesproken?' vroeg Lindell.

'Nee, we hebben niet veel om op af te gaan', moest Berglund toegeven.

Haver grijnsde.

Ga jij nou maar met je Rebecka naar Italië, dacht Lindell gemeen, met een vaag gevoel van jaloezie.

'Maar als je iets hoort …' beëindigde Berglund zijn betoog over de zwendelaar Konrad Rosenberg, om daarop te vragen hoe het ging met de moord bij de rivier.

'De gewone routines,' zei Lindell, 'maar tot nu toe nog niets. Hij komt in elk geval bij ons niet voor. We hebben zijn vingerafdrukken genomen.'

'Misschien een Rus', opperde Haver.

'Dat is mogelijk. Waar ik het meest over zit te prakkiseren, en dat is ook het enige waarover we momenteel kunnen speculeren, is die tatoeage die is verwijderd. Volgens mij is dat een soort symbolische handeling.'

'Dat lijkt me stompzinnig', zei Berglund, en Lindell begreep dat haar collega snel tot dezelfde conclusie was gekomen als zij: dat het amateuristisch was om de aandacht op die tatoeage te vestigen.

'Misschien een dwaalspoor,' zei Lindell, 'geen idee.'

Ze nam haar koffiekop mee en ging terug naar haar kamer. De tatoeage op de arm van de vermoorde man plus het feit dat hij zo goed als naakt was, beheersten haar gedachten. Was er een verband? Had de moordenaar hem uitgekleed om zijn tatoeages te controleren? Ann Lindell had het meeste wel gezien, maar was toch in verwarring gebracht. Het rituele trekje in de geseling beangstigde haar onverwacht. Ze raakte er steeds meer van overtuigd dat het geen gewone afrekening in het criminele circuit was, iets wat de meeste andere collega's dachten.

Ze zette haar gedachten op papier, zich ervan bewust dat dat verspilde moeite was omdat haar gedachten verre van origineel waren. Haar aantekeningen waren meer een soort therapie voor een onthutste politievrouw.

11

Ann Lindell kreeg een schok toen ze thuiskwam terwijl ze een oververmoeide en jankerige Erik met zich meesleepte, die onmiddellijk op de vloer in de gang plofte en weigerde zijn jas en schoenen uit te trekken. Ze maakte zich er niet druk om, liet hem daar gewoon zitten dreinen, liep mechanisch naar de keuken, haalde een paar koekjes en gaf hem die.

De brief lag op de mat. Een witte rechthoek op een groene ondergrond. Ze vond het net een schilderij. Ze aarzelde om hem op te pakken. Ze herkende het handschrift. Hoe zou ze dat kunnen vergeten? Zijn kinderlijke hanenpoten, het handschrift dat leek op de sprieterige letters van een twaalfjarige? Hoeveel brieven had ze van hem gehad? Misschien eentje en een paar ansichten.

Met een gevoel van verlamming vermengd met woede staarde ze naar de brief. Waarom schrijft hij? Nu? Waarover? Ze probeerde het te begrijpen, een reden te vinden waarom Edvard de moeite had genomen om haar te schrijven. Hij was geen brievenschrijver en gezien zijn besluiteloze karakter had hij ontelbare mogelijkheden gehad om spijt te hebben, al voordat hij de brief in de envelop had gestopt en hem had gefrankeerd. Ann kon hem voor zich zien, aarzelend, met zijn tong in de aanslag om hem dicht te likken. Daarna, als hij naar de brievenbus op het eiland of in Öregrund moest, kon hij hem op tafel hebben laten liggen, tegen zichzelf hebben gezegd dat het geen haast had, of hem in de auto vergeten zijn, onbewust of bewust. Dan voor de brievenbus, wat een kwelling moest dat voor hem zijn geweest. En uiteindelijk de angst als de brief eenmaal was gepost en hij naar het huis op het eiland terugkeerde.

Ze boog zich voorover en pakte hem op. Erik had de koekjes naar binnen gewerkt en schreeuwde om meer. Met de brief in haar hand deed ze zijn jas en schoenen uit, trok hem overeind en nam het weerspannige ventje mee naar de keuken, schonk een beetje limonade voor hem in en gaf hem een stukje chocoladewafel.

Eigenlijk was er niets waar ze níét bang voor was als het een brief van Edvard betrof. Dat stond garant voor avonden met halflege wijnflessen, benauwde nachten met plakkerige lakens, ochtenden met een stijf lichaam en een verlammend gevoel van zinloosheid, dagen op het werk, voor het raam, met haar blik in oostelijke richting over het platte landschap, met de torenspits van de kerk van Vaksala als vast punt in de richting waarin haar gedachten gingen.

Dat was Edvard, dat allemaal, al die uren. En dan komt er een brief, zo onwaarschijnlijk, zo ontzettend onnodig, want wat zou daar voor goeds uit kunnen komen? De onschuldigste groet zou een belediging zijn. Een soort excuus eveneens, en bovendien, waarvoor zou hij zijn excuus moeten aanbieden? Zij was de oorzaak geweest van hun scheiding. Dat hij vervolgens een nieuwe vrouw op zijn onverwachte reis naar Thailand had ontmoet, dat was iets wat ze had vermoed, maar niet bevestigd had gekregen. En dat was lang nadat ze uit elkaar waren gegaan, dus dat kon hem niet worden verweten. Zelf was ze zwanger geworden van een andere man, dat was aanzienlijk erger.

Ze bedacht dat hij misschien was verhuisd en inspecteerde de envelop, maar er was niets wat iets over het adres van de afzender kon vertellen.

Waarom een brief als hij gewoon kon bellen? Was de inhoud dusdanig dat hij dat niet over de telefoon kon meedelen? Was het een uitnodiging voor zijn bruiloft? Dat was een reden voor een formele brief. Nee, zo wreed kon hij niet zijn.

Erik had het stukje wafel op en bedelde om meer. Ann trok wat keukenpapier van de rol en veegde zijn handen en mond schoon.

'Je krijgt nog een klein stukje, maar dan is het genoeg', zei ze en ze kreeg plotseling een slecht geweten. Erik was haar leven, degene die ze liefhad en naar wie ze verlangde. Wat betekende zo'n rotbrief?

Even overwoog ze hem weg te gooien, maar die gedachte was zo beangstigend dat ze hem meteen verwierp.

Ze rukte de brief open. Het was een A4'tje. De tekst bestond uit een paar regels:

Hallo Ann,

Alles goed met je? Ik wil je even laten weten dat Viola haar heup heeft gebroken en in het Academisch Ziekenhuis ligt. Ze is gevallen in het kippenhok. Ze ligt op afdeling 70 E, orthopedie.

Ik heb momenteel erg veel werk. Ze vindt het vast leuk als je haar een keertje komt opzoeken.

Groetjes, Edvard

Ann las het opnieuw. Typisch Edvard. Korte zinnen. Het kippenhok en het ziekenhuis. Niet meer persoonlijke informatie dan dat hij het druk had. Alsof dat iets nieuws was. Niets over hoe het met hem ging en dergelijke.

Ze las de brief voor de derde keer. Misschien was Viola er wel slecht aan toe. Ze was immers al in de negentig. Dat moet het zijn, dacht Ann, anders zou hij niet hebben geschreven. Hij denkt dat ze spoedig zal overlijden en weet dat ik het hem nooit zou vergeven als hij me dat niet zou hebben laten weten. Misschien had Viola hem wel gevraagd te schrijven? Dat het haar idee was en van niemand anders?

Nadat Edvard jaren terug bij zijn gezin was weggegaan, had hij in het huis van Viola op het eiland Gräsö gewoond. Dat was een oude scherenkustboerderij uit de negentiende eeuw en Edvard huurde de hele bovenwoning. Hij was zo langzamerhand geacclimatiseerd op het eiland, had werk gevonden bij een aannemer en beschouwde zichzelf als eilandbewoner. Voor Viola was het praktisch en een prettig idee om Edvard als huurder te hebben. Ze had verder geen familie en toen hij er een paar jaar had gewoond, besloot ze dat ze alles aan Edvard zou nalaten.

Viola had Ann in het begin als een bedreiging gezien. Door haar zou Edvard wellicht het eiland verlaten. Maar het oudje had haar op den duur geaccepteerd, ogenschijnlijk met tegenzin en wat nors, maar zo was ze nu eenmaal. Ze had misschien gehoopt dat Ann en Edvard op Gräsö een stel zouden worden.

Zelf had Viola een ongelukkige jeugdliefde gehad, Victor, een even oude jeugdvriend. Ze had zich wel eens laten ontvallen dat ze ooit, zeventig jaar geleden, graag met hem had willen trouwen. Maar dat was er nooit van gekomen. Victor was naar zee vertrokken, was een paar jaar weg geweest, was teruggekomen en had de boerderij van zijn ouders overgenomen. Ze gingen nog steeds met elkaar om. Victor kwam bijna dagelijks langs. Ann beschouwde hun verhouding als de meest trouwe latrelatie die ze kende.

Misschien lag daar, in het onvruchtbare samenleven van die oudjes, de materiële basis voor het feit dat Viola Ann in haar armen had gesloten toen ze zag dat, hoe close Ann en Edvard ook waren, het toch nooit wat zou worden.

Ann wist niet wat het inhield als je je heup had gebroken, maar nam aan dat dat voor een oud iemand het begin van het einde kon betekenen. Voelde Viola dat aan en wilde ze Ann nog een laatste keer zien?

Door het snoep en de limonade was Erik weer bijgekomen. Hij klom uit de kinderstoel en verdween naar zijn kamertje. Ann keek hem na. Hij was erg zelfstandig en daar was ze ontzettend blij om.

Natuurlijk moest ze Viola opzoeken. Ze wilde het liefst meteen naar het ziekenhuis rijden, maar het was niet praktisch om Erik mee te nemen. Bovendien wilde Ann ook niet dat Viola hem zou ontmoeten, hij was immers de reden van Ann en Edvards verbroken relatie.

Ze besloot de volgende ochtend direct na de vergadering te gaan. Ze zou de avond besteden aan speculaties. Ze las de brief nogmaals door en wilde dat ze Edvard had kunnen zien terwijl hij hem schreef.

12

Lorenzo Wader bestelde een Staropramen, nam het biertje mee en ging in de ruimte voor de bar zitten, stak een cigarillo op en leunde in de fauteuil achterover. Over tien minuten zou de kleine man komen.

Lorenzo vertrouwde hem niet, waarom zou hij ook? Een rat die rondrende met roddels. Maar hij was een nuttige rat. Lorenzo glimlachte bij zichzelf, knikte naar een paar andere hotelgasten die langsliepen op weg naar de bar. De dag ervoor hadden ze enkele woorden met elkaar gewisseld en de mannen hadden verteld dat ze deelnamen aan een seismologische conferentie met deelnemers uit de hele wereld. Lorenzo had hun nieuwsgierigheid bevredigd door te vertellen dat hij zakenman was op zoek naar nieuwe markten en contacten, wat op zich ook klopte. Hij wilde expanderen.

Exact op de minuut af maakte de rat zijn entree, hij keek de receptionist angstvallig aan, kreeg Lorenzo Wader in het vizier en koerste op hem af.

Lorenzo legde zijn cigarillo in de asbak en stond op.

'Keurig op tijd', was het enige wat hij zei, en hij stak zijn hand uit.

Ze gingen zitten. Olaf González keek naar het bierglas, maar deed geen aanstalten om zelf iets te bestellen.

'Mooi,' zei Lorenzo, 'nog nieuws?'

'Armas is op weg naar Spanje', zei González.

De lichtheid in zijn stem werd versterkt door het amper hoorbare Noorse accent.

'Hij is met de auto.'

Je merkte dat hij nog iets wilde zeggen, maar Lorenzo hielp hem niet in het zadel, hij zweeg, nam een trekje van de weer leven ingeblazen cigarillo en rekte zich uit naar zijn bier.

'Ik ben ontslagen', zei Olaf González, en daarna kwam het hele verhaal over hoe onrechtvaardig hij was behandeld.

Lorenzo Wader begreep dat er in zijn verhaal ook een puntje

van kritiek ten aanzien van hemzelf school, of in elk geval de verwachting dat hij hem zou steunen.

'Wat vervelend,' zei Lorenzo, 'maar dat kan vast worden opgelost.'

Hij wilde de rat in een goed humeur houden maar niet te veel beloven.

'Ik heb hem het pakje gegeven en de dag daarna kwam hij naar Dakar. Hij was woest. Ik dacht dat hij me zou vermoorden.'

'Maar hij heeft je alleen maar ontslagen', constateerde Lorenzo. 'Waarom? Heb je iets uitgespookt?'

'Hoezo, uitgespookt?'

'Weet Armas iets over jou wat niet tot aanbeveling strekt?' verduidelijkte Lorenzo.

González staarde hem aan. Wat ben je toch naïef, dacht Lorenzo.

'Hoe weet jij dat?'

Lorenzo zuchtte.

'Wil je een biertje?'

De ober keek verongelijkt, schudde onverwacht zijn hoofd en Lorenzo ving een lichte beweging op.

'Blijf zitten', zei hij en González zakte weer achterover in zijn fauteuil. 'Je hebt goed werk verricht,' vervolgde hij, 'en het heeft het gewenste effect gehad, dat is het belangrijkste. Dat is het goede nieuws. En dat is veel belangrijker dan het feit dat je een hondenbaan in een shittent kwijt bent. Zo moet je het zien. Dat noemen ze perspectief.'

Lorenzo zweeg en keek naar de man aan de andere kant van de tafel. Hij wist te weinig over González, maar hij kende aan de andere kant dat soort mensen en vertrouwde op zijn eerste indruk. González was te koop en hij zat nu bovendien in de puree. Lorenzo begreep dat zijn mogelijkheden om een nieuwe baan in de stad te krijgen beperkt waren. Dat was gunstig voor Lorenzo, ook al had hij de ober liever bij Dakar gehouden.

Hij kon hem de laan uitsturen, maar González was nog steeds bruikbaar. Hij kende de stad en de restaurantbranche.

'Wat wil je eigenlijk van Armas?' vroeg González

Lorenzo had moeite met het woord 'eigenlijk', maar hij antwoordde met een glimlach.

'Niets dan goeds', zei hij.

'Dat wil er bij mij niet in', zei González onverwacht heftig. 'Waarom zou je zo veel tijd aan hem besteden als het niet belangrijk is? Zo gemakkelijk kun je me niet voor de gek houden.'

'Dat zeg ik ook helemaal niet. Waarom denk je dat ik contact met je heb opgenomen? Ik ben al die onbeduidende figuren en die kroegtijgers die zichzelf zo belangrijk vinden zo zat. Ik wil hier een ervaren contactpersoon. Iemand die mij in de stad kan introduceren.'

Lorenzo Wader had met geen woord gerept over zijn eigenlijke doel om zich in Uppsala te vestigen. Een van Lorenzo's loopjongens had een paar weken daarvoor contact opgenomen met González, en hij had de ober gevraagd een pakje aan Armas te overhandigen. De vergoeding voor de 'moeite' was tweeduizend kronen geweest, voldoende om een belletje te laten rinkelen dat dit geen zuivere koffie was.

Toen hij de deal had geaccepteerd, had Lorenzo zelf contact met de ober opgenomen. De transactie werd uitgevoerd en het geld overhandigd.

De volgende stap was al gepland en daarin had González geen taak te vervullen, maar Lorenzo besloot hem toch in een goed humeur te houden. Hij kon in de toekomst bruikbaar zijn.

'Olaf, het is gedeeltelijk mijn fout dat je werkloos bent', zei Lorenzo, 'en dat vind ik erg vervelend, maar je wordt natuurlijk schadeloos gesteld. Jij krijgt een baan.'

Olaf González kon een glimlach niet onderdrukken.

'Noem me maar Gonzo', zei hij.

13

Twee dagen bij Dakar en Eva was helemaal kapot. Haar armen en benen deden pijn, maar ze was vooral uitgeput door de inspanning om het voortdurend goed te doen. Ze moest naar de wensen van de klant luisteren en naar de bevelen van Tessie. Want die gaf bevelen. Zonder pardon, zonder lachje, uitgezonderd af en toe een scheef lachje, dat Eva ervoer als kritisch toegeeflijk. In de stress had Eva bovendien moeite om Tessies snelle commando's in steenkolenzweeds te begrijpen.

Maar ondanks alles vond Eva dat ze het aardig deed. Feo moedigde haar voortdurend aan. Zijn magere gezicht glom van de vriendelijkheid boven het luik waar de koks de borden aanreikten.

'Rustig maar, rustig maar,' zei hij, 'je doet het prima.'

Eva glimlachte naar hem en moest lachen toen hij gekke bekken naar Tessie trok.

'Amerika is groot, maar niet het grootst,' fluisterde hij, 'dat is de liefde.'

De eerste dag had hij al een opmerking over haar haar gemaakt.

'Dat haar van jou is net zijde.'

Zelfs Donald moest lachen. Hij keek Eva even snel over de schouder van Feo aan en schudde zijn hoofd

Maar het kapsel van Slobodan had inderdaad wonderen verricht. Patrik en Hugo hadden haar verbaasd aangestaard toen ze van de kapsalon terugkwam.

'Wat heb jij nou gedaan?' vroeg Patrik.

'Wat mooi!' riep Hugo. 'Je ziet eruit als iemand van de tv.'

Toen Helen even aanwipte, bleef ze stomverbaasd in de deuropening staan kijken.

'Nou, nou, sjiek de friemel. Alleen de bunny-oren ontbreken er nog aan.'

Geen woord of ze het mooi vond of niet, alleen wat gegiechel en knikjes met haar hoofd.

Die avond stond ze lang voor de spiegel en probeerde ze eraan te wennen. Ze wist niet precies wat ze ervan moest denken, maar ze besloot haar nieuwe uiterlijk mooi te vinden. De houding van Helen had haar onzeker gemaakt. Eva besloot voor de spiegel om de omgang met Helen in het vervolg de rantsoeneren. 'Bunny-oren!'

Eva mocht om half negen al naar huis, toen de ergste drukte voorbij was. Hugo was thuis en zat voor de tv. Ze ging even zitten, haar benen omhoog, streelde met haar hand over het hoofd van haar zoon en vertelde wat ze die dag had gedaan, maar de wetenschap dat ze een paar wassen moest draaien maakte haar rusteloos.

'Waar is Patrik?' vroeg ze toen ze opstond.

'Hij zou naar Zero en dan naar het oude postkantoor.'

'Het oude postkantoor' was een voormalig postkantoor dat was omgebouwd tot buurthuis. De deelgemeente coördineerde de activiteiten. Je kon er koffiedrinken en biljarten, soms hield er iemand een praatje. Na een moeizame start was het een populair honk voor de jeugd van Bergsbrunna en Sävja geworden.

Eva vond het goed dat er iets voor de tieners in de omgeving werd gedaan, maar dat Patrik met Zero optrok vond ze minder geslaagd. Zero, wiens familie afkomstig was uit het Koerdische deel van Turkije, was berucht om zijn heftige humeur. Hij was vaak betrokken bij opstootjes en soms bij vechtpartijen. De politie had hem al een paar keer opgepakt, maar had verder niets gedaan.

De vader van Zero was verdwenen. Hij was naar Turkije teruggekeerd om aanwezig te zijn bij de begrafenis van zijn moeder, maar was bij aankomst onmiddellijk in de boeien geslagen. Dat was zes maanden geleden. Een neef had gebeld en gezegd dat ze dachten dat hun oom naar een militaire gevangenis was gebracht, maar niemand wist precies hoe of wat.

Zero ging in de praktijk niet meer naar school. Hij kwam soms opdagen, maar voornamelijk om mee te lunchen en relletjes uit te lokken. Eva meende dat de leraren eigenlijk wel blij waren dat ze van die onberekenbare jongen af waren. Ze had de docent die ze 'Gecko' noemden zich horen beklagen over het feit dat niemand

Zero kon controleren en grip op hem kon krijgen.

'Hij is helemaal niet dom,' zei de leraar, 'maar zo ontzettend asociaal dat je er doodmoe van wordt.'

Dat Patrik nu met die Zero omging, was een slecht teken. Wat had die jongen waardoor Patrik werd aangetrokken? Het kon niets anders dan spanning zijn, misschien muziek of computerspelletjes.

Eva keerde terug naar de woonkamer en staarde naar het tv-scherm.

'Waar kijk je naar?'

'Een serie', zei Hugo.

'Maar waar gaat het over?'

'Een bende die wraak neemt op een andere bende, valstrikken en zo. De anderen te slim af zijn. Dan krijgen ze punten.'

'Aha, dat klinkt spannend.'

'Er is geen reet aan', zei Hugo.

'Wat doen Zero en Patrik?'

'Hoe moet ik dat weten?'

'Maar Zero, wat heeft hij voor interesses?'

Hugo keek verbaasd op.

'Maak je een geintje? Zero heeft geen interesses. Hij kent dat woord niet eens.'

'Muziek, misschien?'

Hugo zuchtte.

'Sinds zijn vader verdwenen is, luistert hij alleen maar naar van dat Arabierengejengel.'

'Ik dacht dat hij uit Turkije kwam.'

'Dat is één pot nat', zei Hugo.

'Waarom zet je die tv niet uit als het niks is', zei Eva. 'Heb je geen huiswerk?'

'De wiskundeleraar is ziek. Vet cool.'

'Is er dan geen invaller?'

Hugo schudde zijn hoofd.

Eva keerde terug naar de badkamer en deed een wolwas in de machine. Met het oog op de buren was het te laat, maar een wolwas duurde niet zo lang. De rest moest ze morgen maar doen.

Ze vroeg zich af of ze Patrik zou bellen, maar besloot tot tien uur te wachten.

Om half elf was Patrik nog steeds niet thuis. Zijn telefoon ging over op de voicemail en Eva sprak een bericht in. Om elf uur belde ze nogmaals, maar het resultaat was hetzelfde: signalen die overgingen, maar geen gehoor.

Hugo was met tegenzin naar bed gegaan.

Eva zat in de keuken en keek regelmatig op de klok aan de muur. Hij belde altijd als hij te laat was. Ze stond op en liep naar het raam. In de flat aan de overkant van de binnentuin was het bijna overal donker. Bij Helen, helemaal beneden op nummer zeven, brandde licht. Ze zat vast te breien. Misschien wachtte ze op haar man. Soms moest hij 's avonds werken, althans, dat beweerde hij.

Ze leunde met haar voorhoofd tegen het raam. Laat hij gauw thuiskomen, dacht ze, en ze keek opnieuw op de klok.

Ze wist niet precies waar Zero woonde en ze had zijn telefoonnummer ook niet. Ze had de moeder van Zero weleens op school gezien, maar voorzover Eva begreep, sprak ze geen Zweeds.

Ze bedacht dat Hugo misschien het mobiele nummer van Zero had en ze deed voorzichtig de deur van zijn kamer open.

'Wat is er?' vroeg Hugo direct.

'Ik vroeg me af of jij het mobiele nummer van Zero hebt', zei Eva, en ze probeerde zo normaal mogelijk te klinken.

'Ik heb al gebeld,' mompelde Hugo, 'maar hij neemt niet op.'

Het eerste wat Eva zag, was bloed. Alsof de rest van Patrik niet bestond. Pas toen hij de deur achter zich dichtdeed, kwam hij volledig in beeld.

'Wat heb je gedaan?'

De vraag die ouders in alle tijden en culturen aan hun kinderen stellen. Uitgeroepen met een woede die de eerste knagende ongerustheid en de uiteindelijke bange vermoedens voor het ergste verbergt.

'Ik ben gevallen', zei Patrik.

'Gevallen?! Je hele hoofd zit onder het bloed!'

Ze zag dat hij pogingen had gedaan om het ergste weg te vegen, maar toch waren zijn voorhoofd en zijn ene wang bebloed. In zijn haar zaten klonters gestold bloed en zijn onderlip was opgezwollen als na een klap.

Ze keken elkaar kort aan. Patrik had die uitdrukking van vroeger in zijn ogen, voordat hij – eerst ongemerkt, maar daarna steeds duidelijker – veranderd was en een ander iemand was geworden. Eva nam aan dat dat de manier was waarop tieners zich ontwikkelen, zich distantiëren om hun eigen weg te vinden, maar toch miste ze de vroegere verbondenheid en het vertrouwen.

Dat was er nu weer even, een paar seconden maar, en Eva begreep dat ze goed moest nadenken.

'Ik zet theewater op', zei ze.

Patrik trok zijn bebloede jas uit en stond er besluiteloos mee in zijn hand.

'Dat regel ik straks wel', zei Eva. 'Leg hem maar op de grond.'

Een jack, dacht ze, gekocht voor een paar honderd kronen. Totaal onbelangrijk. Ze trilde over haar hele lichaam bij de aanblik van zijn verdrietige gelaatsuitdrukking. Op hetzelfde moment ging de deur van Hugo's kamer open.

'Wat is er?'

Eva begreep dat hij nog geen oog dicht had gedaan.

'Niets aan de hand,' zei ze, 'ga maar weer slapen.'

Hugo keek zijn broer verbaasd en een beetje angstig aan.

'Of nee, kom maar even een kopje thee met ons drinken.'

Terwijl het water op stond, maakte Eva Patriks gezicht schoon. De verwondingen vielen mee: een drie centimeter lange jaap bij zijn haargrens, een kras over zijn rechteroog en een gezwollen lip.

Ze overwoog of de snee in zijn voorhoofd moest worden gehecht, maar meende dat dat niet nodig was. Het zou mooi genezen en een klein litteken was geen ramp; het zat bovendien onder zijn pony.

Telkens als ze de wond met desinfecteermiddel depte, schrok

Patrik op. Hij rook naar zweet. Zijn haar plakte en zijn gezicht was spierwit.

Hugo had kopjes klaargezet. Midden op tafel, op een schoteltje, lagen drie theezakjes, elk met een andere smaak. Nu stond hij, gekleed in zijn badjas, door het raam naar buiten te gluren.

'Denk je dat hij hiernaartoe komt?' vroeg Hugo.

'Wie?'

'Zero.'

'Dat geloof ik niet en wíj weten niet wat er is gebeurd. Ben je bang voor hem?'

Hugo schudde zijn hoofd en Patrik ging aan tafel zitten.

Eva schonk theewater in.

'Vertel', zei ze.

14

De opa van Manuel was *bracero* geweest, een van degenen die in de jaren veertig al naar de VS waren afgereisd om de leemten op te vullen die waren ontstaan nadat de Noord-Amerikanen waren opgeroepen voor de krijgsdienst. Het ging de meeste mannen goed af, ze kwamen terug uit Idaho en Washington met gekleurde overhemden, leren schoenen en contanten.

Daardoor ontstond het idee dat het leven in de VS gemakkelijk was en dat je daar snel een vermogen kon verdienen. Velen traden in het voetspoor van de pioniers. De vader van Manuel was daar één van. Hij kwam na drie lange jaren terug, mager en uitgeput, en met een blik die afwisselend wanhoop en optimisme uitdrukte. Twee jaar later overleed hij. Op een dag barstte zijn halsslagader en hij was binnen een paar minuten dood.

In 1998, twee dagen voor zijn tweeëntwintigste verjaardag, maakte Manuel zijn eerste reis.

Het was niet moeilijk om je te laten imponeren door het land in het noorden. Wat Manuel het eerste opviel, waren de vele auto's, daarna hoe hij als Mexicaan niet als volwaardig werd beschouwd. Hij werkte een jaar, spaarde vierhonderd dollar en keerde terug naar het dorp.

Patricio had uitgerekend dat als ze alle drie twee jaar op de velden in het noorden zouden werken, ze het huis zouden kunnen verbouwen en een muilezel zouden kunnen kopen. Waarna ze gezamenlijk vertrokken.

Degenen die een grensrivier kozen, hadden drie mogelijkheden: de Rio Grande, de Coloradorivier en de Rio Tijuana, alle drie verschillend, maar uit hun water krabbelden duizenden en nog eens duizenden mannen, vrouwen en kinderen omhoog.

Manuel had gehoord over landgenoten die waren verdronken en koos ervoor het over land te proberen. De eerste keer passeerde hij de grens bij San Ysidro, ten zuiden van San Diego, en dat was eenvoudig. Hij begreep dat de afschrikwekkende verhalen over al die Mexicanen die waren gestorven in hun pogingen de grens over te steken – er werd gesproken over duizenden – overdreven waren. Misschien waren het geruchten die werden verspreid door de Border Patrol of de *vigilantes*, vrijwillige grenswachten, die langs de grens patrouilleerden.

Maar vier jaar later was het aanzienlijk lastiger. Er was een muur gebouwd waarvan het eind niet te zien was. Die constructie had iets absurds en beangstigends. Ze sneed het woestijnlandschap doormidden.

Angel en Patricio stonden zwijgend naast hem. Een paar mannen uit Veracruz, die ze in Lechería hadden ontmoet en waarmee ze verder waren gereisd, lachten van uitputting en nervositeit. Angel, die helemaal op was, gluurde naar Manuel. Patricio staarde naar het oosten.

'Nou, dan gaan we maar', zei hij.

'Lopen?' vroeg Angel.

Het ging slecht met hem. Hij was zijn pet kwijtgeraakt en de zon had hem onbarmhartig geteisterd. Hij wreef over zijn voorhoofd en er lieten grote lappen huid los.

'We kunnen er bij Tecate over', zei een van de mannen uit Veracruz, en hij wees naar het oosten. 'Die muur moet toch ergens ophouden.'

Patricio was alvast gaan lopen. Ze bereikten 's avonds laat hun doel. De mannen uit Veracruz, die al meerdere keren de grens waren overgestoken, leidden de groep door een drooggevallen rivierbedding en over een van God verlaten vlakte vol stenen, waar alleen cactussen konden overleven. De borden die waarschuwden dat ze de grens naderden, maakten dat ze als in een reflex in elkaar kropen. Het enige wat je hoorde was het geluid van voeten die over stenen struikelden.

Plotseling gingen de lampen van een mobiele zoeklichttoren aan. De schijnwerpers vingen de mannen in een cirkelvormige kuil in het landschap.

Op afstand was wild geblaf van honden hoorbaar. De broers renden struikelend over de stenige grond. Angel viel en werd door Patricio overeind geholpen, Manuel maande hen tot spoed. Hij had over die honden gelezen en over de nieuwe munitie waarmee de grenspatrouilles waren uitgerust. De kogels zouden je lichaam stuk rijten.

Twee mannen uit de groep kwamen in een ravijn terecht. Een van hen probeerde langs de steile berghelling omhoog te klimmen, maar verloor zijn houvast toen hij nog maar een meter te gaan had. Manuel zag de schim vallen en uit zijn gezichtsveld verdwijnen, en hoorde zijn schreeuw die even snel verstomde.

Misschien was de patrouille tevreden met twee Mexicanen in hun netten, want de broers en vier andere mannen slaagden erin de grens te passeren. Ze bereikten weg 94E en koersten vervolgens af op Dulzura. Ze waren in Californië. Angel lachte en stelde voor dat ze zouden gaan rusten, terwijl Patricio verder wilde. Als hij het tempo had mogen aangeven, zouden ze voor zonsopgang in Oregon zijn aangekomen.

Hun vader had in Orange County gewerkt en dat was ook het doel van de broers. Het was daar vast niet beter of slechter dan in andere plaatsen. Ze plukten fruit en plantten nieuwe fruitbomen die in de toekomst zouden worden geoogst door nieuwe generaties jongemannen uit Mexico en Midden-Amerika.

Pas toen ze bij een broccoliteler kwamen, bij wie ze een irrigatiesysteem moesten aanleggen, besefte Manuel hoeveel landgenoten de voettocht naar het noorden hadden gemaakt. De teler, de beste die ze tot dan toe hadden gehad, kwam 's avonds altijd even langs voor een praatje. Hij ging dan voor hun barak zitten en maakte een paar biertjes open.

'Een half miljoen per jaar, minstens', zei Roger Hamilton lachend. 'Er zijn drieëntwintig miljoen mensen van Mexicaanse origine in dit land.'

Hij gaf Manuel een biertje. Manuel nam een slok en probeerde zich de hoeveelheid mensen voor te stellen. Hij wist niet wat hij moest zeggen.

'Dat komt door jullie eigen regering', vervolgde de teler. 'Ze willen jullie niet meer hebben.'

Manuel had dergelijke klanken thuis ook gehoord. Op het kantoor van de boerenorganisatie in Oaxaca was over de Nafta gesproken, de vrijhandelsovereenkomst tussen Mexico en de vs. Voor Manuel en de meeste anderen in het lokaal was dat te groot. Hij begreep niet wat de bedoeling was van de Nafta. Dat begreep hij pas toen het land werd overspoeld met goedkope overschot-maïs uit Alabama en Georgia.

De dorpen ontvolkten en al het oude ging ter ziele. Want wie heeft er nog zin om iets te vieren als de jeugd de dorpen ontvlucht? Voor veel jongemannen was de trek naar het noorden een soort inwijdingsritueel. Manuel meende dat dat een van de oorzaken was dat Angel en Patricio er zo happig op waren dat Manuel hen zou meenemen naar Californië. Ze wilden mán worden.

De broccoliteler nam ook eten voor de broers mee. 'Dat is veel makkelijker voor jullie', zei hij lachend. Hij lachte vaak. Ook de laatste keer dat ze hem zagen. Toen had hij hun uitstaande salaris, meer dan vijfduizend dollar, achterovergedrukt en hen vervolgens aangegeven bij de politie, die hen voor de barak kwam ophalen.

Op de terugreis, in een speciaal gebouwde bestelauto, zwegen ze. Ze stapten in Tijuana uit. Tijdens de reis had Manuel besloten dat ze Mexico nooit meer zouden verlaten om in het noorden te gaan werken.

'Maar één op de honderd krijg het echt goed', had Manuel gezegd toen Patricio en Angel al na een maand begonnen over terugkeer naar de vs.

'Maar niet iedereen wordt belazerd', zei Angel.

'De meesten van ons worden *wetbacks*, die door iedereen worden gekoeioneerd. Velen van ons worden ziek. Kijk naar je handen!'

Angel had huiduitslag opgelopen; grote blaren die stukgingen en etterden, en Manuel was ervan overtuigd dat dat kwam door de bestrijdingsmiddelen die ze op de velden hadden gebruikt.

Manuel had het kunnen weerstaan, maar kon die noodlottige ochtend niet voorkomen dat zijn broers werden overgehaald een paar dagen later mee te gaan naar Oaxaca. Wat had hij moeten doen? Zijn broers tegen de grond slaan en ze aan de ploeg vastbinden?

Angel en Patricio waren gelokt door *bhni guí'a*, 'de man uit de bergen', een oud begrip dat de broers niet wilden kennen, maar waarvan alle Zapoteken wisten wat het betekende. Dat was de man die uit de bergen boven het dorp naar beneden kwam, gekleed in westerse kleren, glanzende schoenen en zwaaiend met een stok met een zilveren handvat. Hij bood geld, maar nam in ruil daarvoor je ziel.

Deze man had geen stok, maar wel een stapel groene dollarbiljetten. Hij was groot, haast kaal, stelde zich voor als Armas en sprak Spaans.

Angel en Patricio hielden zich meestal op de achtergrond, ze lieten Manuel vrijwel altijd het woord doen. Hij was de oudste en bovendien sprak hij goed Engels. In hun tijd in Californië was hij degene die de onderhandelingen op de velden buiten Anaheim was aangegaan. Maar deze keer deed Manuel onmiddellijk een stap opzij. Die man had iets wat hem niet beviel. In plaats daarvan stapte Angel naar voren.

De dag erna, toen het dorp Santa Gertrudis vierde, zaten de drie broers op een bank voor de kerk te praten. Manuel was direct afwijzend; er kon niets goeds uit de beloften van die man komen.

'Maar het is geen báán', zei Angel. 'Je hoeft alleen maar met een pakje naar Spanje te vliegen.'

'Wat denk je dat er in dat pakje zit?' vroeg Manuel.

'Dat heb je toch gehoord? Zakelijke papieren die niet per post kunnen worden verstuurd.'

Manuel keek hem verdrietig aan.

'Ik had niet gedacht dat je zó dom was', zei hij en hij schudde zijn hoofd. 'Hij houdt ons voor de gek, snap je dat dan niet?'

Patricio had zich tot dan toe niet in de discussie gemengd, maar Manuel zag in zijn ogen dat hij het aanbod ook aanlokkelijk vond.

'Voor dat geld kunnen we een eigen koffiemolen kopen en

kunnen we meer planten rooien', zei hij.

'Misschien wel een auto kopen', pakte Angel de draad op terwijl hij doorfantaseerde. 'Dan kunnen we goederen naar en van het dorp transporteren en meer geld verdienen.'

Die keer, daar op dat bankje voor de kerk, nam Manuel het niet zo serieus. Hij was slechts bezorgd over de argeloosheid van zijn broers, dat ze zich lieten meeslepen en droomden over hun aanstaande rijkdom.

De jonge Ernesto, hun naaste buur, bereidde zich voor op het vuurwerk. De gebroeders Alavez zagen hoe hij de stellage, die een stier voorstelde, op zijn rug nam en op weg ging, het plein voor de kerk over. De eerste klap was oorverdovend en werd gevolgd door vuurspuwende en gillende stukken die alles in een prikkende kruitdamp hulden.

Angel vloog op en nam de constructie van Ernesto over. Manuel lachte om de klotsende buik van zijn broer toen hij de jongetjes aanviel, die in kuddes wegrenden.

Manuel moest aan hun vader denken. Die was gek geweest op de fiësta. Hij dronk weliswaar weleens een slokje te veel, maar hij was altijd goedmoedig. Hij was geen goede campesino geweest. Zijn dromen maakten hem steeds vaker onbekwaam. Hij stond dan maar een beetje te dagdromen en te lummelen, en dat was funest voor een Mexicaanse keuterboer. Toch had hij een goede naam in het dorp. Hij was zorgzaam en opmerkelijk genoeg degene die het initiatief had genomen voor de koffiecoöperatie en op die manier zijn steentje had bijgedragen om het dorp uit de ergste armoede te tillen.

Nu stond Manuel bij een nieuwe rivier, maar die was aanzienlijk bescheidener dan de rivieren die hij gewend was. Hij had, na de kaart te hebben bestudeerd, begrepen dat het dezelfde rivier was waarbij hij eerder had gekampeerd. Maar deze keer bevond hij zich stroomopwaarts van de stad en dat vond hij goed. Manuel zou het vreselijk hebben gevonden om te zwemmen in het water waarin hij Armas had gedumpt.

Hij was naar de vvv gegaan om een kaart te kopen. Of had het noodlot hem daarnaartoe gebracht? Toen hij weer buiten kwam, had Armas daar gestaan; alsof hij was geleverd door een hogere macht. Hij stopte net een gele envelop in de binnenzak van zijn colbert en zag Manuel toen hij naar opzij keek om over te steken.

Armas herkende hem onmiddellijk. Manuel liep naar 'de stille' toe, zoals Angel Armas had genoemd. Voordat Manuel het wist, was de leugen er al uit.

'Ik ben gekomen in plaats van Angel', zei Manuel, en zelfs toen kon hij nog niet bevroeden wat er zou gebeuren.

Hij glimlachte aarzelend, alsof hij tegen een gringo sprak die wellicht voor een dag of een week werk voor hem had.

Armas keek om zich heen. Manuel was eerst onzeker of hij wel Engels begreep en herhaalde de zin in het Spaans.

'Waar?' vroeg Armas.

'Bij mijn tent', zei Manuel en hij zag het gezicht van Patricio voor zich.

Manuel wist niet of hij het stroompje bij zijn tent een rivier kon noemen. De waterweg bestond voornamelijk uit riet. Hij verbaasde zich erover dat er zo weinig mensen bij de rivier waren. De man met de hengel, maar verder niemand.

Hij hield van het gras in het vreemde land. Het rook lekker, het was zacht tegen je huid en deed hem denken aan een speciaal gras dat ze soms aantroffen in de bergen boven het dorp. Anders was het gras daar stug en scherp.

Hij lag op zijn rug, met zijn handen onder zijn hoofd, en staarde omhoog naar de hemel. Telkens keerde hij in gedachten terug naar Armas, hoe die had gewankeld om vervolgens onmiddellijk, met zijn handen tegen zijn keel gedrukt, voor zijn voeten in elkaar te zakken. Er was iets moois in het bloed dat tussen zijn vingers door pompte, als fijne, rode riviertjes die hun weg zochten, bevrijd van het lichaam, maar ook ten dode opgeschreven buiten hun omloop en het hart dat ze deed voortbewegen.

Als hij aan Armas dacht, kwam het beeld van Miguel hem telkens voor de geest. Miguel, zijn buurman en jeugdvriend, die bijna altijd lachte, kinderen verwekte bij de vleet en in vuur en vlam stond voor het dorp, de Zapoteken en de autonomie.

Toen Miguel voor zijn huis werd doodgeschoten, was er geen sprake van schoonheid. Zijn dood was lelijk en gehavend. Zeven kogels scheurden een vies en reeds door ontberingen en werk mishandeld lichaam stuk.

Het bloed van Miguel was donker, haast zwart, en zijn lede- maten waren wanhopig samengetrokken, alsof zijn hele ik schreeuwde. Zijn ene hand rustte tegen de muur van het huis. Voor het raam boven zijn hand, waarvan de vingers ergens naar leken te grijpen, kon je zijn drie kinderen bespeuren.

De dorpsbewoners stonden in een halve cirkel om de overle- dene heen en constateerden dat er bij zijn dood geen sprake was van gerechtigheid of schoonheid. Wie had kunnen zeggen dat Miguel een mooi lijk was? Zijn dode lichaam was net zo afstotelijk als het leven dat hij had moeten leiden.

De dood van Miguel was verwacht. Het was voorbestemd dat zijn leven zou uitdoven. Wie in een bergdorp in Oaxaca woont, campesino en Zapoteek is, en zich niet kan schikken in zijn lot, komt op een lijst. Achter Miguels bruisende leven en zijn lach lag de dood met zijn grijnzende masker altijd op de loer. Het was alsof de vliegen zich tot Miguel aangetrokken voelden. De vliegen des doods.

De dood van Armas was anders. Hij was een mooi lijk. Manuel had eerst niet door dat het krachtige lijf met de gladde huid en de goedverzorgde handen levenloos was. Pas toen de eerste vlieg op het lichaam van Armas ging zitten, begreep Manuel ten volle dat Armas dood was.

Armas had hem aangevallen, had hem dood willen zien. Ma- nuel had uit de woorden van Patricio moeten begrijpen dat een man als Armas nooit iets goeds dacht. Voor hem was het geen dilemma en al evenmin een probleem om iemand te vermoorden. Het was alleen een kwestie van de gelegenheid en het nut. Het nut dat Manuel moest sterven was nu, achteraf gezien, vanzelfspre- kend. Manuel verachtte zijn eigen argeloosheid. Hij was de oudste van de broers, maar geen haar slimmer dan de andere twee.

Armas sprak Spaans met een zekere minachting in zijn stem en Manuel had willen vragen of hij met zijn eigen taal ook zo nonchalant was. Maar hij begreep nu dat Armas met zijn hele leven nonchalant was. Hij was voor niets en niemand bang.

Nu was hij dood. Door toedoen van Manuel. Hij voelde nog steeds de fysieke dreiging die Armas had uitgestraald. Wat Manuel achteraf verbaasde, was de huichelarij bij Armas; de ene seconde waren zijn vuisten gebald en zijn bewegingen als die van een waakzaam dier, het volgende ogenblik praatte hij zorgeloos over vrouwen.

Manuel vroeg zich af of er een vrouw in het leven van Armas was geweest. Hij probeerde zich haar verdriet voor te stellen, maar zag voortdurend een lachende vrouw voor zich. Zo was het, hield hij zichzelf voor, de dood van Armas werd gevolgd door opluchting. Het was een goede daad van God dat hij was gestorven, althans, als je de wil van God zo interpreteerde dat Hij wilde dat de mensen gelukkig waren. Armas was een ongeluk geweest.

Zijn blik was gevoelloos geweest, met kleine, levenloze ogen en pupillen zo zwart als roet. Hij leek op een reptiel, maar zijn lichaam sprak een andere taal en dat had Manuel in het begin in verwarring gebracht. Armas bewoog zich soepel, om niet te zeggen gracieus, hoewel hij groot van stuk was. Zolang ze nog in de stad waren, was hij afwachtend geweest. Hij hield Manuel met zijn blik op afstand, maar zo gauw ze bij de rivier waren gekomen en hun auto's hadden geparkeerd, had hij zijn arm om de schouders van Manuel geslagen en gevraagd of hij het niet koud had.

'Het moet hier guur zijn voor een Mexicaan', zei hij, alsof hij Manuel wilde verwarmen, maar hij had onmiddellijk zijn greep om diens schouders losgelaten.

Alsof hij wist hoe koud het kon zijn, dacht Manuel. Duizenden gedachten en indrukken zwermden als boze bijen door zijn hoofd. Zal ik het geld van hem eisen waarover Patricio had gesproken? Waarom lacht hij als zijn ogen iets heel anders zeggen? Wat is er eigenlijk met Angel gebeurd?

Maar Armas had Manuel overstelpt met vragen. Wanneer en hoe hij naar Zweden was gekomen, of hij Zweedse mensen had ontmoet, en ja, misschien zelfs nieuwe vrienden had gemaakt.

'Zweden zijn gek op latino's', zei hij. 'Je kunt hier morgen een danscursus beginnen en dan zullen er heel wat vrouwen zijn die met hun kont staan te draaien.'

Hij sprak positief over Mexico. Dat hij er graag zou terugkeren en dat Manuel zijn Mexicaanse vriend kon zijn. Had Armas echt gedacht dat Manuel de activiteiten van zijn broers zou oppakken? Dat zei hij wel. Hij zwaaide met de rijkdom. Manuel was met stomheid geslagen; één broer dood en eentje in de gevangenis, en die man had de brutaliteit om het over dollars te hebben.

Toen ze bij de tent kwamen, en dat duurde zeker tien minuten want Armas stond voortdurend stil, roemde hij de plaats van de tent en hoe goed Manuel zijn zaakjes voor elkaar had.

'Hoe heb je mij herkend?' vroeg Manuel opeens. 'We hebben elkaar maar even gezien en dat is langgeleden.'

'Je lijkt op je broers', zei Armas, 'en ik kan goed gezichten onthouden. Ik weet wie ik in mijn geheugen moet prenten. Ik werk met mensen en dat ...'

Hij zweeg plotseling midden in een zin en keek Manuel aan. 'Ben je boos?'

Manuel knikte maar kon niets zeggen. Niets van alles waar hij maanden aan had gedacht, kwam over zijn lippen.

'Heb je je broer bezocht?'

'Ja, één keer.'

'Hij heeft natuurlijk een heleboel onzin uitgekraamd?'

'Hij had het over dat geld', zei Manuel terwijl hij zichzelf vervloekte. Alsof geld het belangrijkste was.

'Zo, dus hij is nog steeds happig op geld', zei Armas met een glimlach en nu ging hij opeens over in het Engels.

'Volgens mij mag hij blij zijn dat hij nog leeft', zei hij cryptisch. 'Hoe bedoel je?'

'Er gebeuren veel onaangename dingen in gevangenissen, mensen raken gestrest.'

Manuel staarde hem aan, probeerde het te begrijpen.

'Er zijn veel racisten en die houden niet van latino's die hierheen komen met aids en drugs.'

'Aids? Is Patricio ziek?'

Armas lachte.

'Volgens mij moet jij terug naar huis, naar de bergen', zei hij. 'Vandaag nog.'

Plotseling begreep Manuel het. Hij was een bedreiging. Patricio was een bedreiging. Zolang zij leefden, konden ze hen verlinken. Hij liep weg bij Armas, die achter hem aan liep.

'Ik blijf,' zei Manuel, 'ik moet op mijn broer letten.'

Armas leunde over hem heen.

'Als ik zeg dat jij naar huis moet, dan ga je ook. Dat is het beste voor jou en voor je broer.'

'En voor jou en die dikke?'

'Voor iedereen', zei Armas glimlachend.

'Ik wil gerechtigheid', zei Manuel.

Armas stak zijn hand in de zak van zijn jas en haalde een pistool tevoorschijn. In zijn hand leek het wel een speeltje.

'Ben je van plan mij te doden?'

Manuel was op de een of andere manier niet verbaasd. Hij zag Miguel voor zich toen hij dood voor zijn huis lag. Er hing een kruidige geur rond Miguels dood. Hij had in zijn val een plant meegetrokken, een ruit. Die hielp tegen hoofdpijn, maar er was geen plant ter wereld die Miguel weer op de been kon helpen.

Manuel keerde zich om.

'Dan moet je mij in mijn rug schieten', zei hij terwijl hij tegelijkertijd zijn hand in zijn zak stak, zijn stiletto tevoorschijn haalde en die met een metaalachtig geluid uitklapte. Manuel wierp zich voorover, deed vervolgens zijn arm omhoog en sloeg toe. De snede was perfect. Op hetzelfde moment ging Armas' pistool af. Het was in een paar seconden voorbij.

Toen hij vervolgens het zware lichaam naar de rivier moest trekken, ging Armas' overhemd stuk en werden schouder en bovenarm ontbloot. Manuel herkende de tatoeage onmiddellijk en ontstak in blinde woede. Hoe kon deze moordenaar en drugshandelaar op het idee zijn gekomen een gevederde slang op zijn witte huid te laten tatoeëren? Dat was een grove belediging en

Manuel schopte uit razernij tegen het ontzielde lichaam. Quetzal-cóatl betekende iets wat Armas of welke andere gringo dan ook niet kon begrijpen. Hij pakte zijn stiletto opnieuw en sneed met een snelle beweging de tatoeage weg.

Telkens weer nam Manuel de bizarre gebeurtenissen door en hij ontdekte tot zijn grote verbazing dat hij zich buitengesloten voelde van de dodelijke afrekening bij de rivier. Hij was nog nooit in het theater geweest, iemand had hem eens een voorstelling naverteld, maar zo stelde hij zich een drama voor. Dat Armas en hij acteurs waren in een in scène gezet toneelstuk.

De natuurschone omgeving, de open plek omzoomd door het groen van de bomen, rozen met bleekrode rozebottels, struikgewas met aan de voet net ontkiemde, donkergroene blaadjes en op afstand het gesnater van de watervogels in de rietkraag. Dat was het toneel geweest van een drama op leven en dood.

De rolbezetting was simpel, de dramaturgie eveneens: een man bereid om te sterven en een andere gedwongen om hem te doden. Ze hadden geen regie nodig, het leven zelf leverde de replieken en de personages.

Het was een drama dat Manuel van buitenaf kon zien. Alsof hij niet langer acteur mocht zijn maar gedwongen werd tot de rol van passieve toeschouwer, iemand uit het publiek. En in die positie kon hij zowel het oorspronkelijke zien in de gebeurtenissen – afschrikwekkend en beangstigend – als een ongekunsteld schouwspel.

Het gevoel van onwerkelijkheid, dat hij de keel van een ander mens had doorgesneden en die persoon in het water had gegooid alsof hij een zak vuil was, werd steeds meer versterkt. Armas was niet langer werkelijk. Zijn dood had niets met Manuel van doen.

15

Soms gebeurde het dat Ann Lindell bevallig wakker werd. Dat gebeurde op onregelmatige tijden, maar vaak in de lente en de zomer. Dat ze verrast werd, alsof iemand haar onverwacht een complimentje had gegeven, maar ook blij werd van iets bekends zoals wanneer je op een mooie zomerdag naar buiten stapt en recht in de zon kijkt.

Ze rekte zich uit in bed als om haar ledematen te identificeren, te voelen dat al haar lichaamsdelen inderdaad bij elkaar hoorden. Dat zij het was, Ann, die daar lag. Half wakker, half slapend, nog een beetje nagenietend van de droom die wellicht de bron van haar welbevinden was.

De warmte onder het dekbed deed haar goed. Ze sliep bijna altijd naakt, in contact met haar lichaam. Soms hield ze haar slipje aan, met een gemengd gevoel van intimiteit en de behoefte aan bescherming. Ze wist niet hoe ze dat gevoel moest omschrijven, maar ze maakte zich er ook niet druk om. Het was gewoon zo, dat was voldoende.

Ze wreef over haar buik en haar borsten in een gewichtloze toestand van rust.

Erik zou vast spoedig wakker worden, ongetwijfeld in een goed humeur, zoals bijna elke ochtend.

Ottosson moest lachen toen hij Lindell zag. Zij stapte de lift uit en hij was net op weg erin.

'Aha, ben jij het', zei hij.

'Yes', zei Ann Lindell glimlachend.

Hij keerde zich om en voordat de liftdeur dichtgleed, zei hij dat hij binnen vijf minuten terug zou zijn.

Het duurde tien minuten voordat Ottosson zich aansloot. Alle anderen die zich bezighielden met het moordonderzoek op 'Jack' waren bijeengekomen.

'Sorry,' zei Ottosson, 'de lift had kuren.'

Wat er te rapporteren viel, was snel afgehandeld. De vermoorde man was nog steeds ongeïdentificeerd. Zijn vingerafdrukken waren niet geregistreerd. Onderzoekers van Narcotica, Opsporing en Fraude hadden naar de foto's gekeken zonder hem te herkennen.

'Jack' was al dood geweest toen hij in het water belandde, dat was niet lastig te constateren geweest. Buiten de wond van de verwijderde tatoeage had het lichaam geen andere verwondingen dan de snee in zijn keel.

'Maar dat is voldoende', constateerde Haver.

Na de meeting ging Lindell naar Ottosson en vertelde ze over Viola. Ze had kunnen vertrekken zonder wat te zeggen, maar na de misser van vorig jaar, toen ze alleen op onderzoek was uitgegaan – een actie die haar bijna het leven had gekost – was er haar veel aan gelegen om Ottosson op de hoogte te houden. Hoewel een bezoek aan orthopedie normaliter geen levensgevaar opleverde.

'Natuurlijk moet je haar even gaan opzoeken', zei Ottosson.

Het bleek niet zo eenvoudig om bij het Academisch Ziekenhuis een parkeerplaats te vinden. Uiteindelijk was Ann het zat. Ze zette haar auto aan de buitenkant van een bouwplaats, legde haar politie-identificatie achter de voorruit en vertrok zonder zich wat aan te trekken van de protesten van een paar timmerlieden.

Viola had een kamer alleen. Ze lag met haar gezicht naar het raam en had blijkbaar niet gehoord dat Ann de deur opendeed. Ann kon niet uitmaken of ze sliep of niet.

De oude vrouw zag er brozer uit dan ooit. De smalle armen rustten op het dekbed. Haar haar, dat Viola meestal onder een alpinopet verborg, was krijtwit en moest nodig worden gekamd. Ze lag doodstil, maar Ann zag opeens hoe Viola's magere vingers zich bewogen, aan het dekbed plukten. De dunne pezen in de met levervlekken overdekte handrug spanden en ontspanden zich met een regelmaat die Ann ervan overtuigde dat Viola toch wakker was.

Waar dacht de oude vrouw aan? Ann keerde zich weer om en

verliet de kamer. De deur gleed met een zucht dicht en ze spoedde zich de gang door richting uitgang.

Voor de zusterspost stond een verpleegkundige. Ann liep naar haar toe en stelde zich voor.

'Ik weet wie u bent', zei de verpleegkundige. 'Ik werkte vorig jaar op de intensive care.'

'Aha', zei Ann schaapachtig. Ze was plotseling beschaamd, net als altijd als ze aan die gebeurtenis werd herinnerd. 'Ik wilde Viola opzoeken, maar ik geloof dat ze slaapt en ik wil haar niet storen. Wilt u tegen haar zeggen dat ik ben geweest?'

De zuster keek haar aan en knikte vervolgens.

'Ja, maar ik denk zeker dat Viola het fijn zou vinden als u ...'

'Ik wil haar niet wakker maken', zei Ann geforceerd. 'Ik heb een beetje haast', voegde ze er op verzoeningsgezinder toon aan toe, en ze schaamde zich nog meer.

'Bent u familie?'

'Nee, helemaal niet. Hoe is het met haar?'

'Ze is ...' de verpleegster zocht naar woorden, '... een pittige tante. Nee, ik maak een grapje! Het is een taaie, als je dat mag zeggen, een heel apart iemand. Ze heeft ze allemaal nog goed op een rijtje. Ze heeft verteld dat ze die kippen gaat doodslaan, dat is het eerste wat ze doet als ze thuiskomt.'

'Dat zegt Viola al zolang ik haar ken. Maar doe haar de groeten', besloot Ann.

De verpleegkundige wilde iets zeggen, maar knikte alleen maar, lachte een professioneel lachje en liep bij de zusterspost naar binnen.

Ann liep naar de lift, maar keerde zich meteen weer om.

'Nog één ding, krijgt ze wel bezoek?'

'Ja, haar zoon is een paar keer geweest, ik denk tenminste dat het haar zoon is, en een oudere man.'

'Ik kom een andere keer terug', zei Ann.

'Doe dat. Ze slaapt zelden overdag, dus u had pech.'

Lindell keerde terug naar het bureau, nam een kop koffie in de koffiekamer en bladerde *Upsala Nya Tidning* door. De moord was voorpaginanieuws. Er stond een foto van de rivier bij. Als het artikel niet over een moord was gegaan, zou het uit een reclamebrochure van Uppsala afkomstig kunnen zijn. De foto was blijkbaar laat op de avond gemaakt. De zon was al onder en het sleeplicht gaf het weiland, het blauwgrijze water en het lichtbruingele riet een toverachtige sfeer. Een paar overvliegende eenden maakten het beeld van de landelijke rust compleet.

Lindell had dat al zo vaak meegemaakt, hoe er achter de schijnbare idylle een golf van onverwachte uitbraken van geweld en verdriet schuilging. Het landschap op zich was onschuldig, maar werd het toneel van de tekortkomingen van de mens, een achtergrond waartegen de mens in al zijn weerzinwekkendheid ageerde.

Lindell vond het uit politieel oogpunt erger om een moord op het platteland te onderzoeken, waar de natuur in haar onbegrijpelijke verscheidenheid de mens verborg, dan een moord in de stad. Ze dacht aan het laatste moordonderzoek, waarbij twee boeren in hun huis waren vermoord. Het was alsof de natuur haar gedachten liet struikelen. Hoe kon zoiets vreselijks gebeuren? Er was niet alleen sprake van een slachtoffer, de hele omgeving leek te zijn verkracht. Het misdrijf, iemand om het leven brengen, was met een rustgevende heuvel in het bos als achtergrond nóg obscener.

Een moord in een flat in de stad was op de een of andere manier natuurlijker. Niemand leek verbaasd als iemand iemand anders doodsloeg in een keuken vol spullen waarmee een mens zich normaliter omgeeft. Het was eerder andersom, hoe kon het dat er niet meer geweldslachtoffers vielen? Een plas bloed op een straat verbaasde niemand. Een plas bloed op een stuk mos in het bos ging daarentegen alle verstand te boven.

'Filosofe Lindell, actie!'

Ze keerde zich om. Ottosson stond met een koffiekopje in zijn hand. Ze had hem niet horen aankomen. Ze glimlachte, maar vond het niet prettig dat ze in haar gedachten werd gestoord. Als het iemand anders dan Ottosson was geweest, had ze zeker afwijzend gereageerd.

Nu deed ze verslag van haar overpeinzingen. Ottosson schonk koffie in en ging zitten.

'Je hebt gelijk,' zei hij toen ze was uitgesproken, 'maar toch ook weer niet. Een keuken, een hoekje, hoe klein of sjofel dan ook, betekent geborgenheid. Of zou dat moeten betekenen. Een dak boven je hoofd, warmte en eten op tafel zijn voorwaarden om iemand anders te worden, als je begrijpt wat ik bedoel. We streven voortdurend naar ...'

Hij zweeg, alsof hij zijn gedachtegang niet kon volgen, alsof hij zelf niet helemaal begreep of kon formuleren wat hij bedoelde.

'De mens is een vreemd wezen', zei Ottosson, waarmee hij hun gebruikelijke frustratie tot uitdrukking bracht.

'Niemand gebeld?' vroeg Lindell.

Normaal stond de telefoon op het hoofdbureau van politie roodgloeiend als bekend werd dat er een moord was gepleegd. Spontane tips die in de meeste gevallen nergens toe leidden.

'Nee, niets wat ons een identiteit oplevert', zei Ottosson. 'Zou hij misschien niet uit Uppsala komen? Dat hij daarheen is getransporteerd en bij de rivier is gedumpt?'

'Waarom daar?' vroeg Lindell en ze zag onmiddellijk in hoe belachelijk haar vraag was. Er is meestal geen rationaliteit in het doen en laten van een moordenaar.

Ottosson haalde zijn schouders op.

'Misschien dat de ronde in de stad wat oplevert', zei hij.

Ze hadden foto's van de vermoorde man vermenigvuldigd en agenten van Geweld en Opsporing gingen bij mensen langs die de man wellicht zouden herkennen. Het was de gebruikelijke cliëntèle van verslaafden en kruimeldieven. Soms bereid om wat informatie te verschaffen, in de hoop dat ze zelf in een beter daglicht zouden komen te staan of om de simpele reden dat moord storend was voor hun eigen activiteiten en ze snel tot een oplossing wilden komen.

De onderzoeksgroep bij Geweld had uit routine alle mogelijke motieven besproken. Het waren vrije speculaties die wellicht niet zo veel opleverden, zeker omdat ze de identiteit van het slachtoffer niet kenden, maar die toch de machinerie in hun hersenen in werking stelde. Een opgeworpen theorie baarde een andere, die werd verworpen. Die leidde weer tot een derde mogelijke verklaring die in overweging werd genomen. Alles werd vermengd, opgeslagen en voor min of meer waarschijnlijk gehouden. Samen werd het een aftreksel van losse speculaties. Daaruit konden ze misschien uiteindelijk een motief en een dader destilleren.

'Die tatoeage, of eerder het verwijderen ervan, is de sleutel', zei Lindell.

Ottosson was het met haar eens.

'Waarom laat je een tatoeage zetten?'

'Om te laten zien dat je ergens bij hoort', zei Lindell. 'Een broederschap.'

'Vroeger was het een klasse-aanduiding', zei Ottosson. 'Toen lieten alleen arbeiders zich tatoeëren. Nu hebben jonge meisjes al overal tatoeages.'

'Het is waarschijnlijk een soort markering, je kiest een motief dat iets over jezelf zegt of over het leven dat je leidt. Of over het leven dat je zou willen leiden.'

'Of het is gewoon iets leuks wat je in een dronken bui laat doen', voegde Ottosson eraan toe.

'Zo ziet hij er niet uit.'

'Misschien in zijn jeugd.'

Lindell schudde haar hoofd.

'Ik weet niet waarom, maar deze man is geen gewoon, eh ... handelaartje dat het in Kopenhagen op een zuipen zet.'

'Maar in zijn jeugd', hield Ottosson vol. 'Misschien heeft hij gevaren?'

'Hij is uiteindelijk wel in het water beland', zei Lindell.

'Bijna naakt bovendien.'

'Dat was volgens mij om hem te vernederen', zei Lindell. 'Waarom zou je anders de moeite nemen om iemand uit te kleden?'

'Twee mogelijkheden,' zei Ottosson, 'óf die kleding zei iets over het slachtoffer, óf hij had slechts een onderbroek aan toen hij werd vermoord.'

'Een gekrenkte man die zijn vrouw met een vreemde vent naakt in de slaapkamer aantreft en de minnaar doodslaat?'

'Of een homoseksueel.'

Ottosson had moeite met het woord 'flikker'. Dat wist Lindell. Hij meende dat dat vernederend was, hoewel veel homo's het woord zelf ook gebruikten.

Lindell keek naar de foto in de krant. Aan de tekst besteedde ze geen aandacht. Ze wist toch wel wat er in het artikel stond.

'Misschien levert het buurtonderzoek wat op. Er zijn daar een paar huisjes waar gisteren niemand opendeed.'

'Fredriksson en Riis zijn daar momenteel mee bezig, maar het slachtoffer kan er ook best aan de andere kant van de rivier in zijn gegooid en naar de overkant zijn gedreven', zei Ottosson. 'De rivier is niet zo breed. Of misschien is hij wel stroomopwaarts erin gekieperd.'

'Het zou toch gek zijn als niemand iets heeft gezien? Je bent wel even bezig als je een lichaam vanaf de weg over het weiland naar de rivier moet slepen.'

'Ik denk dat hij er hogerop is ingegooid', zei Ottosson.

Ze gingen nog een tijdje door met speculeren, tot Lindell opstond.

'Ik ben in het ziekenhuis geweest', zei ze opeens.

'Hoe was het met haar?'

'Ze sliep.'

Ottosson knikte.

'Heb je gesproken met …'

'Nee', zei Lindell.

16

Ze had tegenwind. Eva had spijt dat ze niet met de bus was gegaan, hoewel ze geld uitspaarde en een betere conditie kreeg, misschien zelfs een paar ons afviel, door te fietsen.

De gedachten aan wat er de vorige avond was gebeurd knaagden. Het zou niet best voor hem aflopen als Patrik met Zero bleef omgaan. Ze had niet erg veel uit hem gekregen, behalve dat ze hadden gevochten.

'Een paar gekken uit Gränby', had hij gezegd, maar hij had ontkend dat hij die jongens kende en had ook niet verteld waarover de ruzie was gegaan, behalve dat het 'gezeur' was. Gezeur was een ruim begrip en dat beangstigde Eva. Jongens die ruziemaken was niets nieuws, zei Eva tegen zichzelf, maar met de gebeurtenissen van de laatste tijd in gedachten kon gezeur leiden tot angst, zelfs tot de dood. Ze herinnerde zich de schietpartij met dodelijke afloop in Gränby een paar jaar daarvoor nog maar al te goed. De verdachte, een tiener, werd vrijgesproken nadat de hoofdgetuige zijn verklaring had ingetrokken.

Patrik had ontkend dat er iemand van die groep betrokken was geweest bij de gebeurtenissen van afgelopen nacht.

'Het waren een paar andere idioten', zei hij.

'Vrienden van Zero?'

'Nee, het waren Zweden.'

'Maar jij bent toch ook een Zweed en blijkbaar bevriend met hem.'

'Dat is heel wat anders.'

Eva had moeite om te begrijpen hoe het leven van de hedendaagse tieners eruitzag, hoe het zat met de loyaliteit, wat de woorden die ze gebruikten, betekenden. En dat was nu net haar voornaamste bezigheid, gecombineerd met haar baan bij Dakar: het opvoeden van twee tieners – in een omgeving die ze niet kon duiden.

Patrik had beloofd ruzie te vermijden en de omgang met Zero

wat te beperken zonder dat Zero zich in de steek gelaten zou voelen.

'Dan wordt hij gestoord', zei Patrik.

Hij had twee beloften gedaan en Eva begreep dat het moeilijk zou zijn ze na te komen.

Langs Östra Ågatan was de gemeente bezig een nieuwe groenstrook aan te leggen, met bankjes en beplanting. Het gebied moest worden geherprofileerd en beter toegankelijk worden gemaakt. Misschien hoopte men dat de stadskern een wat meer continentaal tintje zou krijgen, waar de inwoners van Uppsala en toeristen onder kastanjes en linden vlak langs de rivier konden gaan wandelen.

Eva bleef even staan, aan de ene kant omdat ze het warm had en niet doorweekt bij Dakar wilde aankomen en aan de andere kant om het werk in alle rust te kunnen aanschouwen. Een paar mannen waren stenen aan het leggen, grof gehakte, rechthoekige stukken die werden samengevoegd tot een muur, of zo men wilde, een lange bank. De mannen hadden hulp van een kleine graafmachine. De stenen werden met de grijper op hun plaats gezet. Met de punt konden ze de stenen goed leggen. Het zag er ontzettend licht uit, hoewel die stenen loodzwaar moesten zijn. De machine deed het nodige, maar uit de gezichten en de bewegingen van de mannen op te maken meende Eva dat ze veel plezier in hun werk hadden. Een van hen gaf de stenen als ze eenmaal goed lagen liefkozend een klopje met zijn hand als om te zeggen 'daar lig je dan, het ziet er goed uit', voor het tijd was voor het volgende blok.

Eva werd getroffen door het permanente karakter van het werk van de mannen. Overal in de stad waren stenen gebruikt; in het plaveisel, in de gevels van de huizen, in bruggen en in de versieringen in de parken. Het was een heel werk geweest om die daar te krijgen. Maar lagen ze eenmaal op hun plaats, dan lagen ze daar ook. Het klopje van de stenenlegger was daarvan het bewijs.

Ze vergeleek het met haar eigen werk in de bediening bij Dakar. Dat leverde geen zichtbaar bewijs op, alleen op dat moment. Het was iets wat gewoon moest gebeuren, net als haar vroegere werk bij de post. 'De juffrouw aan het loket.' Dat was Eva Willman jaren-lang geweest, maar o wee als ze even van haar plaats liep voor een gehaast toiletbezoek of om in de achterste regionen van het kantoor een ontvangstbewijs te tekenen, dan ontstond er meteen gemor.

De mannen verplaatsten een nieuw blok. De machinist zwaaide de grijper opzij en liet hem op de stenen tot rust komen. Misschien gingen ze even pauzeren. Een van de arbeiders keek haar kort en met een nieuwsgierige blik aan.

'Het wordt mooi', zei ze en ze ging op haar fiets zitten.

De man knikte, deed een paar passen in haar richting en zette zijn ene voet op de steen die net was verplaatst.

'Maar nu moet ik naar mijn werk.'

'Jammer, ik had je net een kop koffie willen aanbieden', zei de man en Eva kon niet opmaken of hij het serieus meende of niet.

'Heb je dan nu pauze?'

'Nee, we zijn klaar voor vandaag.'

Zijn twee collega's stonden op de achtergrond te wachten.

'Waar werk je?'

'In een restaurant. Dakar heet het.'

'Dan mag jíj trakteren', zei de bouwvakker lachend. 'Doei!'

Hij wierp haar een ondeugende blik toe voordat hij zich weer bij zijn kameraden voegde en in de bouwkeet verdween.

Ze bleef nog even staan voor ze het laatste stukje wegtrapte.

In de keuken van Dakar was een heftige discussie gaande. Eva kon de opgewonden stem van Feo, soms onderbroken door Donald, zelfs in de kleedruimte horen.

Toen Eva de keuken in kwam, verstomden de twee koks onmiddellijk en staarden haar aan.

'Stoor je niet aan mij', zei ze.

Donald keerde haar de rug toe, rukte een steelpan uit het rek, maar bedacht zich, gooide hem terug en liep naar de bar. Ze hoorden hoe hij een flesje frisdrank of mineraalwater pakte, Donald dronk nooit iets sterkers op het werk.

'We hadden het over de bond. Ze willen hier komen.'

Eva knikte.

'Hoezo, is er iets?'

'Nee, ze hebben een campagne. Ik ben wel aangesloten bij de bond, maar Donald niet. Hij zegt dat het parasieten zijn.'

'Ik weet niet of ik er destijds zo veel aan heb gehad, maar je moet wel lid zijn', zei Eva.

'Precies. Opeens gebeurt er iets!'

Donald kwam terug.

'Hebben jullie een clubje gevormd?'

'Ja, en jij bent penningmeester', zei Feo.

Haar derde avond werd voor Eva het drukst. Al om zes uur kwam er een luidruchtig gezelschap van zestien personen binnen. Ze hadden de hele dag gegolfd en eisten nu eten en drinken. Eva herkende een van hen, een klasgenoot van de Eriksbergschool, maar hij herkende haar niet of wilde haar niet kennen.

'Ik haat golfers', fluisterde Tessie.

Na dat gezelschap, dat niet had gereserveerd en een hoop werk voor de bar en de keuken met zich meebracht, druppelden de dinergasten in een gestage stroom binnen. De laatsten kwamen rond negenen. Gelukkig werkte Johnny ook, dus er waren drie koks en een leerling.

Tessie liet een staaltje vakbekwaamheid zien. Eva had al snel in de gaten dat de andere ober, Gonzo, zich niet bepaald het vuur uit de sloffen liep. Sinds hem de wacht was aangezegd, was hij vooral aan het mopperen over 'die fascisten' Slobodan en Armas. Het werd er niet beter op toen Slobodan tegen achten opdook om in de bar een glaasje grappa te nuttigen. Toen ging Gonzo helemaal in slowmotion.

Tessie nam de hele bediening op zich, geholpen door Eva, en Eva kreeg nog meer respect voor haar.

Om half tien werd het rustig. De laatste nagerechten konden op tafel, het golfgezelschap was vertrokken nadat het nog een uur in de bar was blijven hangen, de overige dinergasten betaalden en vertrokken eveneens. Eva ging in de keuken zitten. Donald was begonnen met het schoonmaken van het vleesfornuis, Feo legde de laatste hand aan een paar desserts. Hij bood Eva een ijscoupe aan, maar daar bedankte ze voor. Johnny begon de boel op te ruimen, voedsel te plastificeren en in de koeling te zetten.

Måns, de barkeeper, kwam om de hoek kijken.

'Eva, er is telefoon voor je. Je kunt hem hier binnen opnemen', zei hij snel waarna hij weer verdween.

Eva keek verbaasd om zich heen. Feo wees naar de muur waar de telefoon zat. De kinderen, dacht ze en ze zag Patriks bloederige gezicht voor zich.

Ze luisterde zonder meer te zeggen dan 'ja', 'nee' en 'uiteraard', en hing de hoorn terug.

'Ik moet naar huis', zei ze. 'Ik moet nu weg.'

'Is er iets gebeurd?'

Ze schudde haar hoofd maar bedacht zich even snel.

'Dat was de politie', zei ze.

'De politie?' zei Feo.

'En ik ben nog wel met de fiets', snotterde ze. 'Kan iemand een taxi bellen?'

'Ik breng je wel even', zei Johnny. Hij deed onmiddellijk zijn schort af. 'Ik ben vandaag toevallig met de auto. Jullie redden het hier verder wel, hè?'

Donald knikte.

Er stond een politieauto voor de ingang en een groep tieners had zich in de binnentuin verzameld. Eva kende er diverse van, klasgenoten van Hugo of Patrik.

Johnny liep met Eva mee naar binnen. Ze had tijdens de rit met geen woord gerept over wat er was gebeurd. Johnny had medelijden met haar en met de zwijgende ongerustheid waarmee ze voorovergebogen op de stoel zat, haar ene hand op het dashboard.

Er zaten twee politieagenten in de keuken, een man en een vrouw. Twee vreemde, beangstigende mensen in haar keuken, gigantische lijven die de hele ruimte in beslag namen, zo ervoer Eva het tenminste en het maakte haar bang.

Er bestaat geen geborgenheid, dacht ze. Alles gaat kapot, het geluk van de laatste week, haar nieuwe baan, haar nieuwe kapsel en een nieuw leven, waren als sneeuw voor de zon verdwenen.

'Wat is er gebeurd? Waar is Patrik?'

Ze staarde naar Hugo die tussen de muur en een van de politiemensen ingeklemd zat.

'Kom hier!'

Hugo stond op en ging achter haar staan.

'We zijn op zoek naar Patrik. Er is een melding binnengekomen van een mishandeling en we hebben reden om aan te nemen dat hij daarbij betrokken is geweest.'

De politievrouw deed het woord.

'Mishandeling? Zou Patrik iemand hebben mishandeld?'

'Wilt u niet even gaan zitten?'

Eva schudde haar hoofd, plotseling verbitterd over het feit dat die twee haar huis, hun keuken bezet hielden. Dit was de plaats van Eva, Patrik en Hugo, van niemand anders!

'Is het niet een beetje overdreven om met een politieauto voor de deur te gaan staan?' vroeg Johnny.

'Wie bent u? Bent u de vader van Patrik?'

'Ik ben een collega van Eva', zei Johnny. 'Ik heb haar thuisgebracht.'

'Misschien kunt u ons alleen laten.'

'Hij blijft', besloot Eva.

'Oké', zei de politieman. 'We weten dat er hier in de omgeving gisteravond een man is mishandeld. Vanavond is een man neergestoken. Wij hebben aanleiding om te geloven dat het dezelfde man is. Hij wordt in het ziekenhuis behandeld voor zijn verwondingen. Hij is er behoorlijk slecht aan toe.'

Hij keek Eva onafgebroken aan terwijl hij sprak.

'Wij denken dat Patrik daarbij betrokken is. Er zijn een paar getuigen die hebben aangegeven dat hij ter plaatse aanwezig was, in elk geval gisteravond. Weet u waar uw zoon is?'

'Nee, ik kom van mijn werk.'

'Dus u hebt geen idee waar uw zoon gisteren was en waar hij nu zou kunnen zijn?'

'Hoe is uw naam?'

'Ik heb me voorgesteld, maar dat kan ik nogmaals doen. Mijn

naam is Harry Andersson en dit is mijn collega Barbro Liljendahl.'

'Hebt u kinderen?'

Hij knikte.

'Hoe oud?'

'Dat doet er niet toe.'

'Weet u exact wat ze nu aan het doen zijn?'

'Dat is in dit verband niet relevant.'

'Nou moet u eens even goed luisteren, ik heb geen trek om me door u voor te laten schrijven hoe ik mijn kinderen moet opvoeden.'

'Ik begrijp dat u overstuur bent, en ik wil u absoluut niet bekritiseren, dat is ons werk niet, maar u moet begrijpen dat wij verplicht zijn om alles te onderzoeken wat van belang kan zijn in verband met die mishandeling. Er is bovendien sprake van een mes.'

'Patrik heeft geen mes.'

'Vertelt u eens over gisteravond', spoorde Barbro Liljendahl haar aan.

Eva voelde Hugo's greep om haar middel.

'Hugo is om tien uur naar bed gegaan. Ik heb op Patrik zitten wachten. Hij zou om half elf thuiskomen, maar ik ben op de bank in slaap gevallen. Ik was bekaf. Toen ik vannacht wakker werd, was Patrik inmiddels thuis. Hij lag in bed. Toen ben ik ook naar bed gegaan.'

'Dus u weet niet wanneer Patrik is thuisgekomen?'

'Ik was doodop. Ik heb net een nieuwe baan.'

'Wanneer bent u in slaap gevallen?'

Eva haalde haar schouders op.

Barbro Liljendahl maakte aan paar aantekeningen.

'We hebben Patriks mobiel proberen te bellen, we hebben het nummer gekregen van zijn broer, maar hij neemt niet op. U hebt geen idee waar hij is?'

'Nee, maar misschien is het beter dat u hem nu gaat zoeken in plaats van uw tijd hier te verdoen', zei Eva.

'Het maakt het voor ons een stuk eenvoudiger als we weten wáár we moeten zoeken.'

'Hugo,' Eva keerde zich om en nam haar zoon mee naar de hal, 'het is beter dat jij nu naar bed gaat.'

Hij liep geduldig met haar mee naar de slaapkamer. Eva deed de deur achter hen dicht.

'Wat heb je gezegd?'

'Dat ik sliep.'

Het huilen stond hem nader dan het lachen.

'Goed, blijf hier, ga maar een computerspelletje doen of zo, dan praten we verder als de politie weg is. Heb je enig idee waar Patrik is?'

Hugo schudde zijn hoofd.

'Is hij met Zero?'

'Volgens mij niet.'

Ze gaf Hugo een knuffel, keerde terug naar de keuken, pakte een glas, liet het water stromen tot het koud was, nam een paar grote slokken en dacht diep na over waar Patrik kon zijn.

De twee politiemensen zaten achter haar. Johnny stond in de deuropening van de hal.

'Ik weet niet waar hij is', zei ze uiteindelijk. Ze zette het glas met zo'n klap neer dat Harry Andersson opschrok.

'Als hij thuiskomt, wil ik dat u onmiddellijk dit nummer belt', zei Barbro Liljendahl terwijl ze haar kaartje overhandigde.

Eva legde het kaartje zonder er aandacht aan te besteden op het aanrecht.

'Natuurlijk', zei ze.

Toen de politie was vertrokken, richtte Eva zich tot Johnny.

'Bedankt', zei Eva terwijl ze op de stoel in de hal ging zitten.

'Geen dank. Wat ga je nu doen?'

'Zou jij misschien nog even kunnen blijven? Kan dat? Dan is Hugo niet alleen. Ik wil Patrik gaan zoeken.'

Johnny knikte en trok zijn jas uit.

'Ik wil mee', zei Hugo.

Hij stond in de deuropening van zijn kamer.

'Het is beter dat jij thuis bent, voor het geval Patrik belt. Bel Ahmed, Giorgio, Anton, Emil en …'

'Mossa', voegde Hugo eraan toe.

'Goed, Mossa ook. Maar zeg niets over de politie. Als ze wat vragen, zeg je gewoon dat je Patrik zoekt. En als Patrik belt, moet je zeggen dat hij mijn mobiel moet bellen, goed?'

Eva hield niet van de smalle gangen die de verschillende delen van de woonwijk verbonden. Ze liepen gedeeltelijk door dicht bos en waren slecht verlicht. Laat op de avond waren er weinig mensen buiten, soms wat jongelui en eventueel wat mensen met een hond.

Ze liep in snel tempo naar de school en zag van verre een politieauto. Die reden natuurlijk ook rondjes. Maar als ze dachten dat ze Patrik konden vinden, dan waren ze naïef. Hij was verstandig genoeg om zich schuil te houden. De tamtam ging snel in Sävja en hij wist vast dat hij werd gezocht.

De eerste ongerustheid maakte plaats voor woede. Wat had hij buiten te zoeken? Hij had gezworen dat hij thuis zou blijven. Maar ze had beter moeten weten. Patrik was een rusteloze ziel die het haatte om thuis te zitten. Ze kon hem hoogstens één keer per week verleiden met een videofilm, maar meestal was hij direct na het eten vertrokken.

En nu zou het nog lastiger worden hem in de gaten te houden. Ze moest een paar keer per week 's avonds werken, en om het weekend. Ze bleef op een kruising staan. Moet ik stoppen bij Dakar? Is het wel goed om zo veel weg te zijn? Ze sloeg rechtsaf en kwam in een gedeelte dat nóg verlatener was.

De duisternis was compact op de plaatsen waar de lantaarnpalen nog verder van elkaar stonden. Er ritselde iets in de bladeren op de grond, een merel vloog op en verdween in de vegetatie.

Ze liep een uur rond, naar de school, naar het zuidelijke gedeelte van de wijk en weer naar de school, ze maakte een ommetje naar de ICA-supermarkt en weer terug. Ze belde voortdurend naar Patriks mobiele telefoon en ook een keer naar huis, naar Hugo.

Ze kwam een tiental nachtwandelaars tegen, waaronder vier hondenbezitters en drie tienermeisjes. Eentje kende Eva vluchtig van de open voorschool. Dat was tien jaar geleden maar het meisje was geen steek veranderd. Ze knikte naar Eva, die even haar pas inhield, niet wetend of ze hen zou vragen of ze Patrik hadden gezien. Maar ze zag ervan af en liep in snel tempo door naar het oude postkantoor.

Ze hoorde de meisjes achter zich lachen. Ze wisten vast dat de politie op jacht was naar Patrik. Morgen zou heel Sävja en half Bergsbrunna het weten.

Ze was bijna thuis en bleef even onder een lantaarnpaal staan. Had het wel zin om rond te rennen en te zoeken? Ze was ervan overtuigd dat Hugo alle vrienden had gebeld.

Patrik werd gezocht door de politie. Hij wist het vermoedelijk zelf ook en God mocht weten wat hij zou kunnen doen.

Ze rende het laatste stukje naar huis. De groep in de binnentuin was verdwenen. Bij Helen brandde nog licht. De rest van de omgeving was in het duister gehuld. De uil in het bos begon te roepen.

Op hetzelfde moment ging haar mobiele telefoon.

'Hoi, met mij.'

'Waar ben je?'

'Dat doet er niet toe.'

'Wat heb je gedaan?!'

'Niets. Dat is een verzinsel van de politie ...'

'Hoe zit het met die mishandeling!'

Ze kon Patriks ademhaling horen.

'Is alles goed met je?'

'Tuurlijk. Wat zei de politie?'

'Vertel jij mij maar eens wat er is gebeurd', zei Eva. 'Ze hadden het over een man die was gestoken met een mes.'

'Dat was Zero.'

'Heeft Zero dat gedaan? Was jij erbij?'

'Ik moet nu ophangen. Ik kom straks thuis.'

'Je komt nu naar huis! Nu meteen!'

'Volgens mij bewaakt de politie de flat.'

Eva keek om zich heen. Er was niets wat erop wees dat de politie aanwezig was, maar Eva begreep wel dat ze niet weer midden op het erf zouden parkeren.

'Ik wil je zien. En denk eens aan Hugo, die is ook bere-ongerust.'

Patrik zweeg even en Eva begreep dat hij met zichzelf overlegde.

'Het volkstuinencomplex, je weet wel, kom hiernaartoe.'

'Hoe weet ik …'

'Ik kan je zien aankomen.'

Patrik drukte het gesprek weg. Eva bleef even staan voordat ze Hugo belde.

17

De plaats die Slobodan Andersson het dierbaarst was, was de bar van Alhambra. Dakar was oké, daar ging hij elke avond om acht uur naartoe voor een grappa, maar bij Alhambra was het allemaal begonnen, daar hadden de zaken een vlucht genomen. Hier had hij samen met Armas plannen gemaakt en besproken. Slobodan herinnerde zich hoe de spannende ongerustheid zich had vermengd met het triomfantelijke gevoel dat ze goed zaten, hoe ze de plannen hadden opgesteld en alle details telkens weer hadden doorgenomen. Armas had gevoel voor de kleine details die het verschil konden maken tussen een catastrofe en succes. Hij liet nooit iets aan het toeval over. Hij stuurde Slobodan met weinig woorden in de goede richting. Slobodan had soms het idee dat hij Armas' ondergeschikte was, maar hij wist dat hij Armas meer dan eens dank verschuldigd was voor zijn successen.

Opmerkelijk genoeg had Slobodan een onrustig gevoel. Dat gebeurde niet vaak. Misschien kwam het door de opmerking van Armas over de computer. Dat de politie gewiste berichten gemakkelijk kon lezen. Slobodan vroeg zich af of het echt zo was, maar de computer was nu al uit elkaar gehaald en vernietigd, en Armas had voordat hij naar Spanje vertrok een nieuwe laptop gekocht en geïnstalleerd.

Slobodan zat aan de kopse kant van de bar een sigaret te roken en te kijken wie er binnenkwamen en vertrokken. Hij groette oude bekenden met een knik of een korte handdruk, wisselde soms een paar woorden met deze of gene, maar ging geen lange gesprekken aan.

Alhambra liep goed. Hij registreerde elke financiële transactie van Jonas en Frances, niet de bedragen op zich, maar het geluid van hun vingers op de toetsen en de klap als de kassalade openging.

Hij herinnerde zich dat hij in het begin van zijn restauranthoudercarrière elke avond naar de cijfers had staan staren, had lopen rekenen en berekenen, vergelijken en plannen, wensdromen had gehad. Hij hoefde nu niet meer ongerust te zijn, maar hield toch dagelijks in de gaten hoe de verkoop liep. Hij vertrouwde zijn personeel. Hij had hen zelf aangenomen en als hij hun vaardigheden en loyaliteit in twijfel zou trekken, zou hij in feite zijn eigen oordeel afkeuren. Voor wat betreft Gonzo bij Dakar, in hem had hij zich voor de verandering vergist, maar dat was nu verholpen. Tegen de protesten van Armas in liet hij Gonzo nog een paar weken werken en hij zou gewoon zijn nog uitstaande salaris krijgen, zelfs zijn vakantiegeld. Uiteraard. Maar dan kon hij ook ophoepelen.

De juffrouw van de posterijen leek een pientere dame. Tessie had haar ook al gecomplimenteerd. Slobodan had Tessies salaris met drie kronen per uur verhoogd voor het extra werk dat ze op zich had genomen. Als die juffrouw van de posterijen het ook goed deed, zou hij haar salaris ook verhogen. Dan zou Dakar een perfect samenwerkend duo in de bediening hebben dat kon worden aangevuld met extra personeel.

Slobodan kwam in een beter humeur en hij wenkte Jonas.

'Geef mij een grappa en trakteer Lorenzo, of hoe hij ook heet, op een cognacje.'

Jonas vertrok met een glas cognac in de richting van Lorenzo, die verbaasd opkeek. Hij keek in Slobodans richting, hief zijn glas en glimlachte. Slobodan knikte, maar zonder te lachen. Lorenzo was een nieuwe kennis. Slobodan had het idee dat hij in de illegale gokwereld zat. Misschien was hij Uppsala aan het verkennen om hier iets op te zetten. Daar had Slobodan geen bezwaar tegen. Dat zou de zaken alleen maar ten goede komen.

Slobodan had de indruk dat Armas en Lorenzo elkaar kenden, of althans dat Armas de goedgeklede schurk kende, want een schurk was hij, daar was Slobodan van overtuigd. Maar Armas had ontkend dat hij Lorenzo eerder had gezien.

Slobodan draaide zich een stukje om zodat hij Lorenzo wat beter kon bestuderen. Zijn leeftijd was moeilijk te schatten. Tussen de veertig en de vijftig, maar hij kon ook tien jaar ouder zijn. Een goedgeklede neger met geld en stijl, besloot Slobodan. Hij had Lorenzo nog nooit met stemverheffing horen praten, hij had zijn stem zelfs nog nooit gehoord, en dat was een teken van stijl, vond Slobodan. Hij had een hekel aan van die opscheppers die met hun stem de hele ruimte domineerden. Lorenzo was een man zonder omhaal. Hij had een paar keer in het restaurantgedeelte gegeten, maar zat meestal in de bar. Hij begon altijd met een Staropramen, dronk daarna een dubbele espresso en cognac en rookte een sigaar.

Hij kwam altijd alleen, maar kreeg vaak gezelschap van een man die Slobodan zou omschrijven als een ondergeschikte. De man, nog geen dertig en lijkbleek, luisterde altijd aandachtig naar Lorenzo, maar kwam zelden met eigen opmerkingen. Hij dronk altijd rum-cola, volgens Slobodan het meest fantasieloze drankje dat je kon krijgen, ging vaak naar het toilet en bleef meestal nog een tijdje zitten nadat Lorenzo de bar had verlaten. Dan ontspande hij, bestelde nog een rum-cola en rookte genotvol een of twee sigaretten.

Lorenzo draaide zijn hoofd om en ontmoette Slobodans blik, knikte en glimlachte. Slobodan klauterde van zijn barkruk en liep naar Lorenzo toe, die een stoel uittrok en een uitnodigend gebaar maakte.

'Bedankt', zei hij en hij glimlachte opnieuw.

Slobodan knikte en bestudeerde zijn gast wat indringender. Lorenzo had donkerbruine ogen en een klein, wit litteken tussen zijn wenkbrauwen. Zijn handen waren opmerkelijk klein en Slobodan meende dat Lorenzo regelmatig naar de manicure ging. Hij maakte een haast feminiene indruk, glimlachte met een ontspannen gezicht en in zijn ogen waren geen vragen, geen ongerustheid, alleen een spoortje van baldadigheid en hoon.

'Is alles naar tevredenheid?'

'Ik heb het gevoel of ik thuis ben', zei Lorenzo.

Slobodan stak zijn hand uit over het tafeltje en stelde zich voor. Na hun ogen beoordeelde hij mensen op hun handdruk. Die van Lorenzo was snel maar wat te slap naar Slobodans smaak. Zijn hand was koud.

'Ik heb Armas al een tijdje niet gezien.'

'Ken je hem?'

'Kennen, kennen,' zei Lorenzo, en Slobodan kreeg steeds meer moeite met zijn glimlach, 'we hadden een paar jaar geleden wat contact.'

Slobodan wachtte af.

'In onze jeugd', zei Lorenzo nadat hij van zijn cognac had genipt, en iets in zijn gezicht zei dat hij vond dat dat te langgeleden was.

'Hij is op reis', zei Slobodan.

'Vakantie?'

'Onder andere.'

'Armas is veelzijdig', zei Lorenzo.

Slobodan hield daar niet van. Hij zocht in zijn geheugen of ze het ooit over de nieuwe gast hadden gehad, en Armas had op zich wel iets over Lorenzo gezegd, maar Slobodan kon zich niet herinneren of Armas iets had gezegd over dat Lorenzo een oude bekende was. Waarom zou hij over zoiets liegen?

'Heb je het naar je zin in Uppsala?'

'Het is een mooie stad,' zei Lorenzo, 'niet te groot en niet te klein, overzichtelijk. Hanteerbaar. Goed voor de geest. Wat rustiger maar toch open voor mogelijkheden.'

Hij sprak in korte zinnen, had een nauwelijks hoorbaar accent. Slobodan meende iets Spaans te horen. Lorenzo leunde achterover en keek Frances aan toen ze met een blad langs kwam.

'Een mooie vrouw', zei hij, en Slobodan kreeg de indruk dat zijn oordeel over Uppsala tevens de serveerster impliceerde. Maar Frances was allesbehalve hanteerbaar en zeker niet rustig en open voor mogelijkheden.

'Haar man is hem gesmeerd', zei Slobodan. 'Niemand weet waar hij is en Frances is net een handgranaat waar de pin uit is getrokken.'

Slobodan wilde Lorenzo aan het praten krijgen, maar de informatie over de man van Frances had geen invloed op Lorenzo's ontspannen houding en leek ook zijn nieuwsgierigheid niet te wekken.

'Die komt wel weer boven water', zei hij rustig, maar hij volgde

Frances met een blik alsof hij zijn kansen inschatte.

Slobodan wenkte met zijn hand en Jonas, die had geleerd om zelfs het kleinste gebaar van de meester te tolken, tapte onmiddellijk een pilsje, dat hij aan het tafeltje serveerde.

'Ik woon hier al lang', zei Slobodan.

'Ja?'

'Ik bedoel, als je assistentie nodig hebt.'

'Wat voor assistentie?'

Slobodan verafschuwde de welwillend glimlachende Lorenzo en zijn superieure houding steeds meer.

'Tja', zei Slobodan met een sardonisch lachje.

Hij dronk een slok bier, stond op met het excuus dat hij nog wat papierwerk had liggen en liet Lorenzo alleen achter.

Het korte gesprek met Lorenzo had Slobodan geërgerd. Met name het neerbuigende toontje, dat getuigde van een ongewone arrogantie. Slobodan was gewend om met aanzienlijk meer respect te worden behandeld.

Het gesprek had hem ook verontrust. Dat Lorenzo Armas van vroeger kende, was nieuw en beloofde niets goeds. Armas was van hém en Slobodan ervoer iets wat je zou kunnen vergelijken met jaloezie. Bovendien was Lorenzo te zelfverzekerd. Slobodan had die houding vaak gezien en hij had nooit moeite gehad om de meest hardnekkige en brutale figuren te breken. Maar deze man bezat een autoriteit die niet alleen getuigde van zelfvertrouwen, maar ook van een vermogen problemen te veroorzaken.

Slobodan dacht aan Armas. Als het nu maar goed ging in Baskenland. Hij nam een risico door Armas te sturen, maar er was deze keer geen alternatief. Als er iets misging en het transport mislukte, zou hij veel geld kwijtraken en misschien ook zijn beste vriend en compagnon. Dat was een risico en dat wist Armas ook. Toch had hij niet geprotesteerd. Ook hij wist hoeveel er op het spel stond.

Slobodan had besloten dat ze het daarna een half jaartje rustig aan zouden gaan doen, misschien wel een jaar. Hij had één ding geleerd en dat was om zich niet met te veel dingen bezig te houden.

Je moest groot zijn, maar alleen in je eigen divisie. Vervolgens kon je je dan, als het goed ging, gaandeweg kwalificeren voor de eredivisie.

Hij keek op zijn horloge. Als hij Armas een beetje kende, was hij al in Zuid-Zweden.

Slobodan moest bij zichzelf lachen toen hij aan zijn tijd in Malmö dacht en aan 'dat Duitse varken'. Die herinnering had hem lange tijd gekweld; hoe hij daar was gekoeioneerd en vernederd, maar nu kon hij daar rustiger aan terug denken. Die Duitser had zijn verdiende loon gehad. Het deed goed om daaraan te denken.

18

De duisternis maakte haar onzeker. Ze struikelde over uitstekende boomwortels, er zwiepte een tak in haar gezicht en ze verstapte zich. Vanaf het moment dat ze Hugo had gebeld en had verteld dat Patrik ongedeerd was, was de angst toegenomen dat hij gewond was of wellicht iemand anders had verwond. Maar Patrik vocht toch niet met een mes? Dat was een onmogelijke gedachte, dat háár Patrik iemand opzettelijk met een mes zou steken.

Ze rende via de snelste weg, of wat ze dacht dat de snelste weg was, want de schrik had haar in de war gebracht. Ze had het gevoel dat ze te laat zou komen.

Toen ze eindelijk bij het volkstuinencomplex kwam, verdween het laatste beetje moed en begon ze te huilen. Ze moest plotseling aan Jörgen denken, de vader van Patrik en Hugo, en ze bedacht hoe onrechtvaardig het leven was.

Een schaduw maakte zich uit het donker los. Patrik kwam haar tegemoet. Wat is hij groot geworden, dacht ze.

'Hé, mama', zei hij en ze begon weer te huilen.

'Rustig maar', zei hij.

'Wat gebeurt er allemaal? Ik wil het weten. Waarom doe je me dit aan. Net nu alles ...'

'Rustig maar, mam. De politie verzint maar wat.'

Patrik vertelde wat er de laatste twee dagen was gebeurd en Eva verbaasde zich erover hoe rustig hij was, hoe helder en methodisch hij van gebeurtenis naar gebeurtenis ging.

Toen hij was uitverteld, bedacht ze hoe onwerkelijk alles was, dat ze midden in de nacht in een volkstuin stonden, met de geur van aarde die ze opsnoven en een paar muggen die om hun hoofden zwermden terwijl ze over een geweld en een wereld spraken die ze zich niet had kunnen voorstellen.

Is dit mijn Patrik? dacht ze. Is dit ons leven? Onze woonwijk?

'Moet je hiermee niet naar de politie?'

'Ben je gestoord of zo?'

Eva deinsde naar achteren voor de hardheid in zijn stem.

'Maar als je …'

'Ze geloven me toch niet, dat snap jij toch ook wel. En Zero wordt helemaal gek en zijn broertjes ook.'

'Maar drugs, dat is zo … Heb je het weleens geprobeerd?'

Patrik schudde zijn hoofd.

'Ik wil de controle niet verliezen.'

Eva vertrouwde hem instinctief. Dat zou ook niets voor Patrik zijn. Hij wilde controle houden. Hij had een hekel aan het onverwachte.

'Nu gaan we naar huis', besloot ze, plotseling rustig en dankbaar dat hij ongedeerd was.

Tot haar verbazing protesteerde Patrik niet. Hij stond op en begon zonder wat te zeggen te lopen. Ze keek zijn silhouet na.

Dat is mijn jongen, dacht ze telkens weer. Dat is mijn jongen.

Toen ze thuiskwamen, zaten Hugo en Johnny achter de computer een spelletje te doen. Patrik ging rechtstreeks naar zijn kamer en deed de deur achter zich dicht.

'Bedankt dat je bent gebleven', zei Eva.

'We hebben het prima naar onze zin gehad, hè Hugo?'

De jongen knikte terwijl hij zich concentreerde op het spel.

'Wil je niet iets hebben voordat je naar huis gaat?'

Johnny schudde zijn hoofd. Ondanks het late uur voelde hij zich niet moe, integendeel, het bezoek bij Eva had hem opgepept. Zijn eigen flat was niet iets om naar te verlangen, maar hij zag in dat hij moest opstappen.

'We hebben het naar onze zin gehad', herhaalde hij. 'Ben je er al achter wat er is gebeurd?'

'Eigenlijk niet', zei Eva. 'We moeten morgen maar eens kijken. Ik geloof dat Patrik een tijdje alleen moet zijn om na te denken.'

'Gaan jullie naar de politie?'

'Ik bel ze morgen. We zien wel.'

Eva ging op Hugo's bed zitten.

'Je moet naar bed gaan', zei Johnny.

Johnny reed met gemengde gevoelens naar huis. Andermans problemen waren niets voor hem en nu was hij toch in iemand anders' problemen verzeild geraakt. Hij wilde nergens bij betrokken raken en Eva had gelukkig ook geen pogingen gedaan hem te informeren. Daar was hij blij om. Hij kon het niet opbrengen om de hele nacht op te blijven om te redeneren en te troosten.

Maar hij voelde zich ook verfrist. Hij had iets voor een ander gedaan. Iemand die hem blijkbaar vertrouwde. Eva had hem even kort omhelsd toen hij wegging. Hij moest lachen.

Het laatste stukje naar huis dacht hij aan haar. Er is moed voor nodig om in deze wereld in je eentje twee tieners op te voeden.

19

Konrad Rosenberg was een van de vijf zonen van de beruchte Karl-Åke Rosenberg, de man die beroepsmatig rotsen opblies en over wie in de wegenbouw nog steeds min of meer geloofwaardige verhalen de ronde deden. Karl-Åke had zijn laatste salvo in 1979 in Forsmark afgevuurd en was daarna pats-boem overleden aan een hartinfarct. Hij zat zo onder het stof en het boorslijpsel dat hij nauwelijks van de berg te onderscheiden was. Er werd gezegd dat ze zijn lichaam met een hogedrukspuit hadden moeten schoonspuiten.

Voor iedere zoon die Elisa Rosenberg baarde, was het materiaal minder toereikend geweest. De eerstgeborene, Åke, was net als zijn vader een boom van een vent, maar daarna werden de zonen steeds magerder. Konrad was de jongste en hij was slechts een meter zevenenvijftig, had een kippenborst en schouders die uitstaken als kleerhangers. Op de kleuterschool hadden ze harp gespeeld op zijn ribben en hij droeg schoenmaat achtendertig.

Wat hij aan fysieke bagage en lichamelijk vermogen miste, compenseerde hij met een nooit aflatend optimisme en een zelfvertrouwen dat hem helaas vaak in verkeerde banen leidde.

Hij debuteerde op zijn zeventiende als junk en een jaar later werd hij door de rechtbank van Uppsala aangeklaagd voor inbraak en geweldpleging tegen een ambtenaar in functie. Hij werd veroordeeld voor de inbraak, maar de andere aanklacht werd door de rechtbank geseponeerd. Men achtte het onwaarschijnlijk dat Konrad in staat zou zijn tot het bieden van ook maar enige weerstand.

Dat werd de opmaat voor een lange reeks veroordelingen. De meeste hadden betrekking op drugs en vergrijpen om zijn verslaving te bekostigen, met name oplichting. Hij was een zwendelaar en een zeer goede bekende van de politie en het publiek in de buurten rond het Centraal Station.

Tijdens zijn laatste verblijf in de gevangenis had Konrad een ambitieus programma doorlopen om van zijn verslaving af te komen, en toen hij vrijkwam, was hij tegen alle verwachtingen in van de drugs af en voorzien van een flatje in Tunabackar, in dezelfde straat waar hij was opgegroeid.

Konrad Rosenberg was zesenveertig toen hij in de vut ging. Hij zat meestal op Torbjörns torg een paar biertjes te drinken of te kletsen met lotgenoten of andere gepensioneerden die blij waren dat ze iemand hadden om mee te praten. Velen van hen hadden Konrads vader gekend en vonden het heerlijk om die sterke verhalen over de legendarische wegenbouwer op te rakelen.

Soms ging hij met het busje van het ouderenvervoer naar de stad, waar hij wat winkeldiefstalletjes pleegde, de spullen snel onder de prijs van de hand deed en met een plastic zak van de slijter terugkeerde.

Het leven van Konrad was ongecompliceerd. Hij was nog steeds optimistisch goedgehumeurd en werd over het algemeen gezien als wat onnozel maar ongevaarlijk, aangezien hij zich nooit schuldig had gemaakt aan een echt geweldsdelict.

Op een dag keerde het tij voor Konrad Rosenberg. Hij verscheen, strak in het pak, bij het bankkantoor aan Torbjörns torg, waar hij een rekening opende en zesenvijftigduizend kronen stortte. De medewerkers, die hem goed kenden van het bankje in het park, konden hun verbazing niet onderdrukken.

'Het is een erfenis', verklaarde hij bloedserieus.

'Gecondoleerd', zei de bankemployé.

'Het is wel goed,' zei Konrad, 'een verre tante heeft het loodje gelegd.'

Daarna kwamen er regelmatig kleinere bedragen op de rekening binnen, soms een paar duizend kronen, een heel enkele keer een vijfcijferig bedrag en een paar jaar na de eerste inleg was het saldo meer dan vervijfvoudigd.

De bankemployé maakte Konrad attent op sparen voor zijn pensioen, wat hij echter, toen men hem het systeem had uitgelegd, vriendelijk afwees.

'Je weet nooit hoelang je leeft. Je kunt elk moment de pijp uitgaan.'

Op een dag parkeerde hij een Mercedes op straat, liep een paar rondjes om de auto heen, deed de deuren een paar keer met de afstandsbediening open en dicht, deed de deur open, ging in de auto zitten om onmiddellijk weer uit te stappen, de wagen af te sluiten, een stukje weg te lopen, om zich vervolgens om te keren om het wonder der techniek te aanschouwen voordat hij door het portiek zijn flat binnenging.

Konrad Rosenberg had, zoals Sture met de hoed het tegenover Berglund had uitgedrukt, zijn schaapjes op het droge.

Maar rijkdom is een ellende. Van een relatief zorgeloos bestaan op het plein kreeg Konrad nu opeens allerlei nieuwe kennissen die net als mannetjesvlinders, die de lucht van een vrouwtje op kilometers afstand ruiken, de lucht van geld roken die de nouveau riche scheen af te geven.

In het begin was hij gevleid, hij nam de nieuwelingen graag mee naar het café en hij werd steeds vaker in het uitgaansleven gesignaleerd. Maar dat stopte op een dag abrupt. Konrad Rosenberg werd stuurs en had geen zin meer om het anderen naar de zin te maken. Geen kleine leningen meer, geen restaurantbezoekjes, bezoekers werden bij de deur afgepoeierd.

Toen het voorjaar werd, zat hij weer op het bankje op het plein. Maar zijn bankrekening, die bijna leeg was, werd weer in gestaag tempo aangevuld.

De basis van Konrad Rosenbergs onverwachte succes was zijn zomerhuis.

Zijn vader had in de jaren zestig van een boer een stukje grond gekocht op ruim tien kilometer ten oosten van de stad. Op de stenige grond, die hij de eerste zomer met explosieven tot schilfers had opgeblazen, bouwde hij een huis van zestig vierkante meter. Buiten de gemeenschappelijke huiskamer, waar Elisa en hij sliepen, waren er een keuken en twee slaapalkoven, waar zijn zonen het met elkaar moesten zien uit te houden.

Nadat Karl-Åke Rosenberg was gestorven, duurde het maar een paar weken voor Elisa Rosenberg overleed. Konrad zat in de bak en kon zijn belangen niet zo goed behartigen, maar hij was blij met het geld dat hij kreeg. Zijn vier broers verkochten de flat in de stad en alle roerende goederen, en verdeelden het geld onderling. Åke legde beslag op het zomerhuis, maar hij kreeg een slecht geweten en bood zijn kleine broertje Konrad aan er vrijelijk over te beschikken.

Konrad had gedurende moeilijke perioden van zijn leven in het huis gewoond, maar had zich er nooit echt thuis gevoeld. Het was te ver van de stad, maar het huis ademde vooral kindertijd. Die was op zich niet ongelukkig geweest en dat was misschien wel de reden voor zijn ongenoegen. Het huis herinnerde Konrad er vaag aan dat er een ander leven bestond dan hetgene dat hij had verkozen.

De buren waren allen vlijtige, hardwerkende types. Konrad voelde hun minachting. Hij had het huis opgeknapt, het laten schilderen, zolderplaten vernieuwd en een nieuw golfplaten dak aangelegd, maar dat hielp weinig. De buren bleven afkerig. Wat ze niet wisten, was dat het zomerhuis de basis vormde voor Konrads renaissance. Het lag geïsoleerd genoeg om te worden gebruikt als overslagcentrale en was niet opgenomen in het politieregister van verdachte panden. Konrad was zelf niet betrokken bij de planning, maar was toch slim genoeg om in te zien dat zijn schamele optrekje een zekere waarde vertegenwoordigde. Hij meende dat het toeval was dat juist hij was benaderd, maar in feite was het zomerhuis het interessante object. Konrad hoorde gewoon bij de inventaris.

Hij sleepte de gasfles, de jerrycan met water en zijn tas naar boven, maakte de deur open en de zomerhuisgeur kwam hem tegemoet: een mengsel van gas, schimmel en jeugd. Hij grijnsde onbewust.

Nadat hij de nieuwe gasfles had geplaatst en de oude op de veranda had gezet, kookte hij wat water en maakte hij een kop oploskoffie, die hij met kleine slokjes opdronk terwijl hij nadacht over de vraag wanneer de volgende levering zou plaatsvinden. Het ergerde hem dat hij onwetend werd gehouden. Hij voelde zich belangrijker dan dat en wilde niet worden beschouwd als simpele loopjongen. De volgende keer zou hij er wat van zeggen.

'Waarom zit ik hier in godsnaam?' riep hij in een vlaag van scherpzinnigheid.

Hij schoof het koffiekopje zo heftig opzij dat de koffie over de rand spatte en een driehoekig plasje op het tafelzeil vormde. Hij wreef met zijn wijsvinger over het plasje en voelde plotseling een sterk verlangen om met een vrouw te slapen. Alleen maar te slapen. Om zonder gezeur met een warme vrouw aan zijn zijde in slaap te vallen.

'Ja, pa', zei hij hardop, verbaasd door de kracht van zijn eigen stem.

Hij keek om zich heen, liet zijn blik van de oude kachel over het slordig opgemaakte bed naar de ladekast glijden, waar enkele siervoorwerpen getuigden van het vroegere leven van de familie Rosenberg.

Hij schudde zijn hoofd als om het gevoel van ongenoegen kwijt te raken en stond op, onzeker waarom hij zich zo ongemakkelijk voelde.

De rijkdom waarover hij beschikte, maakte hem dronken. Hij was nooit eerder zo succesvol geweest, en dat met een minimale investering. Hij voelde zich steeds respectabeler en meende dat hij werd bejegend met meer achting dan ooit tevoren, niet alleen bij de bank, maar überhaupt. Hij had bijna het gevoel dat hij een echte baan had.

Hij begon het spul met een gevoel van weemoed in nette pakjes te verpakken.

Toen zijn tas vol was, verliet hij het huis, sloot het zorgvuldig af en reed terug naar de stad. Bij Bärby stond een jonge knul te liften.

'Koop zelf een auto', mopperde Konrad terwijl hij gas gaf.

20

'Ik weet wie hij is.'

Haar collega, Thommy Lissvall, die Lindell slechts oppervlakkig kende, kon een triomfantelijk lachje niet onderdrukken.

'Mooi', zei Lindell en ze sloeg haar notitieblok open.

'Hij is geen bekende, maar ik weet uiteraard wie hij is. Vreemd dat niemand hem nog heeft geïdentificeerd.'

'Wat heb je zelf de afgelopen dagen dan gedaan?'

'Cursus', zei Lissvall.

Hij keek Lindell aan.

'Een goede cursus', voegde hij eraan toe.

Accent uit Dalarna, dacht Lindell. Moeten die lui altijd zo ontzettend hooghartig zijn?

'Goed, zou je me misschien ook kunnen vertellen wie het is?'

'Hij woont al een hele tijd in de stad, maar zoals gezegd ...'

'Welke tent?'

Lissvall werd even van zijn stuk gebracht. Hij knipperde met zijn ogen en grijnsde naar Haver, die aan de korte kant van de tafel zat.

Het was een gok geweest. De Citygroep, waar Lissvall deel van uitmaakte, hield zich bezig met aan de horeca gerelateerde misdrijven.

'Meerdere', zei Lissvall.

'Het imperium van Slobodan Andersson dus', zei Haver plotseling en onverwacht luid. 'Want het is vast geen doorsnee-Zweed.'

Lissvall knikte.

'Een naam', zei Lindell, die het raadspelletje nu meer dan zat was.

'Armas.'

'En verder?'

'Ik weet niet hoe hij van achteren heet,' moest Lissvall bekennen, 'maar het is vast iets ingewikkelds. Ik heb nooit iets anders gehoord dan Armas.'

'En hij werkte voor Slobodan?'
'Yes.'
Lindell keek even snel naar Haver.
'Ik was pas nog bij Dakar met Beatrice', zei ze.
Lissvall grijnsde.
'Hartstikke bedankt!' zei Lindell met nadruk en ze stond op.
'Want je hebt zeker niet méér informatie?'
'Nee, niet echt', zei haar collega terwijl hij overeind kwam.
'Wat een idioot', zei Lindell toen hij de kamer had verlaten.
'Wat nu?' vroeg Haver.
Lindell keek aandachtig naar haar aantekeningen. ARMAS stond
er met koeieletters. Ze was opgelucht. Ze vond het prettig dat de
vermoorde man uit de stad kwam. Een gedumpte Stockholmer
was zo triest.
'We gaan naar de kroeg.'

De woning van Slobodan Andersson bevond zich in een honderd
jaar oud pand even ten oosten van de spoorweg. Dat was op
loopafstand van het hoofdbureau. Het was 's ochtends helder en
kil geweest maar nu, zo tegen tienen 's morgens, verwarmde het
zonnetje al aardig. Lindell móést gewoon even met haar ogen dicht
in de zon blijven staan. Ze genoot van het zonnetje en dacht aan
haar bezoek aan Dakar. Was Armas er toen geweest? Lindell kon
zich niemand van het personeel herinneren behalve de serveerster.
    Haver, die was doorgelopen, bleef staan, keerde zich om en
keek naar Lindell.
'Kom op', zei hij.
Lindell lachte. Haver kon een glimlach niet onderdrukken.
'Jij krijgt altijd een kick van een moord, hè?'
'Misschien wel', zei Lindell, en ze probeerde het dialect van
Lissvall na te doen, maar faalde daarin totaal.
'Nee, dat niet,' hervatte ze, 'maar ik doe graag iets nuttigs.'
    Ze bespraken hoe ze het gesprek met Slobodan Andersson
zouden aanpakken. Ze hadden overwogen iemand van de City-
groep mee te nemen, maar hadden daarvan afgezien. Lindell had
de restauranthouder met haar telefoontje gewekt. Of dát de reden

was dat hij verbaasd had geleken, was moeilijk te zeggen. Hij had gevraagd waar het over ging, maar Lindell had alleen gezegd dat ze even met hem wilden praten.

'Kan dat niet wachten tot vanmiddag?'

'Nee, dat denk ik niet', zei Lindell.

Nadat ze de portiekcode van Slobodan Andersson hadden gekregen en Ottosson hadden geïnformeerd, hadden ze het bureau onmiddellijk verlaten.

Slobodan Andersson ontving hen in een limegroene ochtendjas. Zijn flat, die bestond uit vijf kamers met hoge plafonds, diepe raamnissen en stucwerk, was onlangs gerenoveerd. Lindell kon de verflucht nog ruiken. Andersson vroeg hun te gaan zitten en bood hen koffie aan, wat ze afwezen.

Lindell ging zitten terwijl Haver bij het raam bleef staan.

'Tja, waar kan ik de politie mee helpen?'

Er was niets merkbaar van zijn eerdere verbazing.

Lindell keek de restauranteigenaar aan. Ze meende dat ze hem eerder had gezien. Misschien bij Dakar? Aan de andere kant had hij een opmerkelijk uiterlijk. Hij was zwaarlijvig, dat was Lindells samenvattende indruk, om niet te zeggen: dik.

Lindell schatte zijn leeftijd op rond de vijftig. Aan de middelvinger van zijn linkerhand droeg hij een gouden ring en om zijn hals had hij een brede gouden schakelketting met een amulet. Hij rook naar parfum of aftershave.

'U hebt een medewerker genaamd Armas, klopt dat?'

Even meende Lindell een verandering in Slobodan Anderssons gezicht te bespeuren die getuigde van verbazing, wellicht van ongerustheid, maar hij antwoordde met vaste stem.

'Dat klopt. Armas werkt al jaren voor mij. Hij is mijn rechterhand, zou je kunnen zeggen', zei Slobodan terwijl hij omlaag keek naar zijn eigen handen.

'Weet u waar hij momenteel is?'

Uit haar ooghoek zag Lindell hoe Haver een paar meter opschoof en nieuwsgierig bij de aangrenzende kamer naar binnen keek.

'Dat weet ik heel goed. Hij is op weg naar Noord-Spanje om met een paar collega's van mij te spreken. Zoals u wellicht weet, is de Baskische keuken vooraanstaand. Armas rijdt altijd rond om ideeën op te doen, recepten te verzamelen, lekkere wijnen te ontdekken, tja, alles wat een goede restauranthouder moet weten. Misschien zo'n zalig kaasje meepikken daarvandaan.'

'Wanneer is hij vertrokken?'

'Gisteren. Hij is met de auto. Is er iets gebeurd? Een botsing?'

'Nee, het is helaas veel ernstiger', zei Lindell. 'Het spijt me om het te moeten zeggen, maar Armas is dood.'

Slobodan Andersson viel achterover op de bank en staarde haar met een niet-begrijpende blik aan.

'Dat kan niet', zei hij uiteindelijk.

'We hebben nog geen definitieve identificatie, maar alles wijst erop dat hij het is. Heeft hij een gezin?'

Slobodan schudde zijn hoofd.

'Geen familie?'

'Nee, we waren met ons tweeën, hij en ik', zei Slobodan zacht.

'Zou u uw vriend wellicht kunnen identificeren? Zoals u zult begrijpen moeten we honderd procent zekerheid hebben.'

Is het een stel? dacht Lindell. Nou ja, dat zou dan wel blijken. Ze pakte een foto van de overledene. Het was een foto die de toeschouwer gedeeltelijk spaarde omdat hij net onder de kin was afgesneden. Slobodan wierp een snelle blik op de foto en knikte.

'Hoe is hij overleden?'

'Hij is om het leven gebracht', zei Lindell.

'Hè?'

'Hij is vermoord.'

Slobodan stond haastig op, liep naar het raam en bleef daar staan. Ze hoorden een trein langskomen. Ze wisselde een vluchtige blik met Haver.

Er verstreek een minuut, misschien twee. Het enige wat je hoorde, was het gepingel van de spoorbomen bij de overgang. Er was een volgende trein in aantocht.

'Waar?' siste Slobodan.

'Dat weten we nog niet precies', zei Haver, die voor het eerst wat zei. 'U hebt misschien in de krant gelezen ...'

'Ik lees geen kranten!'

Het gepingel was opgehouden.

'Wie?'

'Dat weten we ook nog niet, maar we hopen dat u ons kunt helpen', zei Lindell.

Het bleek dat de woning van Armas zich in hetzelfde pand bevond. Slobodan had reservesleutels en Lindell belde Ottosson, die zou zorgen dat er technisch rechercheurs ter plaatse kwamen. Na twintig minuten werd er gebeld. Lindell keek Haver aan en hij deed open. Lindell liep een stukje naar opzij zodat ze vanaf de deur niet te zien was. Ze hoorde Haver enkele woorden wisselen met Charles Morgansson.

Een uur later verliet Lindell in gezelschap van de restauranthouder diens woning voor de identificatie van Armas, terwijl Haver naar het appartement van Armas ging. Op die manier hoefde ze Charles ook niet te zien.

'Die tatoeage?' was het eerste wat Ottosson vroeg toen Ann Lindell zijn kamer binnenstapte.

Lindell moest lachen en ging tegenover hem zitten.

'Slobodan meende dat het een zeepaardje of een ander beest was, en dat klopt met het stukje dat er nog zit. Ik vond al meteen dat het op een voet leek. Hij wist niet wanneer Armas zich had laten tatoeëren. Armas had die tatoeage volgens Slobodan altijd al.'

'Hebben jullie verteld dat hij was verwijderd?'

'Nee, ik heb alleen gevraagd wat hij voorstelde.'

'We nemen een kop koffie', zei Ottosson. 'Ik heb een paar broodjes kaas en berlinerbollen gekocht.'

Hij keek content. Lindell vermoedde dat hij, net als zijzelf, blij was dat de identiteit van de man was vastgesteld en dat het slachtoffer uit Uppsala kwam. Dat vereenvoudigde het onderzoek aanzienlijk.

Tijdens de koffie informeerde Lindell Ottosson over de belangrijkste feiten. Slobodan Andersson en Armas waren tegen vieren uit elkaar gegaan. Armas zou een paar uur gaan slapen om daarna naar Spanje te vertrekken. Volgens Slobodan reed hij graag 's nachts. Hij had een blauwe BMW X5 van het model van vorig jaar. Armas zou veertien dagen wegblijven. Slobodan beschreef het geheel als een gecombineerde vakantie- en zakenreis.

'Maar helemaal met de auto naar Spanje?' vroeg Ottosson.

'Armas had vliegangst.'

Ottosson knikte. Lindell wist dat Ottosson die angst deelde.

Slobodan zag geen enkel motief voor de moord. Armas was een eenling, ging in principe met niemand om, had volgens Slobodan met niemand ruzie en Slobodan vertelde dat hij zich moeilijk kon voorstellen dat Armas er een geheim leven op na hield dat Slobodan niet kende.

'Hij leefde in en voor die restaurants', vatte Lindell samen.

'Een voorbeeldig iemand, dus', zei Ottosson. 'Geld?'

'Slobodan meende dat hij maximaal twee-, drieduizend kronen aan contanten bij zich had. Hij was misschien bij Forex geweest voor wat euro's. Dat moeten we checken. Fredriksson heeft ervoor gezorgd dat zijn creditcards en bankpasjes zijn geblokkeerd. We krijgen gegevens over eventuele opnamen.'

Lindell keek op haar horloge.

'De crèche?'

'Geen paniek', zei Lindell. 'Görel haalt Erik vandaag op.'

'Die auto?'

'Zou niet zo moeilijk te vinden moeten zijn. Ik geloof niet dat hij in zijn flat is vermoord. Het zag er heel normaal uit, exemplarische orde, volgens Haver.'

'Té schoon?'

'Nee, maar ik denk dat Armas een pietje precies was.'

'Zullen we een babbeltje gaan maken met de Citygroep?'

'Ja, maar niet met die figuur uit Dalarna, Lisskog, of hoe hij ook heet.'

'Lissvall', grijnsde Ottosson. 'Hij heeft een tijdje bij Fraude gezeten, maar daar raakten ze uitgekeken op hem.'

Lindell leek haar collega al verdrongen te hebben en ging door met haar uiteenzetting. Toen ze klaar was, spraken ze over het verdere onderzoek en wat prioriteit moest krijgen.

Fredriksson zou de interne opsporing coördineren. Het leven van Armas moest uiteraard in kaart worden gebracht en Slobodan moest worden doorgelicht.

Berglund en Beatrice zouden de verhoren van de medewerkers bij de restaurants voor hun rekening nemen.

'Mooi! We hebben hem volgende week dinsdag te pakken', zei Ottosson overtuigd.

Lindell knikte.

'Bedankt voor het lekkers. Dat was lief van je.'

Ottosson vond het zoals gebruikelijk gênant dat hij een schouderklopje kreeg.

21

Pas toen Eva Willman de volgende ochtend wakker werd, abrupt, alsof ze uit een boze droom was ontwaakt, zag ze de strekking in van wat er de laatste twee dagen was gebeurd.

Ze stelde zich plotseling haar zoon voor als een misdadiger, een jeugddelinquent die spoedig verstrikt zou raken in een jungle van criminaliteit en verslaving.

'Nee', hijgde ze, ze zonk weer achterover in het kussen, trok het dekbed dichter om zich heen en keek op de wekker. Half zes.

Het leven kent geen garanties, geen verzekeringen die je schadeloos stellen. Dat wist ze al lang, maar nu was het of de werkelijkheid, de realiteit waarover in de krant werd geschreven en waarover op tv werd gesproken, op haar af kwam stormen. Ieder mens neemt zijn eigen beslissingen, hoe gek die ook mogen lijken, hoe onwaarschijnlijk ze ook door de omgeving worden ervaren.

Welke beslissingen had Patrik genomen? Ze had geen idee. Ze had altijd gedacht dat ze zulke dingen wel wist, maar zag nu met hervonden en overweldigende wijsheid in dat haar invloed beperkt was. Misschien dat ze gisteravond tot hem was doorgedrongen, tijdens hun gesprekje bij de volkstuintjes, maar hoelang zou dat nog duren?

Wie beslist over ons? dacht ze. Plotseling leek het leven haar zo onvolledig en onvoorspelbaar. Haar huwelijk met Jörgen, twee kinderen vrij snel achter elkaar, toen de scheiding, het werk bij de posterijen, haar ontslag, de vreugde over een nieuwe baan, maar voor hoelang? En dan nu dat gedoe met Patrik. Tot nu toe had hij geen vlieg kwaad gedaan en zich bij ruzies altijd teruggetrokken. Natuurlijk kibbelde hij weleens met Hugo, maar dat duurde nooit zo lang. In de onder- en tussenbouw had hij vaak geklaagd dat anderen ruziemaakten. Hij kon niet tegen bloed, bloedprikken was voor hem een crime. Nu was hij bloederig thuisgekomen, bovendien verdacht van mishandeling.

Ze stond op en haalde de krant, bladerde hem snel door om te zien of er iets over de gebeurtenissen van gisteren in stond. Op pagina vier zag ze een kort artikel. De kop luidde: 'Nieuwe gewelddadigheden in Sävja'.

'Een tweeënveertigjarige man is gisteren in de wijk Sävja in Uppsala-Zuid neergestoken. Het is de meest recente gebeurtenis in een lange reeks opmerkelijke, gewelddadige incidenten in het stadsdeel. Vorige week nog werd een jonge vrouw mishandeld en in januari is een bus beschoten. De man, die afkomstig is uit Uppsala, was op bezoek in Sävja toen hij zonder redenen door enkele jonge mannen werd aangevallen. Volgens de politie probeerde de man te vluchten, maar werd hij in de buurt van de Stordammenschool omsingeld, waarna hij in zijn buik werd gestoken en op diverse plaatsen werd geschopt. Zijn toestand is ernstig maar niet levensbedreigend.'

Dat was alles. Eva vermoedde dat de krant de gegevens pas zo laat had binnengekregen dat ze niet uitvoeriger hadden kunnen schrijven. De krant van morgen zou zeker meer details bevatten.

Ze las het artikel nogmaals. 'Enkele jonge mannen.' Patrik was geen man, hij was een jongen, een tiener die twee, drie jaar terug nog sleetjereed en stripboeken las.

Ze kreeg een impuls om uit de wijk te vertrekken. Ergens te gaan wonen met haar zonen waar er geen 'opmerkelijke, gewelddadige incidenten' plaatsvonden. Maar waar was dat? Bestonden die plaatsen überhaupt?

Vanuit het keukenraam kon ze zien hoe de mensen in de binnentuin wakker werden, sommigen zaten te ontbijten terwijl ze ondertussen naar de ontbijttelevisie keken, anderen waren al op weg naar hun werk. Ze zag de man van Helen een sprintje trekken naar de parkeerplaats. Hij was zoals gewoonlijk aan de late kant.

Ze bedacht weer eens hoe geïsoleerd de bewoners van de wijk leefden, gescheiden als door onzichtbare muren. Hoewel ze buren waren, waren ze vreemden voor elkaar. Ze deelden niet elkaars lasten. Mensen die misschien al tien jaar op dezelfde verdieping woonden en nog nooit een voet bij de naaste buren binnen hadden gezet. Ze kenden elkaar van naam, maar dat kon net zo goed een nummer zijn, een cijferaanduiding. Degenen die op nummer zeven woonden, konden doorgaan voor 7:1, 7:2, 7:3, enzovoort.

Zelf zou ze 14:6-1 zijn, Patrik 14:6-2 en Hugo 14:6-3. Dat zou eenvoudiger zijn, althans voor de overheidsinstanties. Ze zouden de cijfers op hun voorhoofd kunnen schrijven.

Ze glimlachte om haar absurde ideeën terwijl ze het ontbijt klaarzette.

Ze hadden één keer een front gevormd. Dat was toen de stichting een deel van de speelplaats weg wilde halen om er een vuilnishok neer te zetten. Toen waren ze bij elkaar gekomen en hadden ze besloten om te gaan protesteren. Helen was het actiefst geweest, was met lijsten rondgegaan en had in de trappenhuizen pamfletten opgehangen. Je kon zeggen wat je wilde over Helen, maar ze was niet bang uitgevallen. Ze kwam in de krant. Het knipsel hing nog steeds op de koelkastdeur.

Eva ging weer voor het raam staan maar ergerde zich aan het beperkte uitzicht. Ze zag alleen een binnentuin, een paar flats en op de achtergrond een strookje bos, in feite niet meer dan een paar kale sparren. Volgens mij wil de mens ver kunnen kijken, dacht ze, dan krijg je perspectief op het bestaan en kun je dingen achter jezelf ontdekken. Ze herinnerde zich een bezoek aan Flatåsen in de bossen van de provincie Värmland, bij haar grootouders. Hoe haar opa haar had meegenomen naar een berg, hij noemde het zelf 'de fjell', van waar ze kilometers ver over bossen en meren konden kijken. Haar opa was voor de verandering niet luidruchtig geweest. Hij had dorpen aangewezen en stukken bos waar hij in zijn jeugd hout had gehakt.

Eva, die toen een tiener was, had nooit eerder zo'n groot gebied tegelijk gezien. Ze bleven een hele tijd boven. Dat was de dierbaarste herinnering aan haar opa, de anders zo korzelige, bij tijden gealcoholiseerde communist, die in zijn bitterheid niemand vertrouwde, en niets meer waardevol achtte.

'Alles is tegenwoordig shit', riep hij altijd als hij voor de tv zat.

De gedachten duizelden in haar hoofd. Haar gebruikelijke ochtendeffectiviteit was verdwenen en het duurde een half uur voor ze de tafel had gedekt, koffie had gezet en de vaatwasser had uitgeruimd.

Ze meende dat ze iets belangrijks op het spoor was. Misschien zou ze met Johnny bij Dakar moeten praten, of misschien wel met Feo, iemand van buiten de wijk. Helen zou meteen gaan schreeuwen over die en die knul.

Op hetzelfde moment ging de telefoon. Ze nam onmiddellijk op, ervan overtuigd dat het de politie was.

'Hoi, ik zag dat je op was.'

Het was Helen, ze moest Eva voor het raam hebben zien staan.

'Ik hoorde over gisteravond. Echt iets voor de tuut, om Patrik de schuld te geven. Volgens mij kunnen ze beter bij die anderen gaan neuzen.'

Wat Helen bedoelde met 'die anderen' was niet zo moeilijk te raden. Eva klemde de hoorn vast onder haar kin, pakte een beker en schonk koffie in.

'Ze wilden alleen maar met hem praten', zei Eva.

'Gelul. Zij beslissen dat het zo is en verspreiden vervolgens allerlei leugens. Je had moeten horen wat Monica gisteravond zei.'

Dat wilde Eva helemaal niet weten.

'Wat zegt Patrik ervan?'

'We hebben nog niet zo veel met elkaar gesproken', zei Eva en ze begon te snikken.

'Ik kom naar je toe', zei Helen.

'Nee, niet doen. Later misschien. Ik moet eerst met de boys praten.'

Ze braken het gesprek af en Eva bleef met haar handen om de koffiemok zitten. 'De beste moeder van de wereld' stond erop.

22

Voor het eerst sinds die eerste maanden in Malmö, als zestien-
jarige, met 'dat Duitse varken' boven zich, was Slobodan zeer ongerust.

Dat gevoel van onbehagen was niet prettig, het straalde uit van
een punt ter hoogte van zijn navel. Hij schrok nóg meer toen hij
ontdekte waaruit zijn ongenoegen daadwerkelijk bestond: pure
angst.

Een gevoel dat hij, sinds hij de Malmöse restaurantbaas had
afgetuigd, aan anderen had voorbehouden. Deze keer ontdekte hij
de macht van de angst. Het scherp aangezette fileermes in de buik
van die Bratwurst, slechts twee of drie centimeter, maar voldoende
om het bloed op de tegelvloer te laten sijpelen en de angst in de
ogen van de Duitser te doen opvlammen.

De wetenschap dat hij vanaf nu alleen zou zijn, maakte hem
krankzinnig. Er was maar één Armas en die lag nu naakt in een
koelvak. Bovendien was Slobodan machteloos. Toen hij inzag dat
de politie Armas' appartement aan het doorzoeken was, begon hij
meteen na te denken over een tegenaanval, maar hij wist tot zijn
verbazing niet hoe die eruit zou moeten zien. Hij was in handen
van de politie.

Nu was hij niet erg ongerust dat de politie bewijzen van hun
activiteiten in het appartement zou vinden. Zo slim was Armas wel
geweest. Maar ondanks zijn uitgesproken veiligheidsmaatregelen
en voorzichtigheid bestond er een risico. Een telefoonnummer,
snel neergekalkt op een krant, een naam in een adresboek of iets
anders wat de politie verder kon leiden.

Slobodan dacht intensief na over de vraag of hij zelf iets com-
promitterends in zijn huis of in de restaurants bewaarde, maar hij
kon niets verzinnen. Hij begreep dat de politie niets aan het toeval
zou overlaten in de jacht op de moordenaar van Armas. Ook
hijzelf zou worden gescreend. Dat had hij uit de vragen van de
politievrouw wel begrepen.

Hij nam onmiddellijk zijn adresboek onder de loep, bladerde zijn gemaakte aantekeningen door, keek in alle laden van het bureau. Daarna stond hij langdurig, zwetend en dom voor zich uit te staren, te piekeren, om zich iets te herinneren wat zijn vrijheid in gevaar zou kunnen brengen.

Bij Dakar of Alhambra was het risico kleiner, want daar hield Armas de zaak draaiende. Slobodan kende niemand die zo voorzichtig was als Armas. Maar nu was hij toch in de problemen gekomen. Het was een bijna onmenselijke opgave om hem een loer te draaien, maar nu was iemand hem blijkbaar toch te slim af geweest.

Hij dacht aan het laatste dat ze samen hadden gedaan, de computer vervangen. Had Armas een vermoeden gehad dat er iets ophanden was? Had hij zich bedreigd gevoeld? Had hij niet iets gezegd over gaten die moesten worden gedicht? Had hij gedoeld op Rosenberg? Armas was lange tijd verbitterd geweest over Rosenbergs losbandige levensstijl. Hij had zijn leven weliswaar gebeterd nadat Armas hem erop had aangesproken, maar Slobodan wist dat als hij zou mogen kiezen, ze Rosenberg zouden skippen.

'Die gasten begrijpen maar één taal', had Armas gezegd.

De onzekerheid kwam sluipend. Had Armas wellicht toch iets voor hem verborgen gehouden? Slobodan wuifde die gedachte weg. Armas was zijn vriend geweest. Zijn enige vriend. Ze zouden elkaar niet kunnen verraden.

Wat had Lorenzo over Armas gezegd? 'Veelzijdig.' Ze kenden elkaar uit hun jeugd. Hun jeugd, wat was dat voor gelul? Dat was een vreemd woord als het om Armas ging. Hij had het nooit over zijn kinder- en tienertijd gehad. Slobodan had de indruk dat Armas nooit jong was geweest.

En zou deze Lorenzo dingen over Armas weten die hijzelf niet wist? Veelzijdig? Wat bedoelde hij daarmee, verdomme?

Slobodan drentelde rond in zijn flat. Er ontstonden zweetplekken onder zijn armen. De pijn op zijn borst, die het laatste jaar bij tijd en wijle aanwezig was geweest en ook weer was verdwenen, nam toe tot een druk die maakte dat hij diep adem moest halen.

Plotseling ging de telefoon. Dat is Armas, dacht hij even. Er waren er maar weinig die Slobodan thuis belden: Armas, Oscar Hammer, soms Donald bij Dakar en nog een paar.

Hij liet hem rinkelen. Tegen zijn wil dronk hij een grappa. Hij dwong het scherpe goedje naar binnen in een poging om in balans te komen.

'Het is niet eerlijk', mompelde hij en hij dacht daarbij niet aan het lot van Armas, maar aan de verknalde levering in San Sebastián. Hij begreep dat die verloren was en er was geen alternatief plan. Het zou bovendien waanzinnig zijn om nu überhaupt iets te gaan verzinnen.

Hij zette de laptop aan, keek de mailtjes door die er nog in zaten en besloot de computer onmiddellijk van de hand te doen. Er zou weliswaar veel informatie verloren gaan, want hij wist niet hoe hij de ongevaarlijke files zou kunnen redden, maar de onzekerheid over wat er in het binnenste van de computer verborgen zou kunnen zitten maakte de laptop tot een dreiging.

Nadat hij nog een grappa had gedronken, belde hij een taxi en verliet hij de flat. Hij nam de laptop in de laptoptas mee.

Eenmaal buiten in de frisse lucht voelde hij zich onmiddellijk beter. De pijn in zijn maagstreek nam af en hij zag met voldoening hoe de taxi voorreed; bijna verrast dat er nog iets werkte zoals vroeger.

Hij gebood de chauffeur naar het afvalpunt in Libro te rijden. Daar was hij eerder geweest met Armas om oud papier en rommel van de restaurants weg te brengen. Hij vroeg de taxi te wachten, keek om zich heen of niemand hem zag en sloeg de computer een paar keer tegen de rand van de container voordat hij hem tussen een oude archiefkast en metaalschroot dumpte.

Hij blies uit en stond even helemaal stil. Uit zijn ooghoek zag hij een medewerker dichterbij komen. Als je klachten hebt, ga je eraan, dacht hij, maar de man keek hem onverschillig, met vermoeide ogen aan.

Slobodan keerde met de lege laptoptas terug naar de taxi en vroeg de chauffeur hem naar Alhambra te rijden. Terwijl hij uitgeput op de achterbank achteroverzonk, vroeg hij zich af of hij

Rosenberg moest bellen, maar hij besloot af te wachten. Dat zou Armas hebben gedaan, dacht hij en hij begreep, opeens zeer verdrietig, hoe erg hij hem zou gaan missen.

23

Eva en Patrik stonden te wachten bij de receptie van het hoofdbureau van politie. Patrik ging zitten terwijl Eva om zich heen keek. Tegenover de ontvangstbalie hing een kunstwerk dat een gigantisch mannenhoofd voorstelde. Eva vond het grotesk en ze vroeg zich af wat de beweegredenen waren geweest om de bezoekers met zo'n afschrikwekkend iets te verwelkomen.

Ze keek op haar horloge. Barbro Liljendahl had elf uur gezegd en het was nu tien over. Ze liep naar Patrik toe, die in elkaar gedoken op een stoel zat.

'Ze komt vast zo', zei Eva.

Patrik keek haar niet aan en zei niets. Hij staarde mat voor zich uit. Hoe kan hij zo rustig zijn? dacht ze.

Om kwart over elf verscheen Barbro Liljendahl. Ze verontschuldigde zich maar Eva verdacht haar ervan dat ze hen bewust had laten wachten.

Ze had altijd moeite met vrouwelijke politieagenten. Vrouwen en uniformen pasten niet bij elkaar. Ze had pas een reportage op tv gezien over Amerikaanse soldaten in Irak en er waren twee vrouwen in die groep. De ene heette Stacey. Ze had zeer zelfverzekerd over hun 'missie' gesproken: de boel opruimen in een dorpje buiten Tikrit. Ze beschreef de opdracht of het om het verdelgen van ratten of andere ongediertebestrijding ging. Alsof ze waren uitgezonden door Rentokil. Onder de onevenredig grote helm straalde een zelfverzekerd gezicht. Ze kauwde op kauwgom en er was geen twijfel in haar ogen zichtbaar, alleen een onrustbarende overtuiging.

Eva en Patrik werden naar een klein kamertje geleid. Liljendahl nam plaats aan het bureau dat op een map en vijf paperclips op een rijtje na leeg was, en nodigde hen uit tegenover haar plaats te nemen. Eva overwoog te blijven staan, maar zag in dat zo'n reactie erg kinderlijk zou zijn.

Barbro Liljendahl deed de map open, maar bedacht zich onmiddellijk en deed hem weer dicht. Ze keek Patrik een ogenblik aan voordat ze zich tot Eva richtte.

'Fijn dat u bent gekomen', zei ze en Eva gaf haar een bijna onzichtbaar knikje.

'Dit is een vervelende geschiedenis', vervolgde ze. 'Ik hoop dat u begrijpt dat dit wat ongemakken met zich mee kan brengen.'

Eva dacht aan de politieauto voor de deur en alle kinderen die eromheen hingen.

'Eergisteren was er een melding van een mishandeling. Drie getuigen hebben opgegeven dat ze hebben gezien hoe een man door een groep jongeren werd mishandeld, het is onduidelijk hoe groot die groep was. Het kunnen drie, misschien vier jongelui zijn geweest, daarover verschillen de gegevens. Van die mishandeling is nooit aangifte gedaan, het slachtoffer heeft de plaats van de mishandeling zelfstandig verlaten en toen wij ter plaatse kwamen, was het rustig.'

Ze leunde voorover en richtte haar aandacht op Patrik.

'Heb jij over die mishandeling gehoord?'

Patrik schudde zijn hoofd.

'Er moet in de wijk toch over zijn gesproken? Er was niemand die jij kende bij betrokken?'

'Nee', wist Patrik uit te brengen.

Zijn stem was hees en hij keek Eva snel aan voordat hij zijn blik weer op de grond vestigde.

'En dan gisteravond. Het werd toen al meteen grimmiger. Een man, maar we denken niet langer dat het dezelfde man was als de avond ervoor, is neergestoken met naar wij denken een mes. Hij is in zijn buik geraakt en heeft bovendien letsel opgelopen aan zijn hals en aan zijn rechterarm. Hij heeft nogal wat bloed verloren.'

De stilte in de kamer was een paar seconden compact, voordat de politievrouw verderging.

'Hij overleeft het, maar wij beschouwen dit als een poging tot moord.'

Patrik tilde zijn hoofd op en keek Barbro Liljendahl aan.

'En wat heeft dat met mij te maken?' vroeg hij toonloos.

De agente zuchtte onbewust en Eva had even last van gewetenswroeging.

'We zeggen niet dat jij erbij betrokken was, maar misschien dat jij iets weet wat van belang kan zijn.'

Patrik schudde zijn hoofd.

'Het hoeft niet naar buiten te komen dat jij met ons hebt gesproken.'

Gelul, dacht Eva. Patrik zei niets.

'Hoe kom je aan die verwondingen in je gezicht?'

Zijn lip was nauwelijks nog gezwollen en de wond op zijn voorhoofd was onder zijn pony amper te zien.

'Ik ben gevallen', zei Patrik. 'Tijdens het skaten.'

Eva wist dat hij loog, maar was niet in staat wat te zeggen. Trut, dacht ze, wat weet jij van ons?

'Is dat langgeleden?'

'Een paar dagen.'

Liljendahl knikte.

'Je broer,' zei ze na een moment van stilte, 'denk je …'

'Wat is er met hem!?'

Eva staarde naar de vijf paperclips voor haar om te voorkomen dat ze de politievrouw in een aanval van onbeheerste woede te lijf zou gaan.

'Waarom moet u Hugo erbij betrekken?' wist ze uit te brengen.

'Ik vroeg me af of hij misschien informatie had, of hij misschien iets heeft gezien of gehoord?'

Ze bedreigt me, dat stomme wijf, dacht Eva. Ze wil ons gezin kapotmaken. Eva moest plotseling aan Jörgen denken en werd nóg kwader. Die idioot zou nu hier moeten zijn en zijn verantwoordelijkheid moeten nemen. Hoewel dat geen verschil zou maken. Hij zou alleen maar gedienstig willen zijn en aan één stuk door kletsen.

'Had hem dan ook opgeroepen', zei ze en ze zag het ongenoegen in het gezicht van de politieagente.

'Er is geen reden om u op te winden', zei ze.

'O nee?' zei Eva. Het onbehaaglijke gevoel om zich achter een leugen te verschuilen, haalde haar gevoel van kwaadheid in en ze zweeg abrupt. Ze bloosde en keek omlaag.

Barbro Liljendahl deed de map met een zucht open. Eva keek toe terwijl ze het bovenste papier van een stapel doorlas. Op sommige velletjes zaten verschillend gekleurde paperclips. Eva was bang voor de map, om wat hij kon bevatten. Het was alsof hij het toekomstige lot van Patrik en Hugo en haarzelf bezegelde.

Ik ben vandaag vrij, dacht ze opeens, en de woede vlamde weer op.

'Jij kent een jongen die Zero wordt genoemd, hè?'

Patrik knikte.

'We houden hem al een tijdje in de gaten. Zoals je weet is hij wat, eh ... onrustig.'

'We hebben samen gevoetbald', zei Patrik spontaan. 'Vroeger. Hij was ...'

'Ja, wát?'

'Nee, laat maar.'

Barbro Liljendahl keek hem even aan voor ze verderging.

'Wij denken dat hij zich bezighoudt met drugs. Weet jij daar iets van?'

'Cocaïne en ecstasy', voegde ze er na een lange, onrustbarende stilte aan toe.

Eva draaide haar hoofd om en staarde haar zoon aan.

'Wist je daarvan?' vroeg ze heftig.

Patrik schudde zijn hoofd.

'Je liegt!' schreeuwde Eva.

Patrik keek op. Angst en verbazing spiegelden zich in zijn gezicht. Eva sprak maar zelden met stemverheffing.

'Ik weet niets', zei hij zachtjes. Maar Eva kon uit zijn trekken aflezen dat hij spoedig zou gaan praten.

'Misschien kunt u ons even alleen laten', zei Barbro Liljendahl, en Eva meende eerst dat ze Patrik bedoelde, voordat ze begreep dat het de bedoeling was dat zíj de verhoorkamer zou verlaten.

Ze keek naar Patrik, die bijna ongemerkt knikte. Eva stond vol gemengde gevoelens op en verliet de kamer zonder wat te zeggen.

24

Op een andere verdieping in het hoofdbureau zat de 'denktank', zoals Ottosson de groep noemde. Deze bestond uit Ann Lindell, bijna veertig, die na een reeks opmerkelijke onderzoeken de wellicht bekendste politiefunctionaris van de stad was; Ola Haver, even oud, een twijfelaar, soms gelukkig getrouwd met Rebecka, op andere momenten verlamd van onzekerheid over hoe hij zijn leven wilde inrichten; Berglund, wiens voornaam al lang vergeten was, de veteraan die door iedereen in stilte werd bewonderd om zijn wijsheid; Allan Fredriksson, de gokker en vogelaar, een bekwaam onderzoeker maar wat te ongeorganiseerd om topklasse te zijn; Beatrice Andersson, wellicht de beste psychologe onder hen, bikkelhard volgens de seksisten in het pand, en dan Ottosson, de chef, die door iemand bij Narcotica weleens 'de Kaars' werd genoemd omdat hij echte kaarsen altijd zo gezellig vond.

Ottosson schonk koffie in en Beatrice legde geglazuurde gebakjes op een schaal. Lindell moest lachen.

'Je bent onmogelijk, Otto', zei ze.

Ottosson wreef over zijn buik.

'Je moet goed voor jezelf zorgen', zei hij.

Berglund leunde voorover en kaapte een gebakje weg.

'Zullen we beginnen?' vroeg Fredriksson, die voor de verandering de discussie op gang bracht.

'Tuurlijk, tuurlijk,' zei Ottosson, 'ga je gang. Begin jij maar, Allan, en vertel over die flat.'

'Bijna klinisch schoon, zo zou je het kunnen samenvatten. Er waren drie series vingerafdrukken. Buiten die van Armas die van Slobodan en van een derde persoon. Die van Slobodan zaten overal, in de badkamer, de keuken en op een marmeren vensterbank. De afdrukken van de onbekende zijn gevonden op een videoband, die op de tv lag.'

'Wat stond erop?'

'Porno', zei Allan.

'Dus Armas zat met een dame porno te kijken?' vroeg Ottosson.

'Volgens mij was het een man,' zei Allan, 'het was een homofilm.'

Lindell glimlachte bij zichzelf. Ze kon echt horen dat Allan dat afstotelijk vond.

'Aha', zei Haver. 'Dus die Armas …'

'Als ik even door mag gaan, dan kunnen we straks wel speculeren', onderbrak Fredriksson zijn collega. 'Verder was het, zoals gezegd, schoon. Niets opzienbarends, niets verstopt. Geen wapens, contanten, papieren of wat dan ook. Ik heb een telefoonboekje doorgenomen dat we hadden gevonden en dat bevat voorzover ik heb begrepen geen sensaties. Zo'n dertig namen, de meeste met banden met de restaurantbranche. Ze zijn er nog niet helemaal mee klaar, maar ik geloof niet dat we daar iets geks zullen vinden.'

Fredriksson bladerde wat verder in zijn notitieblok voor hij doorging.

'Voor wat betreft videobanden, er waren er wel honderd. Schönell is ze momenteel aan het bekijken. Het zou kunnen dat er ergens een privé-opname in een gewone cassette verstopt zit. Hij is daar vanavond wel mee klaar. Ongelukkigerwijs is er vannacht een tand bij hem afgebroken, dus hij moet ook nog naar de smoelensmid. Hij droomde zeker …'

'Oké,' zei Ottosson, 'dat homospoor is dus het enige uit de woning wat van belang is, als ik je goed begrijp, Allan?'

Fredriksson knikte.

'Berglund?'

'We hebben met de meeste personeelsleden van Dakar en Alhambra inleidende gesprekken gevoerd, in totaal zeventien personen. Er missen er een paar. Eentje is op vakantie, een ander is naar een begrafenis, een derde krijgen we niet te pakken, en een vierde komt voor in verband met een ander onderzoek, maar dat is denk ik toeval. Ze heet Eva Willman en haar tienerzoon kan betrokken zijn bij die steekpartij van een oude klant van ons, gisteravond in Sävja. Barbro Liljendahl houdt zich daarmee bezig.'

'Controleer dat', zei Ottosson en Berglund keek hem langdurig aan voor hij verderging.

'Het is het gebruikelijke beeld, sommigen werken er al jaren, anderen tijdelijk, vooral wat het bedienend personeel betreft. Als we het uitbreiden naar medewerkers van de laatste jaren, komen er zo'n tien, vijftien personen bij. Als we de artsen geloven en ervan uitgaan dat Armas gistermiddag laat of vroeg in de avond, voordat hij werd gevonden, is overleden, hebben de meesten een alibi. Ze waren aan het werk. De rest wordt gecheckt.'

Berglund vertelde wat de verhoren verder hadden opgeleverd. Iedereen was uiteraard geschokt. Niemand van het personeel kon zich een vanzelfsprekend motief voor de moorden indenken.

'Wat zeiden ze over zijn karakter, wat voor iemand was hij?' vroeg Lindell.

'Zwijgzaam. Hij was een rustig type, maar wat ik ervan begreep, had hij een hoop in de melk te brokkelen. Een van de barjongens bij Alhambra zei dat hij altijd wat onzeker werd als Armas in de buurt was. Armas hield de boel in de gaten, maar zei zelden iets, Slobodan Andersson was degene met de grote bek.'

'Dronk hij veel?'

'Hij was in principe geheelonthouder', zei Berglund.

'Iets over de homoscene?' vroeg Haver.

Berglund schudde zijn hoofd.

'Niemand kon een vriendin van hem noemen. Maar als hij een bekende nicht was, was dat wel naar voren gekomen.'

'Kun je naar homofilms kijken zonder homo te zijn?' vroeg Beatrice.

De anderen keken elkaar aan, Haver moest lachen.

'Nou?' vroeg Beatrice.

'Nee,' besloot Haver, 'dat kan ik me moeilijk voorstellen; wat jij, Allan?'

'Daar heb jij meer kijk op', zei Fredriksson met een grimas.

'Een stille, "hard als graniet", zoals een kok het uitdrukte, dronk uiterst zelden, "plichtsgetrouw" volgens een ander, niet bevriend met anderen behalve met Slobodan', vatte Berglund samen.

'Homo in de kast', voegde Haver eraan toe.

'Jij vindt dat wel leuk hè, dat homogedoe?' merkte Allan Fredriksson op.

'Ja, dat is helemaal mijn ding', zei Haver en hij grijnsde breeduit naar zijn collega.

'Er is een knul,' hernam Berglund het woord, 'hij heet Olaf González, maar hij wordt blijkbaar Gonzo genoemd.'

'Dat is toch geen naam', zei Fredriksson.

'Noorse moeder, Spaanse vader', zei Berglund, die er een hekel aan had te worden onderbroken. 'Hij werkt al een paar jaar bij Dakar, maar is blijkbaar een paar weken geleden ontslagen. Volgens de anderen was er een conflict tussen hem en Armas en dat heeft tot dat ontslag geleid. Niemand weet er het fijne van. Volgens González heeft hij zelf ontslag genomen, was hij die fascist Slobodan zat. Maar hij heeft niets negatiefs over Armas gezegd.'

'Dat moeten we opnemen met Slobodan,' zei Ottosson, 'maar het lijkt me stug dat je iemand de keel doorsnijdt omdat je je congé krijgt.'

'We weten niet wat erachter zat', zei Berglund.

'Zwart geld?' stelde Beatrice voor.

'Dat heb ik gecheckt met de Citygroep en zij zeggen dat Slobodan zich de laatste jaren voorbeeldig heeft gedragen.'

'De tatoeage', zei Lindell.

'Er was er maar één die hem had gezien en hij kon niet vertellen wat die tattoo voorstelde. Hij dacht dat het een soort dier was.'

'Had Armas wat over die tatoeage gezegd?'

'Die jongen had niets gevraagd, hij had hem toevallig een keer gezien toen Armas een ander T-shirt aantrok.'

'Zeer geheimzinnig', zei Ottosson.

Zo gingen ze nog een half uur door. Was Slobodan een eventuele dader of aanstichter van de moord? Lindell meende van niet gezien zijn reactie toen hij van Ola Haver en haar had moeten horen dat Armas was overleden. Bovendien had ze het idee gekregen dat Slobodan en Armas écht goede vrienden waren, dat Slobodans shock oprecht was.

Kan het zoiets simpels zijn als roofmoord? dacht Lindell. Volgens Slobodan droeg Armas altijd een gouden horloge en aan zijn linker middelvinger een gouden ring. Hij kan zijn gezien toen hij geld aan het wisselen was, zijn achtervolgd en vervolgens zijn vermoord. Ze legde haar theorie voor maar wees hem zelf meteen weer af. Dat klopte niet met het verwijderen van de tatoeage.

'Hebben we waarnemingen bij Forex?' vroeg Ottosson.

'Hij staat op de bewakingscamera. Dat was om 16.56 uur,' zei Lindell, 'en we weten dat hij vijfduizend kronen in euro's heeft gewisseld.'

'Je kunt voor minder in elkaar worden geslagen', zei Fredriksson.

'Hoe gaan we verder?' vroeg Ottosson terwijl hij luidkeels gaapte.

'Ik neem Slobodan', zei Lindell. 'Berglund gaat verder met de verhoren. Ola, kun jij dat homospoor uitpluizen en kijken of je Berglund kunt helpen met het samenstellen van de verhoorprotocollen? Allan graaft verder met Lugn van de Citygroep; ik heb vanochtend met hem gesproken en dat was oké.'

'En ik?' vroeg Beatrice.

'Jij gaat het leven van Armas reconstrueren', zei Lindell.

'Prima, maar ik kan hem niet weer tot leven brengen.'

'Schrijf zijn biografie,' zei Lindell lachend, 'dat is voldoende.'

Als op een signaal stond de denktank op en verliet de kamer. Wat achterbleef, waren zes koffiemokken, zes schoteltjes en een paar verkruimelde gebakjes.

25

Manuel Alavez nam de mensen die langsliepen in zich op. Sommigen hadden haast, liepen met doelbewuste passen, keken snel om zich heen als ze de parkeerplaats passeerden en schoten vervolgens weg als projectielen. Met opgetrokken schouders en hun blik ergens ver weg, alsof ze raketten waren die zelf hun doel moesten zoeken, geprogrammeerd voor slechts één taak.

Anderen flaneerden, spraken met hun gezelschap, hielden hun pas in, slaakten een kreet, lachten, legden misschien hun hand op de arm van de ander, om vervolgens ogenschijnlijk zonder vast plan verder te lopen. Ze bleven staan, lieten goedmoedig auto's passeren, alsof ze alle tijd van de wereld hadden.

Het is als op het *zócalon*, het plein in Oaxaca, dacht hij, die mengelmoes van mensen. Hun blikken zijn dezelfde, maar hebben de Zweden dezelfde gevoelens? Worden ze blij om dezelfde dingen, raakt de liefde hen met even grote kracht en hoe is het met hun pijn?

Soms hadden ze, de dorpsbewoners op de bankjes, het idee dat de blanken van een ander geslacht waren, dat ze weliswaar waren toegerust met armen en benen, maar dat ze ogen hadden die keken zonder iets te zien en dat ze monden hadden die constant heen en weer bewogen maar woorden uitstootten die niet spraken over de werkelijkheid die de dorpsbewoners kenden.

Vanaf de parkeerplaats had Manuel zicht op Slobodan Anderssons huis. Manuel wist niet precies waarom hij daar zat te spioneren. Tienduizend dollar kon een goede reden zijn, ook al leek Patricio niet erg geïnteresseerd. Zijn onverschilligheid ten aanzien van zijn lot had Manuel verbaasd en onthutst. Patricio had gezegd dat geld zijn omstandigheden in de gevangenis niet zou kunnen verbeteren, maar dat vond Manuel maar geklets. Dollars hadden hier toch dezelfde macht als in de rest van de wereld?

En als Patricio persoonlijk niet was geïnteresseerd, dan was Maria er altijd nog, maar Manuel meende dat het kwam door het slechte geweten van zijn broer. Hij wilde niets te maken hebben met bloedgeld.

Elfduizend hadden ze gestuurd ter compensatie voor Angels dood. Elfduizend peso's. Dat was de waarde van een halve koffie-oogst voor de familie Alavez. Het leven van Angel had in de ogen van de dikke de waarde van een half jaar werken.

Wilde Manuel de dikke dood hebben? Hij ging bij zichzelf te rade gedurende die nutteloze uren in de auto. Armas was door zijn toedoen om het leven gekomen, maar zou hij met voorbedachten rade ook Slobodan Andersson kunnen vermoorden?

Nee, hij meende van niet. Daar zou hij Angel niet mee terug-krijgen en Patricio zou het ook niet beter krijgen. Het enige wat zijn situatie zou kunnen veranderen, was het geld en daar wilde Manuel beslag op leggen. Maar als de dikke weigerde?

Om zijn zinnen te verzetten deed hij de autoradio aan, maar hij zette hem meteen weer uit. Van de muziek hield hij niet en de taal verstond hij niet.

Wordt de wereld beter als Slobodan sterft? Die vraag had hij zichzelf al diverse malen gesteld, maar hij moest het antwoord schuldig blijven.

Hij zette de radio weer aan. Nu was er een Amerikaans liedje te horen dat hij kende uit zijn tijd in Californië en hij liet hem aanstaan.

Hij was een moordenaar geworden, maar had nergens spijt van. Alleen in zijn dromen ervoer hij de angst.

Plotseling zag hij de dikke naar buiten komen en met korte, resolute passen naar een taxi benen, waar hij in stapte. Manuel startte de auto en reed erachteraan.

Hij spreidde de kaart op de passagiersstoel uit om de weg van de taxi te kunnen volgen. Ze reden in noordelijke richting. Manuel was geïmponeerd en verbaasd dat de Zweden zich in het verkeer zo gedisciplineerd gedroegen. Het opmerkelijkste was dat ze stopten voor voetgangers. Manuel had bijna een paar jongelui aangereden die de straat overstaken net toen hij wilde passeren. Hij had uit-voerig getoeterd, bang en boos, maar zag al snel in dat het verkeer zo was georganiseerd. De langzame weggebruikers hadden voor-rang.

Het werd een kort ritje. Slobodan stapte uit bij een flat van drie verdiepingen. Manuel parkeerde in de beschutting van een bestelauto. Slobodan liep naar de dichtstbijzijnde portiekdeur. Zo gauw hij de portiekcode had ingetoetst, had opengedaan en naar binnen was gegaan, rende Manuel erachteraan. Hij hield de deur tegen voordat hij in het slot viel en glipte naar binnen. Hij hoorde Slobodan hijgen op de trap en Manuel rende geluidloos het bordes op, bleef staan, luisterde en liep verder.

Plotseling bleef de dikke staan. Manuel hoorde zijn zware ademhaling. Manuel keek tussen de trappen door omhoog en zag Slobodans hand op de leuning. Hij was nu op de op een na bovenste verdieping. Toen ging hij verder. Manuel volgde. Hij voelde de haat in zich groeien, voelde hoe zijn spieren zich spanden en hoe het zweet op zijn gezicht parelde. Ondanks zijn beslissing om Slobodan Andersson niets aan te doen, groeide nu de verbittering over de man die zijn familie had verwoest. Waarom zou hij mogen leven als Angel voor de hebberigheid van deze man had moeten sterven?

Manuel wist dat hij leniger en sneller was. Hij was zijn mes kwijtgeraakt maar kon, als hij dat zou willen, Slobodan met zijn blote handen doden. Hij had de kracht en de woede van de rechtvaardige. Hij sloeg een kruis en liep geluidloos verder.

Slobodan bleef op de bovenste verdieping staan. Manuel telde de traptreden, zes plus evenveel tot het volgende gedeelte. Misschien zes, zeven snelle stappen alles bij elkaar. Het kon in een paar seconden zijn gebeurd.

Plotseling weerklonk een belsignaal. Manuel kroop onbewust in elkaar. Het was de deur rechts. Na tien, vijftien seconden werd een deur opengedaan, een man zei iets en zweeg vervolgens. Het werd een kort, fluisterend gesprek in de vreemde taal voordat de deur weer dichtging en Slobodan en de ander naar beneden liepen. Toen was Manuel al beneden bij de buitendeur. Hij liep nog een verdieping naar omlaag, waar een deur zijn weg versperde. De mannen kwamen steeds dichterbij. Manuel drukte zich steeds steviger tegen de koele deur aan en hoopte van harte dat ze niet in de kelder hoefden te zijn. Hij telde de stappen. De ademhaling van Slobodan en de lichte stem van de andere man waren nu vlakbij.

Manuel zag hen in een flits toen ze de buitendeur opendeden en naar buiten liepen. Het was een kleine man, bedacht Manuel en hij moest bij zichzelf lachen; klein als een Mexicaan. Ze stapten in een Mercedes en de kleine man nam plaats achter het stuur.

De rit bracht hen buiten de stad. Manuel vond het eerst lastig om zich te oriënteren, maar herkende vervolgens de rotonde bij de zuidelijke invalsweg naar de stad, waar hij langs was gekomen toen hij van het vliegveld kwam.

Slobodan en 'de Zweedse Mexicaan' namen de rotonde driekwart en Manuel reed er op afstand achteraan met een auto tussen hem en de Mercedes in.

Er kwam een grote rust over hem. Het was allemaal zo eenvoudig.

Plotseling draaide de Mercedes een grindweg op, ging een spoorwegovergang over en reed door tot een huisje aan de rand van het bos. De auto stopte en de mannen stapten uit terwijl Manuel nog een stuk verder over de landweg reed voordat hij afremde.

Vlak na een bocht vond Manuel een smal weggetje waar hij in reed en de auto tussen de bomen en struiken parkeerde. Het was niet ideaal, maar hij wilde niet te ver weg rijden en het contact met de twee mannen verliezen. Want misschien brachten ze maar een heel kort bezoek aan het huisje.

De tarwe op de akker aan de andere kant van de begroeiing stond in volle bloei. Manuel trok er een aar af en kauwde op de korrels terwijl hij de rand van de akker naar het bos volgde. Hij ging op zijn weg naar het huisje gedeeltelijk schuil achter het struikgewas en een steenhoop, maar hij probeerde de Mercedes zo goed en zo kwaad als het ging in de gaten te houden. Hij kwam bij een rijweg die slechts bestond uit twee sporen met een groene strook in het midden. Rechts akkers en links een rij huisjes. Hij liep de andere kant op om om die huisjes heen te lopen en het huis vanaf de kant van het bos te naderen, en na honderd meter boog hij af, het bos in.

Verborgen door de vegetatie begon hij te rennen. Na een paar minuten stond hij dertig meter achter het huisje. Hij zag de auto door de bomen heen. Manuel verborg zich achter een boom en de geur van de plakkerige hars deed hem denken aan het pad naar de *cafetal* van de familie.

Hij blies even uit en verkende de weg naar het huisje: een schuur, een paar grote bomen omgeven door bloeiende struiken en daarna een open stuk van circa vijf meter waar hij ongezien overheen moest zien te komen. Er zat een raam aan de achterkant van het huis, maar hij zag niets bewegen.

Manuel rende naar de schuur, wachtte een paar seconden, stoof in elkaar gekropen naar het struikgewas en vervolgde daarna, half kruipend, half rennend zijn weg naar het huisje.

Hij drukte zich tegen de muur, er kwamen een paar zweetdruppels op het onbewerkte hout. Hij luisterde en meende de mannen te horen praten.

Voorzichtig keek hij door het raam naar binnen. Slobodan zat met zijn rug naar hem toe. De andere man leunde tegen de tegenoverliggende muur en staarde Slobodan indringend aan. Slobodan sprak en gesticuleerde heftig met beide handen. Manuel herkende de gebaren. Hij was bezig iemand te overreden. De kleine zei iets, maakte een afwerende beweging, maar kreeg onmiddellijk lik op stuk.

Het duurde een paar minuten. Waarom zijn ze hierheen gereden? vroeg Manuel zich af. Als ze alleen maar met elkaar wilden spreken, hadden ze dat toch ook in de stad kunnen doen?

Het antwoord kwam na een tijdje. De kleine boog zich voorover, tilde de deksel van de bank op en pakte een sporttas die hij voor Slobodan op tafel zette. Slobodan deed de rits open en stak zijn hand erin. De kleine keek ontevreden.

Manuel vermoedde wat er in de tas zat. Hij besloot onmiddellijk zijn hachelijke positie te verlaten. Hij gluurde naar het huis van de buren, dat door het groen heen zichtbaar was. Hij kon elk moment worden ontdekt. De buurman hoefde alleen maar zijn terras op te lopen.

Nu had hij nóg een puzzelstukje gekregen. Hij wist van het

huisje af, hoe de kleine man eruitzag en waar hij woonde. Het ging beter dan gepland. Hij trok zich terug in de beschermende coulissen van het bos en ging met zijn rug tegen een boom zitten wachten.

Daar was hij, net als de rest van zijn volk, goed in. Hij had het gevoel alsof ze al vijfhonderd jaar wachtten. Zapoteken, Mixteken, Mazateken en alle andere volkeren in Oaxaca, Chiapas, Guerrero, ja, overal in het land dat Mexico werd genoemd. Ze wachtten allemaal. Ze stonden als afgebroken bomen, gevangen door de storm en kapotgemaakt, aangetast door weer en wind, vermolmd en gehard. Niets om rekening mee te houden, zonder waarde, niet in staat zich te vermenigvuldigen. Maar in de schraalheid van het stenige terrein, in de groene dalen en op de door de wind gepijnigde hoogvlakten rustten zaadjes. En in hun kern lag al het oude gecodeerd.

Dat was zijn overtuiging. Zijn hoop.

Plotseling hoorde hij een auto starten en hij zag de Mercedes tussen de bomen door op het grindpad weghobbelen, een grote stofwolk achterlatend.

Manuel ging weer terug naar het huisje. Bij de buren was geen teken van leven te bespeuren, misschien dat ze niet thuis waren. Hij voelde zich nu zeker en sloop naar het schuurtje, schoof de deur open die alleen met een haak was vergrendeld. Hij ontwaarde in het donker een grasmaaier, een paar oude tuinstoelen en een werkbank met allerlei gereedschap. Hij pakte een breekijzer en een jerrycan benzine en verliet de schuur met een herwonnen gevoel van macht.

Hij koos het raam dat van de kant van de buren niet zichtbaar was. Na een paar minuten had hij het opengebroken en kroop hij naar binnen.

In de grote kamer hing nog steeds een zwakke zweetlucht. Een paar vuile vloerkleden lagen verfomfaaid op de vloer, alsof ze zich schaamden voor hun bleke rafeligheid. De inrichting was eenvoudig en versleten. Er hing één schilderijtje aan de muur. Het stelde een alpenlandschap voor. De overdreven puntige bergtoppen waren bepoederd met iets grijsachtigs wat sneeuw moest voorstellen en in het dal beneden stond een blokhut, die het romantische gezichtsveld van de compositie moest zijn, maar die meer een verlaten spookhuis leek waarvan de bewoners het gebied al lang geleden hadden verlaten.

Manuel raakte wat terneergeslagen door die stoffige eenzaamheid, maar vond deze ook natuurlijk. Het waren eenzame mannen, Slobodan, Armas en de kleine. Mannen die uit de bergen kwamen met maar één doel: geld verdienen. Hij bedacht dat ze het hele idee achter de mens geweld aandeden. Ze leefden alléén, hielden alleen van zichzelf – en dat al bijna niet eens. Nee, ze konden niet liefhebben, verdorven door gierigheid, uitsluitend omgeven door verraad en vreugdeloos succes.

Zonder vrouwen, vervolgde Manuel zijn gedachtegang, hoe kan een man zonder vrouw leven?

Hoe kun je leven zonder de nabijheid van de aarde? Zonder geloof in God? Hij sloeg een kruis en ging op een stoel zitten.

Nu had hij, Manuel Alavez, de rol van God op zich genomen. Nee, hij was alleen een instrument. Die eenzame mannen richtten alleen maar kwaad aan. De wereld zou beter af zijn als ze zouden verdwijnen. Het ging niet alleen om de persoonlijke wraak, om Angel en Patricio. Hij maakte zich vuil aan andermans bloed. Hij offerde zijn eigen ziel. Zo was het, hij zou moeten lijden, maar het was voor een goed doel.

Gerustgesteld door zijn conclusies haalde hij de tas uit de bergruimte in de bank en liet hem voorzichtig door het raam naar buiten zakken. Toen zocht hij lucifers, die hij op een plank in de keuken vond en goot hij benzine over de inrichting.

26

De verlamming week pas toen Eva aan de keukentafel zat. De telefoon ging en ze was ervan overtuigd dat het Helen was; ze had Patrik en haar vast thuis zien komen. Maar Eva nam niet op, ze had geen zin in de bemoeizieke opmerkingen of de goede raad van haar vriendin.

Patrik ging onmiddellijk naar zijn kamer. Ze begreep dat hij alleen wilde zijn. De opluchting die hij had getoond nadat hij met Barbro Liljendahl had gesproken, was onmiskenbaar. In de bus naar huis was hij bijna uitgelaten geweest, maar dat gevoel moest ook worstelen met het gevoel van een onverwacht en onfris verraad dat hem deed verstommen. Hij had in de bus met een vooruitziende en verbaasde blik naar buiten gekeken, alsof hij in de toekomst probeerde te kijken.

En de toekomst was voor Patrik het komende etmaal, volgende week, wellicht volgende maand, hoogstens tot het eind van het schooljaar. Hij mat alles af tegen de kortzichtigheid, de onmiddellijke reactie van Zero en de anderen, en daarom was zijn inzet heroïsch. Eva vermoedde dat hij nu spijt had dat hij zo openhartig tegen de politie was geweest, en ze begreep intuïtief dat ze hem tijd moest geven.

Ze was trots op hem, dat was het dominerende gevoel. De angst en woede waren weggeëbd en hadden plaatsgemaakt voor dankbaarheid over de rijpheid van haar zoon, die sporen droeg van kinderlijke oprechtheid en de wens te worden begrepen en vergeven. Hij was nog niet gewetenloos, ingekapseld in zijn eigen misvormde beeld van de wereld en dat van de groep.

Barbro Liljendahl had vakkundig op de messcherpe snede gebalanceerd, hem vertrouwen en respect getoond, maar ook de druk verhoogd toen hij weggleed. Ze had zijn vertrouwen gewonnen, anders had hij het nooit goed gevonden dat Eva de verhoorkamer verliet.

Eva keek op de klok. Over een uur zou Hugo thuiskomen. Ze

had trek, maar kon niet aan eten denken.

De telefoon ging opnieuw. Deze keer nam Eva op.

'Hoe ging het?'

Eva trok de keukendeur dicht, verbaasd over haar gevoel van dankbaarheid dat Helen belde. Zij was de enige met wie Eva kon praten, want ondanks Helens soms onbeschaamde houding kon het haar wél schelen.

'Het ging goed', zei ze, en ze gaf in het kort weer wat Patrik haar op de terugweg had verteld.

'Je bedoelt dat ze onze kinderen drugs proberen aan te smeren? Hier in Sävja?'

'Verbaast dat je?'

'Tja, misschien niet, maar ... Ik kom naar je toe!'

Helen hing op en een paar minuten later zat ze in de keuken.

'Ingemar is naar een of andere bouwvergadering', zei Helen. 'Je weet hoe hij is en God mag weten wanneer hij thuiskomt. Ik heb een briefje neergelegd voor de kids. Zullen we pizza halen?'

Eva knikte en keek haar vriendin aan. Ze begreep wat er komen zou. Het vuilnishok in de herhaling.

'We moeten iets doen', vervolgde Helen, en nu was ze niet meer te stuiten.

Ze stroomde over van verontwaardiging over de leraren, de gemeente, de politie en alles wat met de overheid te maken had. Zelfs de kerk en de deelgemeente kregen een veeg uit de pan.

Maar daar eindigde het niet mee, dat was niets voor Helen. Eva luisterde en knikte, ze plaatste af en toe een opmerking, maar Helen was grotendeels alleen aan het woord, tot haar telefoon ging.

'Dat is vast Emil', zei ze.

Helen had twee kinderen, Emil, die even oud was als Hugo, en Thérèse, die achttien was en in de laatste klas van de Ekebyschool zat. Ze was zelden thuis en sliep meestal bij haar vriendje in Eriksberg.

Het was Emil en hij had trek, net als Hugo, die thuiskwam op het moment dat Helen ophing.

Patrik had geen zin in pizza en Eva vermoedde wel waarom.

Dan moest er iemand naar de pizzeria en meestal was dat Patrik met zijn brommer. En de kans was groot dat hij bij de pizzeria zijn vrienden zou tegenkomen.

'Kunnen we geen spaghetti eten?' vroeg hij.

'Ik heb gehakt', zei Helen. 'Ik bel Emil, dan moet-ie dat mee-nemen.'

Na het eten trokken de drie jongens zich terug in Hugo's kamer.

Helen ruimde de vaatwasser in terwijl Eva koffiezette. Ze gingen in de woonkamer zitten.

'Zullen we een …?'

'Ja, goed plan', besloot Helen.

Nadat Eva een likeurtje had ingeschonken, vervolgde Helen haar redenering.

'Wat weten wij van cocaïne? Geen reet! We weten alles van drank, toch? Maar drugs, niets. Emil beweerde een tijdje geleden dat hasj, of marihuana of zo ongevaarlijk was, dat had hij iemand op school horen zeggen. Begrijp je wat dat betekent? Ik heb een hele avond lopen preken, maar ten slotte wist ik niet wat ik moest zeggen. Als hij had gezegd dat wodka ongevaarlijk was, had ik wel een weerwoord kunnen geven, je weet hoe mijn vader is, maar wat weet ik nou van marihuana?'

'Dat is toch een taak van de school', vond Eva.

Helen lachte geringschattend.

'Maak je een geintje? Ze hebben alleen maar tussenuren en een hoop projecten die nergens toe leiden. Nee, ik denk dat we zelf iets moeten doen. Ik ga briefjes ophangen voor een vergadering, oké?'

'Het vuilnishok', lachte Eva smalend.

'Ja, maar moeten we dan op onze reet blijven zitten en toekijken hoe die drugsdealers onze kinderen naar de verdoemenis helpen? Shit, ze zouden die lui de nek om moeten draaien, ze tegen de muur moeten zetten. Er is geen straf zwaar genoeg voor dat soort gasten.'

Het was al over tienen toen Helen en Emil naar huis gingen. Helen had haar man gebeld maar die nam niet op, thuis niet en op zijn mobiel niet.

Eva zag hoe Helen haar pijn probeerde te verbergen. Er was geen ongerustheid meer, alleen een vermoeide zekerheid dat ze werd bedrogen.

'Gooi hem eruit', zei Eva, maar ze had onmiddellijk spijt.

Helen schrok op. Eva had zich nog nooit zo rechtstreeks uitgelaten. Helen zei niets, ze riep Emil en ze verdwenen in de zwoele nazomeravond.

Eva keek hen vanuit het keukenraam na. Helen liep met lange passen terwijl Emil erachteraan sjokte.

'Gooi hem eruit', herhaalde Eva zachtjes voor zichzelf.

27

Drie dagen na de moord op Armas belde Valdemar Husman naar de centrale van de politie. Hij had op zijn deur in Lugnet een briefje aangetroffen waarin hem werd gevraagd onmiddellijk contact op te nemen met de politie.

Hij werd direct doorgeschakeld naar Lindell. Er waren diverse anderen om uit te kiezen, maar Gunnel Brodd bij de centrale en Ann Lindell kenden elkaar goed. Ze kwamen allebei uit de provincie Östergötland, Lindell uit Ödeshög en Gunnel Brodd uit Linköping. Soms gingen ze privé met elkaar om. Net als Lindell was Gunnel een alleenstaande moeder, dus ze waren beiden lid van een zusterschap die het verlangen naar en het afstand nemen van mannen als grootste gemene deler had.

'Het gaat over die moord, hè?'

'Eh', zei Lindell afwachtend. Ze moest aan Viola op Gräsö denken. De man had eenzelfde dialect.

'Er hing een briefje op mijn deur toen ik thuiskwam, ik begrijp dat het over die moord gaat.'

'Ah, nu begrijp ik het, u woont in de omgeving. Ja, we willen in contact komen met iedereen die iets kan hebben gezien of gehoord.'

'Ja, ik weet het niet', zei de man. 'Ik ben weg geweest. Ik ben de dag voor de moord vertrokken. Naar mijn broer in Fagervik. Ik slaap daar meestal als ik mijn klanten afwerk.'

Valdemar Husman was hoefsmid. Hij was afkomstig uit Noord-Uppland en was een jaar geleden naar Uppsala verhuisd.

'De liefde', zei hij met een bitterzoete lach.

Daarop volgde een lang verhaal over hoe lastig het was om een nieuwe klantenkring op te bouwen. Lindell vermoedde dat hij positiever was geweest als 'de liefde' hem beter af was gegaan.

Maar hij had zijn oude klanten behouden en hij maakte drie, vier keer per jaar een rondje en overnachtte dan bij zijn broer.

'Voordat u wegging, hebt u toen iets ongebruikelijks opgemerkt?' onderbrak Lindell de tirade en ze wist intuïtief dat er wat zou komen.

'Een of andere klootzak heeft een nacht onder aan mijn erf gekampeerd, maar ik ben net even naar beneden gelopen en hij is nu verdwenen.'

Toen ze het gesprek hadden afgerond, belde Lindell Ola Haver, die op zijn kamer zat en bezig was een overzicht te maken van alle alibi's van de medewerkers van Dakar en Alhambra.

'Mooi dat je belde', zei hij toen hij tegenover Lindell plaatsnam.

'Je moet naar Lugnet', zei Lindell.

Ze had het zelf willen doen, maar had besloten een nieuw bezoek aan de afdeling orthopedie in het ziekenhuis te brengen. Ze had er weinig zin in, maar ze wist dat als ze het nu niet deed, het er nooit van zou komen. Misschien zouden ze Viola dan al wel naar huis hebben gestuurd.

Ze vertelde wat Valdemar Husman had gezien. Het kon een argeloze toerist zijn die geld voor de camping wilde uitsparen, wat jongelui die de laatste zomerwarmte hadden benut of misschien een verliefd stelletje dat alleen wilde zijn, maar de tip moest in elk geval worden nagetrokken. Het was zelfs het enige tot nu toe dat iets substantieels bevatte.

'Neem Morgansson of een van de andere tr-boys mee.'

Toen ze de naam van de technisch rechercheur noemde, keek Haver op, maar Lindell deed of ze dat niet zag en ging onverstoorbaar door. Morgansson was een afgesloten hoofdstuk.

'Husman is thuis. Neem contact met hem op en maak een afspraak', instrueerde ze totaal overbodig om haar irritatie te verbergen.

Deze keer zou ze niet aarzelen en gewoon Viola's kamer binnenstappen en haar indien nodig wakker maken.

Maar Ann Lindell kwam nooit zo ver. Toen de liftdeur van het gebouw van orthopedie opengleed, kwam Barbro Liljendahl naar buiten.

Ze was op bezoek geweest bij Olle Sidström, de man die in

Sävja met een mes was neergestoken, voor een aanvullend verhoor. Hij werd nergens van verdacht, dat wil zeggen, Barbro Liljendahl zou hem kunnen verdenken van alle mogelijke misdrijven, maar deze keer was hij zelf het slachtoffer van geweld.

Ze keek Ann Lindell verbaasd aan.

'Ben jij ook op weg naar Sidström?'

Ze voelde een steek van irritatie.

'Nee', zei Lindell, net zo verbaasd dat ze een collega tegenkwam. 'Ik ga een vriendin opzoeken. Ik had een paar minuten over.'

Liljendahl knikte en keek Lindell aarzelend aan.

'Ik moest ergens aan denken', zei ze. 'Sidström is bewerkt met een mes en jullie hebben iemand die is omgebracht met een mes, hè?'

Lindell knikte en begreep waar haar collega heen wilde.

'Kan er een verband zijn?'

Lindell aarzelde een fractie van een seconde.

'Heb je een paar minuten? Dan nemen we even een kop koffie.'

Ze gingen in een hoek van de cafetaria op de begane grond zitten. Twee tafeltjes verderop zat een ouder stel, de man in een ochtendjas en de vrouw, die er veel aan gelegen was dat de man het vruchtensap dat hij voor zich had zou opdrinken.

'Je moet vocht binnenkrijgen', zei ze.

De man schudde zijn hoofd, maar pakte het glas en nam een slok.

De politievrouwen zaten even naar het paar te kijken voordat ze zachtjes begonnen te praten.

Liljendahl vertelde over het onderzoek, hoe Sidström was neergestoken, totaal onverwacht volgens hemzelf. Hij was in Sävja om eens even een kijkje te nemen, zoals hij het zelf had uitgedrukt, omdat hij erover dacht naar dat stadsdeel te verhuizen. Hij woonde momenteel in Svartbäcken.

Hij kon zich maar zeer vaag herinneren wat er was gebeurd. Hij kon geen signalement of leeftijd geven van degene die hem had neergestoken, hij wist ook niet meer of de dader alleen was geweest of niet. Dat was op zich niet zo vreemd, maar Liljendahl geloofde hem evengoed niet.

172

'Ik denk dat hij de dader kent, maar dat hij diens identiteit niet wil onthullen', zei ze. 'Hij liegt constant en doet dat al zijn hele leven. Zijn staat van dienst bij ons beslaat maar liefst drie pagina's. Vooral narcotica, maar ook mishandeling en bedreiging. Een rotzak.'

'Maar we hebben getuigen, met name een stel dat op hun terras aan het barbecuen was zo'n vijftig meter daarvandaan. Zij hebben gezien dat drie, misschien vier jongens hem hebben aangevallen. Ze schijnen vrij luidruchtig met elkaar te hebben gesproken voordat dat mes tevoorschijn kwam, maar Sidström ontkent dat.'

'Verdachten?'

'Een jonge knul die Zero wordt genoemd. Hij houdt zich schuil, maar komt wel boven water. Zijn moeder, en vooral zijn broers, zijn woest op hem. Ze hebben de hele clan gemobiliseerd om hem te vinden.'

'Het zijn Turken, of Koerden', voegde ze eraan toe toen ze Lindells gezicht zag.

'Heb je reden om aan te nemen dat Sidström uit crimineel oogpunt in Sävja was?' vroeg Lindell, en ze verbaasde zich over haar formele taalgebruik.

'Drugs', zei Liljendahl kort. 'Vermoedelijk cocaïne. Ik weet niet of je het hebt gehoord, maar de stad stroomt tegenwoordig over van de cocaïne. Vroeger was coke iets voor binnenshuis, dat zag je niet op straat. Het geeft ongeveer dezelfde kick als amfetamine maar is duurder. De gewone junks kiezen amfetamine. Maar er lijkt een verandering ophanden, ik geloof dat de beschikbaarheid is toegenomen en de prijs gedaald.'

'Wat kost het?' wilde Lindell weten.

'Een gram los kost achthonderd kronen. Dat is voldoende voor tien doses. Amfetamine kost ongeveer tweehonderd kronen.'

'Is dat wat ze in Zuid-Amerika kauwen, cocaïne?'

'Ja, de bladen, maar dat doen ze daar vooral om op de been te blijven en hun werk in die kou te kunnen doen. Heb je nooit foto's van die mijnwerkers in Bolivia gezien?'

Die had Lindell nog nooit gezien, maar ze knikte.

'En jij denkt dat er een verband is met die moord?'

'In beide gevallen ging het om een mes', zei Liljendahl.

Lindell dronk een slok koffie. De berlinerbol die ze had gekocht lag nog onaangeroerd. Hij zou vast niet zo lekker smaken als die van Ottosson. Ja, er zat iets in wat haar collega zei, bedacht ze. Messen zijn niet zo ongebruikelijk, maar twee incidenten zo vlak na elkaar, tja ...

'Ik heb een lijst', zei Liljendahl, ze haalde een map uit haar tas, bladerde tot ze bij een papier kwam en gaf dat aan Lindell.

Ze is goed, dacht Lindell en ze keek de namen van Sidströms oude bekenden door. Lindell kende er diverse van, maar er was één naam die haar speciale aandacht trok.

'Zou je mij een kopie kunnen sturen?'

'Tuurlijk', zei Liljendahl met een tevreden lachje om haar mond.

Anns besluit om Viola te gaan opzoeken was na het gesprek met Barbro Liljendahl wat verwaterd. Ze stond weer bij de lift, maar deze keer aanzienlijk besluitelozer. Wat moet ik doen als Edvard er is? dacht ze, en de gedachte alleen al deed haar een paar stappen achteruit zetten. Ze liet een groep verpleegkundigen passeren. De lift vertrok weer, maar zonder haar.

Ze verachtte zichzelf. Het ging om Viola en nergens anders om. Ze kon het personeel vragen of Viola bezoek had. Ze drukte voor de derde keer op de liftdeur en deze keer ging hij meteen open.

Viola zat in een rolstoel bij het raam. Ann hoestte, maar de oude vrouw zat onbeweeglijk. Haar zilverwitte haar stond alle kanten op. Haar rechterhand trommelde licht op de armleuning. Zo was Viola altijd, rusteloos, popelend om daar weg te komen, dacht Ann.

'Dag Viola', zei ze, en de oude vrouw draaide haar hoofd om en staarde Lindell aan, maar ze liet op geen enkele manier blijken of ze haar bezoeker herkende. Lindell deed een paar stappen de zaal in.

'Ik ben het, Ann.'

'Denk je dat ik blind ben, of zo?' vroeg Viola. 'Nee, je denkt dat ik helemaal seniel ben geworden.'

Even was Ann niet in staat wat te zeggen, ze deed haar hand voor haar gezicht als om zich te weren tegen Viola's onderzoekende blik. Ze maskeerde haar beweging door haar haar naar achteren te strijken.

'Maar lieve schat', zei Viola, en dat waren de tederste woorden die Ann haar ooit had horen zeggen.

'Ik hoorde dat je was gevallen', zei ze en ze vocht om haar tranen in bedwang te houden. Was ze mijn moeder maar, dacht ze, en kreeg meteen gewetenswroeging.

'Tja, het is niet anders', zei Viola. 'Dat ellendige kippenhok stond in de weg.'

'Heb je pijn?'

Viola schudde haar hoofd.

'Wanneer mag je naar huis?'

'Volgende week, zeggen ze, maar ze zeggen zoveel, dus ik wacht het maar af.'

Ann trok een stoel bij en ging naast Viola zitten.

'Hoe is het met Victor?'

'Zoals altijd, in de winter is hij krakkemikkig, maar hij trekt altijd bij als het zonnetje gaat schijnen.'

Ze wist niet wat ze nog meer moest vragen. Net als aan het begin van hun kennismaking voelde Ann zich opgelaten en onhandig.

'En hoe is het met jou?'

'Prima, dank je. Ik werk veel. Op dit moment hebben we een akelige moord.'

'Ach, jij hebt altijd van die beroerde dingen. En je zoontje?'

'Met Erik gaat het goed. Hij zit op de crèche.'

Ann slikte. Vraag het nu, dacht ze, en ze keek naar Viola's gezicht.

'Edvard was hier gisteren. Hij moest in Uppsala zijn.'

Lindell knikte.

'Hij werkt met Gottfried, zoals altijd. Ze hebben ontzettend veel werk, dat weet je niet half.'

De trots in haar stem kon niet onopgemerkt blijven. Ze keek Ann met een geamuseerd gezicht aan. Het oudje is geen steek veranderd, dacht Ann. Ze is een mirakel.

'Mooi', zei ze.

'Ja, maar het is te veel', zei Viola ontevreden, en ze weersprak op die manier haar eerdere voldoening.

Dat was echt iets voor haar. Niets mocht echt goed zijn. Maar dingen mochten best slecht zijn. Daar had ze helemaal geen moeite mee.

'Ik ben nog nooit zo lang in Uppsala geweest. Ik heb gewoonlijk genoeg aan de stad', zei Viola en Ann begreep dat ze daar Öregrund mee bedoelde. 'Ik ben in mijn hele leven misschien twintig keer in Uppsala geweest, maar nog nooit zo lang.'

Ze keek door het raam naar buiten.

'Er wordt ontzettend veel gebouwd', zei ze plotseling, en ze kreeg een tevreden trekje om haar mond. Ann vermoedde dat ze aan Edvard dacht.

Wat een plezier had ze toch van Edvard! Ze had haar gelukkige gesternte vast diverse keren geprezen voor de avond dat Edvard had aangeklopt en had gevraagd of hij bij haar een kamer kon huren.

'Ik moet zo gaan', zei Ann. 'Slaap je goed?'

Viola moest lachen.

'Wat een vraag', zei ze. 'Hup, weg jij, boeven vangen!'

Ann zette de stoel terug en liep naar de deur, maar ze keerde zich halverwege om. De oude vrouw keek haar aan. Ann liep snel naar haar toe, leunde voorover en omhelsde haar onhandig. Toen verliet ze de kamer, zonder iets te zeggen en zonder om te kijken.

Ze had het gevoel dat ze Viola nooit meer zou zien. 'Hup, weg jij, boeven vangen!' Aan het begin van hun kennismaking had Viola openlijk haar ongenoegen uitgesproken over het feit dat Ann bij de politie zat. Ze vond dat geen werk voor een vrouw. Nu interpreteerde Ann haar laatste zin als een goedkeuring. Misschien was het haar manier om te laten blijken dat ze Ann ondanks alles mocht, ondanks alles wat ze had veroorzaakt, dat ze de door Viola zo verafgode Edvard in de steek had gelaten. Ann had altijd een minderwaardigheidsgevoel bij de oude dame, hoewel dat gevoel in de loop der tijd wel zwakker was geworden. Dat minderwaardigheidsgevoel kwam niet alleen door Viola's respectabele leeftijd, haar eigenzinnige kracht en zelfstandigheid, maar ook door het feit dat ze een leven buiten de maatschappij leefde en had geleefd.

Dat sprak Ann op de een of andere duistere manier aan, maar het beangstigde haar ook. Ze vermoedde dat dat door haar slechte geweten kwam. Ze had Ödeshög en haar ouders verlaten. Ze was het – in haar ogen – achtergebleven, kleinburgerlijke provinciestadje beu, evenals het vegeterende leven van haar ouders, die maar één doel voor ogen hadden: de spireaheg in topvorm houden.

Ze was net twintig toen ze Östergötland had verlaten om naar de Politieacademie te gaan. Het contact met haar ouders was sindsdien sporadisch. Toen ze eind juni een week in Ödeshög was, had ze de eerste avond al naar Uppsala terugverlangd.

Ann Lindell was geschokt, maar wist niet hoe ze haar gedachten op een rijtje moest krijgen en al helemaal niet welke conclusies ze moest trekken en welke doelen ze moest formuleren. Er stond te veel op het spel: haar eigen leven, dat van Erik, haar werk, Edvard, haar ouders – alles werd door het bezoek aan de afdeling orthopedie tot leven gewekt.

Ze besloot haar gedachten opzij te schuiven. Daar had ze routines voor. De oplossing van dit moment heette Berglund.

Berglund was al naar huis! Lindell luisterde verbaasd naar Ottossons uitleg dat Berglund was geveld door een migraineaanval.

'Dat heeft-ie toch nog nooit gehad?'

'Nee,' zei Ottosson, 'ik kan me niet herinneren wanneer Berglund voor het laatst ziek is geweest. Ergens in de jaren negentig, misschien.'

'Wat zei hij?'

'Niets. Ik heb hem naar huis gestuurd en hij protesteerde niet eens. Hij was lijkbleek. Allan heeft hem naar huis gebracht.'

'Aha', zei Lindell gelaten.

'Hoezo?'

'Ik wilde iets checken. Een naam die is opgedoken.'

Lindell vertelde dat Berglund in het voorbijgaan had verteld over een dief die snel rijk was geworden en hoe diezelfde naam nu was opgedoken in verband met dat onderzoek in Sävja.

'Rosenberg,' zei Ottosson, 'ja, dat is een fraai portret. Ik heb zijn vader nog gekend. Die maakte deel uit van de groep bij de Molen, een oude biertent op Salagatan. Die hebben ze een half jaar nadat ik de straat op ging gesloopt. Er was ook nog een andere tent op Salagatan, Café 31. Die was van een oude vrouw, Anna, en die woonde, als ik het me goed herinner, helemaal bovenaan op Ymergatan. Dezelfde straat waar Little John is opgegroeid, je weet wel. Er was een Konsum-supermarkt en die had ontzettend lekkere bolletjes, vijftien öre per stuk of ... Het is bijna jammer dat die kroegen als de Molen verdwijnen, want ... De winkels lagen toen trouwens ontzettend dicht bij elkaar. Er was ook een Konsum op Väderkvarnsgatan, en Haages Livs op Torkelsgatan. En op Törnlundplan was er ook een, hoe heette die toch ook alweer? Brodd of iets dergelijks, en Ekdahls op de hoek van Ymergatan en St. Göransgatan, en de melkboer en dat bakkerijtje in Tripolis. Ja, alles op vijf minuten loopafstand van elkaar!'

Ottosson verloor zich in herinneringen. Lindell moest lachen.

'Ik had het moeten begrijpen', zei ze.

'Maar ik denk bij Rosenberg niet aan geweld en zeker niet aan big business', hernam Ottosson het woord.

'Misschien is het toch zinvol om het na te trekken', zei Lindell en ze vertelde over Liljendahls opmerking dat het in beide gevallen om een mes ging.

'Tja,' zei Ottosson, 'volgens mij gaat dat wat ver. We hebben zo veel incidenten met messentrekkers.'

'Ik ga in elk geval vragen of iemand Rosenberg kan checken. Het is hoe dan ook interessant om te weten hoe hij zo onnodig rijk is geworden. Heb je nog iets gehoord over Havers uitstapje naar de camping bij de rivier?'

'Dat is waar ook, hij heeft gebeld en vroeg of je hem terug kon bellen.'

'Ik had mijn telefoon uitstaan in het ziekenhuis. Wat zei hij?'

'Dat onze man daar misschien heeft gezeten.'

Lindell haastte zich naar haar kamer en toetste het nummer van Haver in.

Hij klonk voldaan, bijna vrolijk, en daar had hij alle reden toe. Hij had vermoedelijk de plaats van de moord gevonden, een kleine open plek, misschien twintig vierkante meter, verscholen achter het struikgewas en een grote hoop stenen, onzichtbaar vanaf de weg, misschien vierhonderd meter ten noorden van de vindplaats en honderd meter van de rivier.

De technisch rechercheurs hadden bijna onmiddellijk vlekken op de grond aangetroffen, vermoedelijk bloed, en bovendien sporen van – naar ze meenden – urine.

Blijkbaar hadden een of meer mensen zich daar een paar dagen opgehouden. Een rechthoek van geplet gras leidde de gedachten onmiddellijk naar een tent. De omgeving was platgetrapt, er waren afgebroken takken en sporen van een vuurplaats. Een eldorado voor de TR.

Valdemar Husman, de man die de politie had getipt, kon niets zeggen over wie er had of hadden gekampeerd. Hij had alleen iets gezien in het struikgewas en had aangenomen dat het een tent was. Hij verklaarde dat hij niet dichterbij had willen komen; hij wilde niet nieuwsgierig zijn en wilde ook 'nergens bij betrokken raken'.

'Wat bedoelde hij daarmee?' vroeg Lindell.

'Geen idee,' zei Haver, 'dat heeft hij niet gezegd.'

'Ik bedoel, had hij het idee dat er iets onwettigs plaatsvond? Had hij iets verdachts gehoord of louche figuren gezien, of iets dergelijks?'

'Niets van dat alles, hij wilde zich er gewoon niet mee bemoeien.'

'Wat meer nieuwsgierigheid zou niet verkeerd zijn', zei Lindell. 'Ben jij daar nog even?'

'Mwa, ik heb hier niet veel meer te doen. Morgansson en company des te meer. Ze zijn van plan een zeil over de plek te spannen voor het geval het gaat regenen.'

'Oké, maar mogen we hopen op een beetje DNA?'

'Daar ziet het wel naar uit.'

'Dan is de vraag, wat deed Armas daar? Is hij daar vrijwillig heen gereden of onder dwang?'

'Dat mag jij uitzoeken', zei Haver.

Nadat ze het gesprek had beëindigd, zat Ann Lindell doodstil voor zich uit te staren.

'Wie kamperen er?' mompelde ze.

Toeristen of jongelui lag het meest voor de hand.

De plek lag afgezonderd en was vast met zorg gekozen.

'Oké, je komt naar de stad voor een of ander louche zaakje', zei ze hardop. 'Je bent zo voorzichtig dat je niet naar een hotel wilt en zelfs niet naar een camping. In plaats daarvan kampeer je in het bos, maar je bent zo onhandig dat je een lijk en een heleboel sporen achterlaat.'

Ze schudde haar hoofd. Er klopte iets niet.

Ze ging naar Ottosson en deed verslag van wat Haver had verteld en van haar eigen overpeinzingen.

'De moordenaar had misschien geen geld voor een hotel', zei Ottosson.

'Wat is dat voor moordenaar?' riep Lindell uit.

'De meeste moordenaars logeren niet in een hotel', zei Ottosson grijnzend.

De rest van de werkdag ging op aan het lezen van het verzamelde materiaal. Dat moest ook worden gedaan, maar Lindell voelde voornamelijk de behoefte om even alleen te zijn. Ze had steeds vaker last van een claustrofobisch gevoel in de ontmoeting met anderen. Dat kon op het werk zijn, maar ook tijdens vergaderingen op de crèche of in ander verband met veel mensen in een kleine ruimte.

Er waren verhoorprotocollen, een eerste overzicht van de zakelijke aangelegenheden van Slobodan Andersson en de uitspraak van de patholoog-anatoom.

De geschiedenis van Armas ontbrak nog. Slobodan Andersson had al wel een heleboel informatie verstrekt, maar Armas' vroegere geschiedenis was in nevelen gehuld.

Lindell hoorde Ola Haver terugkomen, ze hoorde hem en Fredriksson op de gang praten. Ze moest aan Berglund denken. Ze besloot te wachten tot de volgende dag. Als hij niet op het werk kwam, zou ze hem thuis bellen.

28

Het alarm kwam om 14.22 uur binnen. De brandweer van de Victoriekazerne, even ten oosten van de stad, was zeven minuten later ter plaatse, maar toen was er niet veel meer te doen dan ervoor te zorgen dat het vuur zich niet verspreidde naar het omliggende terrein.

De naaste buurman, die de brand had ontdekt toen hij terugkwam van het paddestoelen plukken, had zijn tuinslang gepakt, die echter niet eens tot halverwege reikte. Daarmee kon hij, als hij de monding van de slang dichtkneep, een miezerig straaltje krijgen tot aan de schuur.

De brandweermannen bedankten hem voor zijn hulp, maar verzochten hem vervolgens zich terug te trekken.

'Weet u of er mensen binnen zijn?' vroeg de brandweercommandant.

'Volgens mij niet', zei de buurman.

Het huisje brandde in twintig minuten tot de grond toe af. De schuur kon worden gered, maar de vonkenregen had langs de bosrand een aantal brandhaarden veroorzaakt, die echter snel konden worden gedoofd.

'Mooi dat die bouwval is afgefikt,' zei de buurman terwijl hij zijn slang oprolde, 'nog een geluk dat de boel niet is ontploft. Volgens mij hebben ze butagas daarbinnen.'

De brandweerman reageerde onmiddellijk en beval alle nieuwsgierigen op minstens honderd meter afstand te blijven. Hij duwde de buurman hardhandig van het terrein af; de arme man kon zijn slang niet eens meer meenemen.

'Hoe stom kun je zijn?' vroeg de commandant aan zijn collega.

De politiepatrouille, die tien minuten na de brandweer was gearriveerd, ondervroeg de nieuwsgierigen die op een kluitje langs de weg stonden. Niemand had eigenlijk iets zinnigs te melden wat kon verklaren hoe de brand was ontstaan. Niemand had iets gezien of gehoord. Het huisje werd maar zelden bezocht. Wie de eigenaar was, wisten ze niet precies.

'Een van de jongens van die bergenopblazer', zei een oudere man. 'Die van Rosenberg, ze zijn met een paar. Probeer Åke eens, ik geloof dat hij de oudste is.'

'Hebt u hem onlangs nog gezien?' vroeg de politieman.

'Toen de schoorsteenveger er was, maar dat is al zeker een jaar geleden. We hebben toen een paar woorden gewisseld. Hij blaast ook bergen op voor de wegenbouw, net als zijn oude heer.'

De brandweercommandant nam de politieman terzijde.

'Het is brandstichting', zei hij kort.

'Weet je dat zeker?'

'Vrij zeker. Er is geen elektra in het huis, dus het kan geen kortsluiting zijn. Maar we hebben een jerrycan van tien liter gezien daarbinnen. We hebben er nog niet zo goed naar kunnen kijken, want we moeten de boel eerst koel houden. Er schijnt een gasfles binnen te zijn. Dat dacht de buurman in elk geval. Maar die jerrycan was een van de eerste dingen die we zagen. Hij stond volledig in het zicht op een gietijzeren plaat voor een speksteen-kachel.'

'Zou iemand de kachel hebben willen opstoken?'

'Dat zou me niet verbazen,' zei de brandweerman, 'maar waar-om zou je de kachel aandoen als het buiten nog warm is?'

'Koffiezetten misschien?'

'Volgens de buurman werd er gekookt op butagas.'

De politieman knikte.

'Ik bel de technische boys', zei hij. 'Weet je zeker dat er niemand binnen is?'

'Zeker kun je nooit zijn, maar ik geloof van niet.'

Er werd contact opgenomen met Åke Rosenberg. Hij was bezig met een explosieklus in Mehedeby in Noord-Uppland. Hij be-vestigde dat het huis van hem was, maar verklaarde ook dat hij daar sinds het voorjaar niet was geweest.

'Ik ga er meestal twee keer per jaar naartoe, bladeren aanharken en het een beetje netjes houden.'

'Zijn er geen anderen die toegang hebben tot het huis?'

'Nee', loog Åke Rosenberg. 'Zeker aangestoken door een of andere grappenmaker. Ik kom morgen wel even langs als ik weer in de stad ben.'

Na dat gesprek belde hij onmiddellijk zijn broer Konrad. Åke was kwaad, maar eigenlijk ook wel blij. Het huis was verzekerd en nu zou hij de boel niet hoeven afbreken, iets wat hij al jaren van plan was geweest. Hij had met de gedachte gespeeld om op die grond een nieuw huis te bouwen en daarnaartoe te verhuizen.

'Wanneer ben je voor het laatst in het huis geweest?' vroeg hij Konrad.

'Hoezo?'

Konrad rook onraad. De angst voor zijn grote broer Åke zat diep.

'Geef antwoord!'

'Nou, dat is al wel even terug', zei Konrad.

'Het is afgefikt. Volgens de tuut is er alleen roet over. Ik dacht dat jij de boel misschien had aangestoken. Dat zou me in elk geval niet hebben verbaasd.'

Konrad Rosenberg zakte op de vloer van de hal in elkaar. Een vermogen in rook opgegaan.

'Ik heb niet tegen die smeris gezegd dat jij daar weleens bent. Dat leek me het best. Je weet nooit wat jij in je hoofd haalt met die drinkebroers van je. Dus als jij nou ook je bek houdt, anders krijgen we trubbels met de verzekering.'

'Natuurlijk', zei Konrad mat en hij hing op.

Het kostte hem een uur om voldoende moed te verzamelen om Slobodan Andersson te bellen.

29

Wat gebeurt er toch allemaal? dacht Slobodan Andersson. Eerst Armas en nu dit.

Nooit eerder had iemand Slobodan Andersson op deze manier behandeld, maar hij was te bang om echt kwaad te worden. De dood van Armas kwam nu in een ander daglicht te staan. Dit was geen roofmoord, het was geen toeval dat hij was vermoord. En hoe kon iemand afweten van dat huisje?

Konrad Rosenberg had hem verzekerd dat hij zijn mond niet voorbij had gepraat en Slobodan geloofde hem instinctief. Ook al was Rosenberg een nul, hij was slim genoeg om de bron van zijn welstand niet bekend te maken.

Kon het toeval zijn dat dat huis een uur nadat Rosenberg en hij daar waren geweest was afgefikt? En nu zou bovendien de tuut op bezoek komen. Hadden ze een vermoeden? Zagen ze een verband tussen de moord en de brand?

Slobodan liep naar het raam en keek naar buiten. Aan de andere kant van het spoor fietste een groep schoolkinderen, de leraar voorop. Een oude man was zijn hond aan het uitlaten en een paar vrouwen liepen net de hoek om richting centrum. Op de parkeerplaats beneden stonden lange rijen auto's geparkeerd. Ze zagen er allemaal uit zoals altijd, maar toch ook weer niet. Iemand, of meerdere mensen, waren naar hem op jacht.

Plotseling bedacht hij dat er maar drie mensen waren die van het huis afwisten; Rosenberg, Armas en hijzelf. Had Armas de schuilplaats aan iemand doorgebriefd?

Die gedachte was zo onvoorstelbaar dat hij hem meteen van zich af schoof, maar dat hij die gedachte überhaupt had gehad, maakte hem nog moedelozer. Nadat hij een groot glas cognac had ingeschonken, betrapte hij zichzelf erop dat hij nog steeds voor het raam naar de auto's en de passanten stond te staren.

Was iemand hem naar Rosenberg gevolgd en daarna naar het huisje? Hij nam een slokje cognac. Er ontstonden te veel vragen.

Rustig aan, dacht hij, neem elke vraag apart, zo zou Armas dat ook hebben gedaan. Het gemis van zijn vriend schoot als een zure oprisping omhoog. De smaak van cognac in zijn mond maakte dat hij wilde spugen, maar toch keerde hij terug naar het barmeubel en vulde hij zijn glas voor de tweede keer bij. Op het moment dat hij het cognacglas aan zijn mond wilde zetten, ging de bel. Hij schrok zo dat hij wat cognac op zijn overhemd morste. Toen herinnerde hij zich dat die politievrouw zou komen.

'Ik kom', schreeuwde hij alsof hij bij iets onbehoorlijks was betrapt. Hij liep naar het raam. Het zou hem niet verbaasd hebben als de hele parkeerplaats vol blauw-witte politieauto's had gestaan.

Ann Lindell was alleen. Dat kalmeerde hem enigszins. Bij het vorige bezoek had hij zich constant geërgerd aan de aanwezigheid van die andere politieman; hoe hij zich voorzichtig uit Slobodans gezichtsveld had gemanoeuvreerd.

Nu had hij controle. Hij pootte haar neer op de dure, moderne, witte bank waar je onmogelijk comfortabel op kon zitten.

Ze glimlachte, maar niet erg hartelijk en begon hem onomwonden, zonder gepraat over koetjes en kalfjes te vragen of hij nog op dingen was gekomen buiten datgene wat hij eerder al had verteld.

Hij schudde zijn hoofd. Zo weinig mogelijk praten, schoot het door zijn hoofd en die gedachte kalmeerde hem. Ze weten niets, ze tasten in het duister en zijn volledig afhankelijk van informatie van mij.

'We denken dat we weten waar Armas is gestorven', zei Lindell. 'Vermoord', voegde ze eraan toe.

Hij wachtte op een vervolg dat niet kwam. In plaats daarvan stelde ze een nieuwe vraag.

'Kunt u zich voorstellen dat Armas betrokken was bij zaken waar u geen weet van had?'

'Sorry, ik ben uw naam vergeten', zei Slobodan.

'Ann, Ann Lindell.'

Hij knikte.

'Zou dat kunnen?'

'Pardon?'

Lindell herhaalde de vraag en Slobodan begreep uit haar gezichtsuitdrukking dat hij niet te ver kon gaan.

'Nee', zei hij beslist. 'Ik kende Armas als mijn broekzak. Hij was een vriend, hij was als een broer voor me.'

Lindell zweeg even. Slobodan keek omlaag naar zijn borst. Die cognacvlek stoorde hem enorm.

'Ook broers kunnen je in de steek laten', zei ze, maar ze voltooide haar gedachtegang niet en vervolgde haar lukrake gevraag. 'Ik dacht aan die tatoeage, het is een beetje vreemd dat u, als u nu zo close was, niet wist wat hij voorstelde. U moet die tatoeage diverse keren hebben gezien. Was u niet nieuwsgierig?'

'Armas was mijn vriend, niet een partner waar ik mee knuffelde. Hij was zwijgzaam maar onwrikbaar loyaal.'

'Dus er werd niet geknuffeld?'

'Hoe bedoelt u?'

'Had Armas vrouwengezelschap?'

Slobodan keek haar een paar seconden aan voor hij antwoord gaf.

'Jawel, maar steeds minder vaak.'

'De vorige keer dat we elkaar spraken, zei u iets over een vrouw.'

'Dat is meer dan tien jaar geleden. Ze verdween.'

'Kan het zo zijn dat Armas geïnteresseerd was in mannen?'

Slobodan moest lachen.

'Sorry, maar dat is te belachelijk voor woorden. Het is maar goed dat Armas u niet kan horen.'

'We hebben in zijn flat pornografisch materiaal aangetroffen dat ons doet geloven dat dat wél het geval was', zei Lindell terwijl ze hem aankeek.

'Armas was geen flikker, wat jullie ook gevonden hebben', stelde Slobodan vast met een kracht in zijn stem die hem zelf verbaasde. 'Jullie mogen zijn herinnering niet bezoedelen, niet een hoop shit naar boven halen die niets met zijn dood te maken heeft.'

'Stoort het u als dat het geval zou zijn, als Armas van andere mannen hield?'

'Hoezo, andere mannen?'

'Nou?'

'Het is een schande! Dit is krenkend. Zou ...'

'Ik heb geen homofobie', onderbrak Lindell hem kalm.

De woordenwisseling ging nog een paar minuten door. Slobodan verlangde naar nog een cognacje. Die aap, die brutaal haar schoenen had uitgetrokken en haar benen onder zich had opgetrokken, wond hem meer op dan iemand in decennia had gedaan. Toch mocht hij niet terugslaan.

'Eigenlijk hebben jullie nog helemaal niets', zei hij abrupt met een gezicht dat een mengeling van minachting en verbittering uitstraalde.

'We weten een heleboel', zei Lindell. 'We weten dat Armas een aanzienlijk bedrag – misschien geen vermogen – maar toch een aardig zakcentje bij elkaar heeft geschraapt.'

'Hoeveel dan?' ontviel het Slobodan.

Lindell glimlachte.

'Misschien was u toch niet zulke goede vrienden dat hij u dat wilde vertellen', zei ze.

Slobodan gaf geen antwoord, maar stond op, liep naar het barmeubel en schonk een glas cognac in.

'We weten ook dat Armas de moordenaar waarschijnlijk kende.'

'Aha', zei Slobodan en hij was blij dat hij met zijn rug naar de politievrouw toe stond. Hij wilde weten hoe ze daar achter waren gekomen, maar durfde het niet te vragen. Of zou ik nieuwsgieriger moeten zijn? dacht hij.

'En dat hij hem in elk geval niet als bedreigend ervoer.'

'Hoe weet u dat?'

Slobodan keerde zich om en nam tegelijkertijd een slok cognac om zijn opwinding niet te laten blijken.

'Daar kan ik niet op ingaan', zei Lindell. 'Iets anders, ik heb een lijst met kennissen van Armas van u gekregen. Die was tamelijk kort. Hebt u nog meer namen kunnen bedenken?'

'Nee, zijn kennissenkring was klein.'

'Maar groot genoeg om een moordenaar te omvatten.'

Hoer, dacht hij, ik zou haar eruit moeten gooien. Hij begon te prakkiseren hoe hij haar zou kunnen straffen, ervan overtuigd dat ieder mens een zwak punt heeft.

'Dat hebt u misschien ook wel, een kennis, of iemand die u kent en die bereid is om u of de uwen pijn te doen.'

Lindell gaf geen antwoord. Die zit, dacht hij en hij dronk de laatste slok cognac op.

'U hebt een riskant beroep', voegde hij eraan toe en hij zette het glas met een klap neer, tevreden met de wending die het gesprek had genomen.

'U zorgt ervoor dat mensen in een gezellige omgeving iets in hun maag krijgen,' zei Lindell en ze liet haar blik naar zijn buik glijden, 'en dat is een eerbaar beroep,' en nu staarde ze hem recht in de ogen, 'terwijl ik ze op water en brood zet in een wat schameler omgeving.'

'Wat ik ervan heb gehoord, is het eten in de gevangenis uitstekend.'

'Het menu is beperkt', zei Lindell, 'en het gaat op den duur vast vervelen.'

Slobodan glimlachte honend.

'En er wordt daar geen cognac geserveerd', voegde ze eraan toe.

Hij zag haar over de parkeerplaats wegmarcheren. Hun gesprek was afgebroken doordat haar mobiele telefoon was gegaan en ze had zich weggespoed nadat ze had bedankt voor het gesprek.

Hij haatte haar. Niemand mocht Slobodan Andersson op die manier behandelen.

30

Lindell was ongerust. Ze had zich laten gaan en was een woordenstrijd met Slobodan Andersson aangegaan. Dat was amateuristisch en naïef. Het verontrustte haar, want het was een bewijs van de wanhoop die ze voelde. Armas wilde geen vorm krijgen. Hij gleed weg achter een gordijn dat bestond uit een onbekende achtergrond en een zo strikt en fantasieloos levenspatroon dat hij bijna onbegrijpelijk overkwam.

Het kennen van het slachtoffer was in veel gevallen een voorwaarde om de dader te vinden. Niemand had Armas van haver tot gort gekend, daarvan was ze overtuigd, zelfs Slobodan niet.

Wie kent mij? dacht ze terwijl ze de wandelweg langs het spoor volgde. De hevige warmte van de afgelopen dagen had plaatsgemaakt voor wolken die van alle kanten kwamen aandrijven. Misschien gaat het wel onweren? Er is niemand die mijn angst voor onweer kent, dacht ze, niemand behalve Edvard.

Het telefoongesprek van Haver, waardoor ze bij Slobodan Andersson weg had gemoeten, ging over het technische onderzoek. Circa vijftig meter van de open plek waar ze meenden dat de moord had plaatsgevonden, had de technische recherche bandensporen van een auto gevonden. De ondergrond was droog en daarom waren de sporen vaag, maar het was duidelijk dat iemand een oud pad naar de rivier had gevolgd, een hek van prikkeldraad had opengemaakt en een auto had geparkeerd. De auto had achter een gordijn van elzen en jonge bomen en struiken gestaan.

Lindell ging onmiddellijk naar de kamer van Ola Haver. Hij zat gebarricadeerd achter stapels papieren. Zijn haar stond recht overeind; dat was altijd het geval als Haver diep nadacht.

'De hardwerkende agent Ola Haver', zei Lindell opgewekt, blij dat ze haar eigen gedachten na de ontmoeting met de restauranthouder even opzij kon zetten.

Haver grijnsde. Hun relatie was steeds beter geworden na een romantisch akkefietje een paar jaar daarvoor. Er was nu niets meer over van de vroegere wederzijdse aantrekkingskracht. Ze begrepen allebei dat er geen sprake was geweest van werkelijke verliefdheid, maar dat het meer een gevolg was geweest van Lindells frustratie over haar verhouding met Edvard en Havers ongenoegen over een huwelijk dat stationair leek te draaien.

'Die Morgansson is een slimme jongen,' zei Haver, 'maar dat wist jij vermoedelijk al. Ik had die sporen niet gezien, maar hij is een echte woudloper, zwijgzaam als de nacht, maar hij kan spoorzoeken als een indiaan.'

'Hoe zien ze eruit?'

Haver haalde een aantal foto's tevoorschijn die Lindell niet zoveel zeiden. Vage afdrukken van wat bandensporen konden zijn.

'Dat is niet veel', zei ze teleurgesteld.

'Dat moet je niet zeggen', zei Haver. 'We kunnen hiermee het bandenmerk krijgen en de breedte van de auto, en van daaruit misschien een automerk. Het is al wel duidelijk dat het een kleine, smalle auto is.'

'Waarom gaat iemand kamperen?' begon ze, onzeker waar die redenering toe zou leiden. 'Oké, je bent gast in de stad en wilt niet worden gezien in een hotel. Hoe kom je in Uppsala? Met je eigen auto?'

'Dat is maar de vraag', zei Haver, die begreep waar ze heen wilde. 'Waarom zou je je éígen auto in de strijd gooien?'

'Huurauto', zei Lindell.

'Iemand die kampeert, is meestal geen dure jongen,' zei Haver, 'ik bedoel ...'

'Als het een op zichzelf staande opdracht was om Armas te doden, dan zou je toch niet hoeven kamperen? Dan reis je naar de stad, doe je je klus en verdwijnt.'

'Misschien moest hij eerst de boel in kaart brengen', zei Haver, 'en had hij een paar dagen nodig. Of misschien is de opdracht wel veel complexer.'

De wisselzang tussen Haver en Lindell leidde verder naar het motief, maar daar hadden ze niets om op af te gaan, hoewel ze wel konden speculeren.

'Slobodan was echt verontwaardigd toen ik over dat homospoor begon', zei Lindell na een tijdje. 'Misschien moeten we daar zoeken.'

'Jaloezie, bedoel je?'

'Ik weet het niet', zei Lindell en ze haalde haar schouders op.

Ze zwegen allebei, zich er goed van bewust dat het nooit goed was om te veel en te lang te brainstormen. Hun samenwerking had zich ontwikkeld tot dit soort korte sessies die later in veredelder vorm weer konden worden opgepakt.

'We moeten maar kijken wat de technische recherche weet te achterhalen', besloot Lindell. 'Heb je nog iets gehoord van Berglund?'

'Nee, niets. Ben je ongerust?'

'Dat niet,' zei Lindell, 'maar hij is nodig.'

Haver maakte een beweging met zijn muis, de computer maakte een nieuw brommend geluid en werd vervolgens afgesloten.

'En dan nog iets', zei Haver toen Lindell op het punt stond weg te gaan.

'O ja?' zei Lindell en ze bleef in de deuropening staan.

'Fälth, die technicus heeft het ontdekt.'

'Wat?' vroeg Lindell. Ze had een beetje genoeg van Havers langdradigheid en was tegelijkertijd kwaad op zichzelf dat ze het geduld niet kon opbrengen om hem uit te laten praten.

'Er lag een tak op de grond, bij de kampeerplek, en hij vond hem er een beetje gek uitzien. Hij leek afgerukt en kwam van een boom drie meter hoger.'

'Hoe kun je nou een tak van die hoogte afrukken?' vroeg Lindell, en ze zag hoe Haver zich verkneukelde.

'Een kogel,' zei hij, 'en we hadden ontzettende mazzel dat we die in een boomstam hebben teruggevonden.'

'Je bedoelt dat er een schotenwisseling bij die tent heeft plaatsgevonden?'

Haver knikte.

'Negen millimeter. Fälth heeft hem eruit gepeuterd.'

Lindell staarde haar collega aan.

'Ik denk dat Armas gewapend was, dat hij schoot, miste, en dat voor straf zijn keel werd doorgesneden', zei Haver.

'Komen ze daar nu pas mee? Hadden ze die tak niet eerder moeten zien?'

'Tja', zei Haver laconiek.

'Dan wordt het een heel ander onderzoek', zei Lindell. 'Maar de moordenaar kan natuurlijk ook hebben geschoten.'

'Morgansson denkt van niet. Kijk hier, dan zie je het', zei Haver en hij haalde een blok tevoorschijn.

Lindell kwam een paar stappen dichterbij, steeds meer geïrriteerd over de houding van haar collega.

'We denken dat het zo is gegaan. Armas stond hier, gericht naar de boom waar ze die kogel hebben gevonden, hij schoot, werd bewerkt met dat mes en viel achterover. De bloedsporen wijzen daarop.'

'Hij had geen kruitsporen op zijn handen', zei Lindell.

'Hij lag in het water', zei Haver.

Zijn voldane blik was verdwenen en hij keek Lindell aan met de oude blik van verstandhouding.

'Armas had geen wapenvergunning', zei Lindell.

'Hoeveel gangsters hebben dat?'

'We weten niets van hem.'

'Hij was een louche figuur, daar durf ik vergif op in te nemen. Het was een afrekening met die kampeerder.'

'Slobodan Andersson', zei Lindell nadenkend, en ze registreerde dat Haver bijna ongemerkt glimlachte.

'Zullen we hem onder bewaking stellen?'

'Dat heeft geen zin,' zei Lindell, 'als hij iets in de zin heeft, is hij nu voorzichtig. Armas zou naar Spanje gaan, had gepakt, geld gewisseld en was klaar voor vertrek, en de vraag is of de ontmoeting bij de rivier gepland was of dat die buiten zijn planning viel.'

'Geloven we dat het een vakantiereisje was met wat bezoekjes aan Spaanse restaurants, zoals Slobodan zei?'

'Dat kunnen we onmogelijk weten', zei Lindell.

Ze liep weer naar de deur, maar keerde zich om.

'Heb jij ervaring met Barbro Liljendahl?'

'Mwa, we hebben een tijdje samengewerkt voor ik bij Geweld

kwam', zei Haver. 'Toen was ze, hoe moet ik het zeggen, een beetje pietluttig. Waarom vraag je dat?'

'Ze is bezig met een onderzoek naar een steekpartij in Sävja en had het idee dat er een verband was met Armas omdat het om een mes ging. Weet jij trouwens iets van Konrad Rosenberg?'

Haver schudde zijn hoofd, sloeg een map dicht en schoof de papieren op zijn bureau bij elkaar.

'Ik ook niet. Daar hebben we Berglund voor nodig', zei Lindell en ze ging naar haar kamer, logde in en zocht Konrad Rosenberg op in het politieregister.

Het was alsof Haver en zij bezig waren met twee verschillende onderzoeken. Misschien was zijn verrassingsact een protest tegen haar manier om het onderzoek te leiden?

Ze glimlachte bij zichzelf toen Rosenbergs staat van dienst in beeld kwam. Een kogel in een boom was een grote stap vooruit. Voordat ze met Rosenberg aan de slag ging, toetste ze het nummer van Fälth en voelde ze zich ontzettend gul toen ze de technisch rechercheur feliciteerde met zijn goede werk.

'We hebben iemand uit Småland nodig voor de echte finesses', zei ze, en ze vroeg zich af of hij de clou begreep.

31

Een goedlopende restaurantkeuken is een opmerkelijke verschijning, fijnbesnaard als een weekdier, bij de minste invloed van buitenaf gaat hij bliksemsnel in de verdediging. Dat ervaart iedereen die deze gevoelige en geraffineerde organismen pest. Ze sluiten zich af, slaan terug en laten niemand onberoerd.

'We hebben geen tijd voor geouwehoer', snauwde Donald.

Gunnar Björk trok zich snel terug om niet in de weg te staan.

'Dit is een werkplek, geen praatgroep', vervolgde de kok.

Feo glimlachte, knipoogde naar de vakbondsman en ging demonstratief op een kruk zitten.

'Bovendien is het een ontzettend ongelukkig tijdstip', ging Donald verder, ongebruikelijk openhartig, maar zonder uit te leggen waarom.

'Wat vind jij, Eva?' vroeg Feo.

'Ik ben lid van een andere vakbond', zei ze voorzichtig, onzeker van de stemming in de keuken.

Gunnar Björk vatte moed, aangemoedigd door haar woorden.

'Dan moeten we een overgang regelen naar Hotel en Restaurant', zei hij en hij begon meteen in zijn tas te graven.

'Ik zal nooit lid worden', zei Donald.

'Waarom niet?'

Donald bleef staan, keerde zich naar Feo en staarde hem aan.

'Ik haat alle organisaties, alle collectieve dwang waar iedereen hetzelfde stomme liedje moet zingen in hetzelfde stomme koor.'

'Je mag zingen wat je wilt', zei de vakbondsman.

'Luister eens, als je onrust wilt stoken, doe dat dan in je vrije tijd en niet hier!'

'Jij bent ook onrust aan het stoken op je werk', bracht Feo ertegenin terwijl hij Johnny's blik zocht. Die stond midden in de gevechtslinie met een bos prei in zijn hand.

Donald draaide zich razendsnel om en keek Feo aan.

'Schei uit! Aan het werk!'

Johnny begon de prei te snijden. Het geluid van zijn mes op de snijplank kalmeerde Donalds uitval enigszins.

'Ik kan op een ander tijdstip terugkomen', zei Gunnar Björk verzoeningsgezind.

Donald ging terug naar het snijden van het vlees.

'We leven in een vrij land', zei Feo.

Donald schudde zijn hoofd en zuchtte diep.

Johnny gooide de fijngesneden prei in een schaal. Eva stond in de deuropening naar de eetzaal.

'Ik ga Tessie helpen', zei ze.

Feo keek Donald even aan voor ook hij verdween.

Johnny pakte meer preistengels. Hij was gek op preiringen en zou heel lang door kunnen gaan met hakken.

'Heerlijk', mompelde hij bij zichzelf. Voor het eerst sinds hij bij Dakar werkte, ervoer hij iets van wat hij zocht: de vreugde van een scherp mes vast te houden dat over een snijplank ging. Hij was uitgerust en nuchter. Twee meter bij hem vandaan liep Donald te fluiten alsof hij zijn eerdere irritatie al was vergeten. De lucht van rauw rundvlees vermengde zich met de scherpe preigeur. De visfond begon te koken en Donald rekte zich uit om het gas lager te zetten.

'Tien preien is wel genoeg, hè?'

'Ja, voorlopig wel', zei Donald.

Johnny voelde de blik van zijn collega als een warme gloed over zijn rug.

'Ken jij een kok die Per-Olof heet, hij wordt "Perro" genoemd?'

'Die naar de States is vertrokken?' vroeg Donald.

Johnny knikte.

'Ja, we hebben een jaar samengewerkt bij Gondolen.'

'Hij is goed', zei Johnny. 'Hij heeft mij opgeleid bij Muskot in Helsingborg.'

'Dan ken jij Sigge Lång ook.'

'Dat was voor mijn tijd,' zei Johnny, 'maar ik weet wie dat is. Hij is naar Kopenhagen vertrokken.'

'Is hij daar geen chef-kok bij een visrestaurant geworden?'

Het gesprek ging over en weer, over restaurants en koks, restauranthouders en chef-koks, terwijl Donald eendenborst, kalfsmedaillons en lam voorbereidde, en Johnny ingrediënten pakte voor de garnering, boter op schoteltjes deed, een oogje op het brood in de oven hield en ondertussen opruimde.

De keuken van Dakar had een zware klap gekregen door de moord op Armas en beide koks hadden behoefte aan gewone gesprekken. Niet omdat Armas erg geliefd was geweest, maar vanwege de turbulentie die was ontstaan. De politie had iedereen verhoord, had Donald gevraagd alle messen in de keuken te bekijken en te controleren of er een ontbrak. Donald had geprobeerd uit te leggen dat iedere kok zijn eigen messen heeft en dat ze nooit op het idee zouden komen deze te besmeuren met mensenbloed.

'En de andere messen zijn zo waardeloos dat we die amper vasthouden', zei hij en hij wuifde de gedachte dat iemand van Dakar een moordenaar was weg.

Feo kwam weer terug naar de keuken.

'De tuut komt alweer', zei hij. 'Ze gaan met Tessie en Eva praten.'

'Verdomme, we hebben werk te doen!' riep Donald uit.

'Zij ook', zei Johnny kalm.

De politie had in alle hoeken en gaten geneusd en uit het kantoortje achter de balie een tas vol papieren meegenomen. Het kantoor was het territorium van Donald en hij was ontsteld geweest, maar had niets gezegd. Hij begreep dat ze toch niet naar hem zouden luisteren. De chef-kok uitte zijn woede daarom op de anderen en met name op Johnny. Het was alsof Donald de komst van de nieuwe kok in verband bracht met de moord op Armas.

Donald haatte veranderingen en storende momenten die de balans in de keuken verstoorden. Hij was niet rouwig om Armas, maar wel om de werkrust die verloren was gegaan.

Er werd uiteraard wild gespeculeerd over het motief voor de moord. Feo lanceerde een theorie dat Slobodan zijn compagnon uit de weg had geruimd. Zijn collega's luisterden gefascineerd hoe hij een verhaal verzon waarin zo'n beetje alles voorkwam, inclusief zwart geld, handel in prostituees uit de Baltische landen en de duistere achtergrond van Armas en Slobodan.

'De geschiedenis heeft Armas ingehaald', zei hij en hij illustreerde het door te schermen met het fileermes.

Degene aan wie de politie de meeste aandacht had besteed, was Gonzo, maar er was niets wat erop duidde dat hij betrokken was, ook al was het alibi dat hij voor de dag van de moord had gepresenteerd, wat magertjes. Het was zijn vrije dag geweest. Hij had tot elf uur geslapen en was tegen tweeën naar de stad gegaan. Hij kon bewijzen dat hij de markthal had bezocht door een bonnetje van de kaaswinkel, gestempeld om 14.33 uur. De verkoper kon zich bovendien het bezoek van Gonzo nog herinneren. Hij had stilton gekocht.

Daarna werd zijn verhaal holler. Hij was naar de stad geweest, had juwelier Bergström bezocht om naar een horloge te kijken, maar daar kon niemand zich hem herinneren. Daarna was hij naar Alhambra gegaan en had hij met Armas en Slobodan gesproken. Tegen vieren was hij thuisgekomen, daar was hij tot even voor negenen gebleven en toen was hij een biertje gaan drinken bij Svenssons.

Hij hield vol dat hij zelf ontslag had genomen hoewel iedereen wist dat hij door Armas de laan was uitgestuurd. Maar Gonzo's versie van wat er was gebeurd, kon net zo goed waar zijn als die van Armas.

Nadat de politie was vertrokken, keerde Eva terug naar de keuken. Ze was twee dagen vrij geweest en wilde weten wat er was gebeurd. Tessie was niet erg mededeelzaam en gaf mondjesmaat antwoord op Eva's vragen.

'Tessie is nog steeds geschokt', zei Feo. 'Volgens mij was zij de enige die Armas wel mocht. Ze hebben wel iets van elkaar weg, hoewel Armas meedogenlozer was. Tessie heeft een hart.'

'Wat zegt de politie?'

'Tegen ons? Geen reet. En Slobban heeft zich nauwelijks vertoond. Hij is hier één keer geweest en toen zat-ie alleen maar te wauwelen dat alles bij het oude zou blijven. Hij houdt zich schuil bij Alhambra.'

'Hij is bang', zei Donald onverwacht.

'Hoe weet jij dat? Heeft hij iets tegen jou gezegd?'

'Nee, maar dat kun je aan hem zien. Armas betekende meer voor hem dan jullie begrijpen.'

Donald sprak altijd alsof hij meer wist dan de rest maar het niet de moeite waard vond hun te vertellen wat hij wist.

Als het om de keuken en het eten ging, was hij nummer één, en daar had niemand moeite mee, maar Donald liet zijn superioriteit ook vaak voor andere dingen gelden. Als ze het over politiek hadden, lachte hij met name smalend naar Feo.

Feo was er alles aan gelegen om de goede stemming in de keuken weer terug te krijgen en deed daarom alsof hij de arrogante toon niet hoorde.

'Het moet een snelle jongen zijn geweest die Armas de keel heeft doorgesneden', zei hij. 'Er viel niet te spotten met Armas.'

'Misschien is het in bed gebeurd', zei Donald.

'Hè?'

'Dat wist je toch wel? Dat Armas een flikker was.'

'Daar geloof ik geen reet van', zei Feo.

'Vraag maar aan Nicko bij de videotheek', zei Donald nonchalant. 'Armas kwam een keer twintig nichtenfilms tegelijk halen. Dan moet je wel heel geil zijn.'

'Nee, dat geloof ik niet', riep Pirjo.

Iedereen keek naar de koksleerling, die meteen knalrood aanliep.

'Zo,' grijnsde Feo, 'jij gelooft dat dus niet. Zat-ie misschien achter jou aan?'

Pirjo keerde zich om.

'Trek je er maar niets van aan', zei Donald.

Het was niet de eerste keer dat hij de verlegen Pirjo verdedigde, die het zo ontzettend moeilijk vond om te zeggen wat ze wilde of wat ze vond. Maar nu keerde ze zich om.

'Jullie zeggen slechte dingen over de doden', zei ze heftig. 'Toen Armas nog leefde, zeiden jullie nooit wat, en al helemaal niet tegen hemzelf. Heb ik gelijk of niet?'

Feo knikte. Donald keek haar nieuwsgierig aan.

'Je hebt gelijk,' zei hij, 'wij zijn lafaards. Iedereen die in een keuken werkt, is een lafaard, dat moet je leren. Koks met ballen stoppen. Ze nemen hun messen mee en vertrekken. Zulke koks zijn ongelukkig.'

'Ongelukkiger dan de laffe?' vroeg Feo.

'Ja', zei Donald.

'Wil je daarom geen lid worden van de bond?' durfde Johnny te vragen, maar hij had meteen spijt.

'Spuit elf geeft modder! Nee, dat is niet de reden en dat weet je heel goed.'

Johnny begreep het wel. Met de discipline die Donald aan de dag legde en met de schotels die hij opmaakte, was het risico dat hij door een werkgever slecht zou worden behandeld minimaal. Ook niet als hij lid werd van de bond. Hij was te waardevol.

Ze lieten tijdens het bekvechten hun handen niet rusten. Ze bereidden fonds voor, sneden vlees, pakten spullen, plastificeerden en zetten dingen klaar. Alleen Eva stond er passief bij. Ze bleef in de keuken hangen, ze hoefde formeel pas over een kwartier te beginnen. Ze wilde zo veel mogelijk opzuigen van de nieuwe wereld die voor haar openging.

De toon was heel anders dan bij de post. Misschien kwam het door de stress dat er hier zo'n ruwe instelling heerste. Op haar oude werk ging het er ook jachtig aan toe, maar het was alsof de warmte van de fornuizen, het gerammel met serviesgoed en bestek, de stoom van de pannen, de stukken vlees die plotseling sisten in de pan en het dwingende geroep van de bediening een nooit aflatende rusteloosheid bewerkstelligden.

'Kun je me even helpen, Eva?'

Johnny was bezig spullen in de koeling te zetten.

'Hoe is het met de jongens?' vroeg hij zachtjes.

'Goed', zei Eva terwijl ze opkeek.

Hij hield haar blik vast.

'Patrik is gaan praten,' vervolgde ze, 'maar hij heeft een uitgaansverbod.'

Ze zag zichzelf in het spiegelbeeld van de rol aluminiumfolie die aan de muur hing en waarin haar gezicht in duizenden rimpeltjes was gecraqueleerd, voordat ze er een stuk aftrok en het aan Johnny gaf.

'Wat zegt de politie?'

'Zullen we het daar een andere keer over hebben?'

Johnny knikte.

'Bedankt', zei hij, en Eva vermoedde dat die halve minuut dat ze elkaar hadden geholpen net zo belangrijk was voor Johnny als voor haarzelf.

'We kunnen wel een keer een kop koffie gaan drinken', zei ze. 'Ik bedoel, voordat we aan het werk gaan.'

Hij knikte en gluurde naar de andere koks.

'Dan kunnen jullie een vakbond oprichten', zei Donald met zijn rug naar hen toegekeerd. Hij draaide vervolgens zijn hoofd om en keek hen geamuseerd aan.

'Alleen als jij ook meedoet', zei Eva, waarna ze de keuken uit glipte.

Het was tien uur 's avonds toen Eva thuiskwam. Ze had pijn in haar benen en de hoofdpijn wilde niet wijken, maar desondanks was ze content en was ze Tessie dankbaar. Ze had Eva eerder naar huis laten gaan. Het leek wel of niemand meer erg stipt was, en ze had er begrip voor gehad dat Eva een paar keer naar huis had gebeld.

Patrik had telkens opgenomen, hij had geïrriteerd geklonken, maar zat toch in de keuken op haar te wachten toen ze thuiskwam.

Hugo was op zijn kamer. Ze hoorde de geluidseffecten van een computerspelletje. Ze deed de deur op een kier en zei gedag. Zijn gespannen rug en de concentratie op zijn gezicht getuigden van een beslissend moment in een van de spellen waarmee hij zijn tijd doorgaans verdreef.

Ze ging naar de badkamer en haalde een paar aspirientjes.

'Hoi, hebben jullie wat gegeten?'

Patrik knikte en Eva volgde zijn blik naar het aanrecht. Ze hadden zelfs de afwas in de vaatwasser gezet en het aanrecht afgenomen.

Ze moest lachen en streek door zijn haar.

'Was het leuk?'

'Er waren heel veel mensen,' zei Eva, 'maar ik mocht eerder weg. Als de restaurantgasten zo'n beetje klaar zijn met eten, moeten er meestal alleen nog drankjes worden geserveerd en daar ben ik toch nog niet zo goed in. De barkeeper heeft gezegd dat hij het me een beetje zal leren. Ik kan nog niet eens alle biersoorten onderscheiden.'

'Wat zeiden ze over die vermoorde man?'

'Niemand weet iets, er wordt alleen maar gekletst.'

'Was hij aardig?'

Eva haalde haar schouders op.

'Ik heb hem twee keer gezien en toen heeft hij misschien vijf woorden gezegd. En jij, wat heb jij gedaan?'

'Niets', zei Patrik.

'Zullen we thee maken?'

Ze zette kopjes neer terwijl Patrik water opzette.

'Hugo wil vast niet hebben', zei hij.

Toen ze weer aan tafel zaten, begon Patrik te vertellen. Eva begreep dat hij die avond had nagedacht en de inleiding zelfs al had geformuleerd.

'Zero is eigenlijk helemaal niet dom, weet je dat? Hij is alleen zo goedgelovig, dat is zijn grootste fout. Hij wil koning zijn, maar snapt niet hoe dat moet.'

Eva begreep dat hij met 'koning' 'geliefd' bedoelde.

'Heb je nog wat van hem gehoord?'

Patrik knikte en nam een slok. Eva wachtte af.

'Wat doen jullie?' riep Hugo opeens.

'Gaat je geen reet aan', schreeuwde Patrik.

'Patrik!'

'Hij is gestoord.'

'Wat zei Zero?'

'Hij houdt zich schuil.'

Eva vroeg zich af waar een vijftienjarige jongen zich kon verstoppen.

'Hij durft niet naar huis. Dan wordt-ie afgetuigd door zijn broers.'

'Heeft hij zijn moeder gebeld?'

'Ja, maar die zat de hele tijd te janken.'

'Wat heeft hij tegen jou gezegd?'

Patrik keek op. Na een paar seconden aarzelen, vertelde hij dat Zero sinds een paar maanden drugs verkocht in Sävja. Er was een man gekomen en die had hem drugs aangeboden die hij dan aan zijn vrienden moest verkopen.

'Hij verdient ontzettend veel. Soms een paar duizend kronen. Hij gaat naar Turkije om zijn vader te bevrijden, zegt hij.'

'Wat is er die avond eigenlijk gebeurd?'

'Die vent kwam met meer drugs, maar Zero wilde niet doorgaan. Hij was bang, maar dat durfde hij niet te zeggen. Hij ging op de racistische toer. Die vent begon ruzie te maken en Zero heeft hem op zijn bek getimmerd.'

'En jij? Wat heb jij gedaan?'

Eva probeerde rustig te blijven. Eén verkeerd woord of teken van verontwaardiging en Patrik zou verder zijn mond houden.

'Zero geholpen', mompelde hij. 'Toen zijn we hem gesmeerd.'

'Was dat toen je zo bebloed thuiskwam?'

Patrik knikte. Eva zag dat het huilen hem nader stond dan het lachen en voelde zich heel dankbaar dat hij tegenover haar zat, dat hij praatte en dat hij kon huilen.

'En toen, die avond erna?'

'Toen kwam er een andere man. We waren bij school, hingen daar een beetje rond. Toen kwam die kerel en die begon te lullen. Ik dacht eerst dat het een smeris was.'

'Was dat die man die met dat mes werd gestoken?'

'Hij begon!'

Eva knikte.

'Van wie was dat mes?'

'Zero.'

'Heb jij een mes?' vroeg ze en ze had onmiddellijk spijt toen ze Patriks gezicht zag.

Het geluid van de computer was gestopt en Eva was ervan overtuigd dat Hugo meeluisterde.

'Doet er ook niet toe,' zei ze, 'ga door!'

'Hij ging ruziemaken met Zero, hij zei iets over dat Zero hem geld schuldig was en dat hij vast wel wist wat er gebeurde met mensen die hun schulden niet afbetaalden. Het was een ontzettende eikel!'

'Wat deed Zero toen?'

'Niets! Hij was als de dood, dat zag ik aan hem. Toen wilde die vent dat Zero met hem mee zou gaan naar zijn auto, maar dat wilde hij niet en toen begon hij te rennen. Die man haalde hem in en werkte hem tegen de grond. Het ging allemaal razendsnel. Zero wist los te komen en toen trok hij dat mes. En toen lag hij daar, die vent.'

'En dat heb je aan de politie verteld?'

Patrik knikte.

'Waarom heb je het niet meteen aan de politie verteld?'

'Ik wilde eerst met Zero praten', zei Patrik en zijn ogen waren nu gevuld met tranen.

Eva stak haar hand uit en legde die op zijn arm.

'Goed dat je het hebt verteld. Ik ben trots op je, weet je dat?'

Na een paar minuten stilte stond Patrik op. Hij pakte zijn theekop en zette hem op het aanrecht.

'Helen heeft gebeld', zei hij. 'Ze vroeg of je haar terug wilde bellen.'

Eva keek op de klok aan de muur.

'Dat doe ik morgen wel', zei ze.

'Je kon laat bellen. Ze klonk heel enthousiast. Ze was ergens mee bezig, maar ik begreep niet waar ze het over had.'

Eva nam de draagbare telefoon mee naar haar slaapkamer en toetste het nummer van Helen in.

32

Het is net Californië, maar dan kleiner, dacht Manuel. Desondanks mocht hij zijn nieuwe plek wel. Het landschap deed hem voortdurend denken aan zijn broers en aan hun tijd in Anaheim, maar hij vond deze plek beter dan de vorige en niet alleen omdat hij die in verband bracht met Armas.

Hier had hij niet alleen struiken en stenen om naar te kijken. Als hij uit het steile ravijn naar boven klom, had hij een wijds uitzicht over vruchtbare grond en dat had een kalmerende werking.

Hij herkende de aardbeienplanten en er zaten nog steeds vruchten aan. De eerste ochtend was hij wakker geworden van een tractor en mensenstemmen. Hij had de avond ervoor een stuk tussen de bedden gelopen en geconstateerd dat er niet zo heel veel meer aan zat en het had hem verbaasd dat het blijkbaar toch de moeite waard was om te oogsten.

Hij had er een paar geplukt en in zijn mond gestopt, maar ze herinnerden hem te veel aan Angel en Patricio om de zoete smaak te kunnen waarderen. Wat verlangde hij naar zijn broers! Het gemis rukte en trok als een woest dier in zijn borst. Het was erger geworden sinds hij in Zweden was.

Die gringo de strot doorsnijden had niet geholpen, als hij zich dat al ooit had ingebeeld. De eerste nacht nadat hij Armas had gedood en hem naar de rivier had gesleept, in de hoop dat hij zou zinken of weg zou drijven, had hij duivelse nachtmerries gehad en was hij diverse keren wakker geworden, afwisselend badend in het zweet en dan weer klam van de koorts. Hij was buiten zijn tent op zijn knieën gevallen en had San Isidro om vergeving gebeden, *ben ládxido zhhn*, dat zijn kleine hart groter mocht worden.

In het duister van de nacht meende hij een mooie vrouw met haar tot op haar middel en een koperkleurige huid te zien. Ze verdween met een spottende lach in de richting van de rivier. Dat was *matelacihua* en hij dreunde zijn gebeden nog intensiever op.

De slechte lucht omringde hem, drukte zijn borstkas in elkaar en dreigde hem te verstikken. Hij was bang het bewustzijn te verliezen en vervolgens kilometers verderop wakker te worden.

Hij wist dat wat hij had gedaan verschrikkelijk was. Hij had de rol van God overgenomen. Dat was onvergeeflijk.

De dag daarna was hij naar de rivier teruggekeerd en had hij ontdekt dat het lichaam was verdwenen. Het was alsof een deel van zijn schuld met de stroom was meegedreven. Hij werd rustiger, keerde zijn gezicht naar de hemel en sprak met Angel.

Nu, een paar dagen later en op een nieuwe plaats – bij dezelfde rivier – stak de gewetenswroeging hem als de steken van kleine muggen. Maar erger dan dat was het niet, hij kon ze wegwuiven. Wat hij gedaan had, was juist. Het was een door God goedgekeurde daad geweest om bhni guí'a te doden. De wereld werd er iets beter van en Manuel was ervan overtuigd dat de ziel van Armas nu werd gekweld door helse pijnen.

Wat waren er voor alternatieven geweest? vroeg hij zich af. Had hij zich moeten laten vermoorden als een hond? Maar dat mes dan, waarom had hij dat dan in zijn zak gehad, dat was toch om te gebruiken? Had hij zich onbewust voorbereid om te doden toen hij het uit zijn tas had gehaald en in zijn zak had gestopt? Had hij Armas' bedoelingen vermoed toen ze naar de rivier reden?

Als hij naar de politie ging, zou hij Patricio gezelschap mogen houden, dat snapte hij ook wel. In de gevangenis belanden was niets nieuws voor Manuel en zijn familie. Zapoteken waren in alle tijden op alle mogelijke manieren vervolgd; er zaten er nog velen in een van de gevangenissen in Oaxaca. Elf campesinos van een naburig dorp waren vier maanden geleden opgehaald en zaten sindsdien in de gevangenis, of wellicht waren ze wel dood. Niemand had meer iets van hen vernomen.

Maar dan ging het om het verdedigen van hun grond en hun bossen, om autonomie en rechtvaardigheid. Manuel had weliswaar gedood uit noodweer, maar hij was ervan overtuigd dat niemand hem zou geloven.

Hij lag in het ravijn van de rivier in de schaduw van een paar naaldbomen die hem deden denken aan cipressen. Aan de hemel zweefden een paar roofvogels, net als in het dal thuis. Zou hij zijn dorp ooit nog terugzien?

Hij kwam vlug overeind, in één beweging, als een verschrikt dier. Hij hoorde iets. Maar het was maar een man die kwam aanlopen langs de rivier, een hengel in de ene hand en een emmer in de andere. Manuel had hem de dag ervoor ook gezien. Op het lange, uitgemergelde lichaam van de man stond een klein hoofd met een gezicht dat zó rimpelig was dat Manuel moest denken aan de oude vrouw in het dorp die bosjes *epazote* verzamelde, die ze vervolgens voor vijftig centavos per stuk verkocht.

Verkocht hij de vis of wierp hij alleen voor zijn plezier een hengeltje uit? Manuel wist zo weinig over Zweden, over de mensen die in het land woonden. Hij had in een boekhandel in Mexico-Stad wat in een gids over Zweden gespiekt, dat was alles.

Hij begreep dat er veel verschillende soorten Zweden waren, maar het maakte hem eigenlijk niets uit. Hij had niet de nieuwsgierigheid van een toerist en was evenmin geïnteresseerd in het systematisch onderzoeken van de etnograaf.

De visser verdween om een bocht en Manuel verliet zijn schuilplaats. Al sinds hij het huis van de kleine man in lichterlaaie had gezet, voelde hij een stijgende ongerustheid. Er waren er zo veel. Hij had zich gericht op Armas en de dikke, maar toen de kleine in beeld was gekomen, was zijn opdracht plotseling uitgebreid. De kleine was dan wel niet actief betrokken geweest bij de werving van Angel en Patricio, maar hij was een schakel in de keten, en blijkbaar een belangrijke. Misschien was hij zelfs wel het brein achter het geheel en waren Armas en de dikke slechts zijn loopjongens?

De ongerustheid werd ook veroorzaakt door iets wat Patricio in de gevangenis had gezegd: 'We hadden nee kunnen zeggen.' En dat was waar, Manuel had nee gezegd en had zijn broers bovendien gewaarschuwd niet naar Oaxaca te gaan, waar ze in een hotel zouden logeren en nieuwe kleren zouden krijgen. Ze hadden nee kunnen zeggen, hadden kunnen doorgaan met het zaaien van maïs dat anderen nu mochten oogsten.

Maar ze hadden ervoor gekozen 'ja' te zeggen. Waar lag hun verantwoordelijkheid?

Manuel haalde diep adem, sloot de tent met het hangslotje af en wandelde naar de parkeerplaats. Hij keek om zich heen voor hij de open plek op liep. Er stonden zo'n twintig auto's op de parkeerplaats. Zijn huurauto was onopvallend, hij versmolt met de overige auto's, maar zelf voelde hij zich een vreemde vogel die voorzichtig tevoorschijn kwam.

De parkeerplaats lag aan de buitenkant van een handwerkdorp dat een gestage stroom bezoekers leek te hebben. De plek was ideaal. Hij begreep dat niemand zich druk zou maken om die auto, ook niet als hij daar 's nachts bleef staan. Hij kon van een van de mensen van de aardbeienkwekerij zijn.

Hij had 's morgens een bad genomen in de rivier, zich minutieus gewassen en ondanks het koude water genoten. Hij had heen en weer gezwommen, gestreeld door de bladeren van waterlelies en riet, en zich daarna door de zon laten opdrogen op het strand.

Hij was een pezige, kleine man en sommigen lieten zich in de war brengen door zijn tengere lichaam. Maar hij kende zijn eigen kracht. Net als alle Zapoteken, geschoold door werken op het land, was hij in staat om hard en langdurig te werken. Hij kon honderd kilo op zijn schouders dragen, urenlang rooien met de hak of het kapmes zonder moe te worden, rusten, wat bonen en posol eten en weer doorgaan, kilometers lopen, omhoog en omlaag door dalen en over bergkammen.

Hij was zo'n man op wie Mexico op rustte, op vertrouwde. Hij zou zichzelf onderhouden, zijn gezin en bovendien ook nog een bijdrage leven aan de rijkdom en overvloed van anderen. Hij had alle kerken en monumenten opgericht, was langs steile bergkammen getrokken, had maïs, bonen en koffie verbouwd, dus waarom zou hij niet een paar minuten bij een vreemde rivier mogen blijven rusten, zich uitstrekken en zich door de zon laten drogen?

Toch was er die ongerustheid en hij vermoedde waar die vandaan kwam: hij was het vermogen om te rusten kwijtgeraakt. Om zich even voldaan te voelen, zich te verheugen in iets kleins en hoop te hebben voor de toekomst. De 'man uit de bergen' had hem de voor een Zapoteek zo wezenlijke eigenschappen ontnomen.

Hij verachtte zichzelf, zich ervan bewust dat zijn *ládxi*, zijn hart en ziel, verloren waren. Hij was net als zij geworden.

Eenmaal bij de auto probeerde hij het duistere gevoel van die ochtend van zich af te schudden, want dat maakte zijn bewegingen en gedachten traag. Hij had alle scherpte nodig die hij kon opbrengen. Het vreemde land stelde extra hoge eisen aan hem, er waren geen rustpunten, niet qua tijd en niet qua ruimte.

Na een blik op de kaart startte hij de auto, reed de provinciale weg op, passeerde een brug en reed naar Uppsala. Het landschap was rijk, met pas geoogste graanakkers en bruingele stoppels die in de verte verdwenen en mooie heuvels, gevormd als vrouwenborsten, waar het grazende vee, dik en welvarend, zorgeloos opkeek toen hij langsreed. Hij kwam onmiddellijk in een beter humeur.

Aan de horizon ontwaarde hij de kathedraal met de twee torens die naar een strakblauwe hemel wezen. Duizenden zware vogels vochten in het luchtruim in golvende formaties tegen de stevige zuidoostenwind. Ze waren net als Manuel op weg naar de stad.

Voordat hij bij de noordelijke toegangsweg naar Uppsala kwam, bleef hij staan en bekeek hij de kaart om de beste weg te kiezen naar K. Rosenberg, de naam die op de deur van de kleine man had gestaan.

Hij parkeerde de auto voor een klein winkelcentrum, stak de straat over en liep het laatste stukje naar de flat.

33

Al sinds zijn kindertijd werd Konrad Rosenberg vroeg wakker. Al om zes uur 's ochtends begon zijn inwendige klok te tikken. Hij vond dat niet prettig, hij had het nooit prettig gevonden, maar dat was zijn erfenis van Karl-Åke Rosenberg. Zijn vader was elke morgen om vijf uur opgestaan, was gaan rondlopen, koffie gaan zetten en met de kranten gaan ritselen. En omdat Konrad de jongste was, sliep hij op een bedbank in de keuken en werd hij dus altijd wakker. Het was niet anders.

De macht der gewoonte is groot, dus ook deze ochtend werd hij vroeg wakker. Het was half zes toen hij zijn ogen opende. Hij moest nodig naar de wc en had een barstende koppijn. Hij bleef nog even liggen en probeerde weer in te slapen, maar zag in dat dat ijdele hoop was. Precies om zes uur stond hij op en liep hij naar de badkamer.

Hij had de avond ervoor behoorlijk gezopen, net als vroeger, maar met het verschil dat hij nu helemaal in zijn eentje had zitten drinken. Dat had misschien bijgedragen aan de hoeveelheid alcohol die hij had genuttigd.

Het voelde ongewoon aan, bijna een beetje plechtig, om de eerste borrel in te schenken en vervolgens met zichzelf te proosten. Na de derde was er niets plechtigs meer over, alleen een doelbewust drinken. Na de vierde borrel had Konrad lange, verbitterde monologen over die 'vette klotekok' gehouden, die meende dat hij over Konrad Rosenberg kon beslissen.

Konrad had een brief ontvangen, niet met de gewone post, maar in de brievenbus gestopt. Hij was getypt en niet ondertekend, maar de inhoud overtuigde Konrad ervan wie de briefschrijver was. Hij begreep dat Slobodan iemand had ingehuurd om de brief af te leveren. Hij was gewoon te bang om zich in Tunabackar te vertonen.

Slobodan schreef dat ze absoluut geen contact met elkaar mochten hebben, geen telefoontjes, en dat ze beslist niet samen gezien mochten worden. Slobodan instrueerde Konrad thuis te blijven, 'alleen naar de winkel gaan en dan direct weer naar huis', schreef hij, alsof Konrad een kind was. Hij mocht zich niet in 'gevaarlijke situaties' begeven, niet 's avonds naar buiten gaan, geen 'contact opnemen met een van onze gemeenschappelijke kennissen' of iets doen wat de belangstelling kon wekken van 'onbekenden waar we geen bekenden van willen worden', wat volgens Konrad een omschrijving was voor de politie.

Eerst vond hij het belachelijk en was de verleiding groot om de instructies onmiddellijk te trotseren en Slobodan op te bellen, maar hij zag al spoedig in dat het verstandig was om zich even koest te houden tot de hele zaak was overgewaaid. De brand was een echte tegenslag, maar geen totale catastrofe. Konrad vertrouwde er volledig op dat zijn broer geen woord zou reppen over het feit dat Konrad degene was die het huis gebruikte. Zijn broer wilde alleen het verzekeringsgeld opstrijken.

Hij zette de radio aan om hem onmiddellijk weer uit te doen. Normaliter zou hij naar de sigarenwinkel zijn gegaan om in het programma voor de paardenkoersen te kijken, misschien naar de stad zijn gegaan om de tijd te doden. Hij dacht erover om Åke te bellen om te horen of hij nog iets over de brand had gehoord, maar zag in dat zijn broer alleen maar nerveus zou worden.

Het was even na elven toen er werd gebeld. Konrad schrok op alsof iemand hem een zweepslag op zijn rug had gegeven. Hij liep voorzichtig naar de deur en luisterde, totaal niet begrijpend wie dat kon zijn. Zijn oude drinkebroers, die op elk moment van de dag konden opduiken, hadden zich al maanden niet vertoond en ander bezoek kreeg hij niet.

Hij legde zijn oor tegen de deur en meende een hijgende ademhaling te horen, maar nam aan dat dat verbeelding was. Niemand kon zo luid ademhalen, maar toen hij heel voorzichtig door de brievenbus gluurde, hoorde hij het sissende geluid nog steeds.

Een nieuw belsignaal. Konrad voelde hoe het zweet langs zijn rug begon te lopen. De nieuwsgierigheid kreeg de overhand en hij stond op.

'Wie is daar?' riep hij.

'Meneer Rosenberg, er is iets met uw auto gebeurd', hoorde hij een piepend stemmetje aan de andere kant van de deur zeggen.

Hij deed de deur open en daar stond een oude man die naar hij meende in het volgende portiek woonde.

'Sorry dat ik stoor, maar ik zag …'

'Mijn auto?'

'Ja, die Mercedes op straat is toch van u? Hij is door iemand gemolesteerd.'

'Gemolesteerd?' herhaalde Konrad onnozel, voordat hij zijn schoenen had aangetrokken.

Terwijl hij de trap af rende en de astmatische man achter zich liet, bedacht hij opeens dat dit een val kon zijn en hij minderde vaart. Maar de ongerustheid over de Mercedes maakte dat hij doorrende.

Iemand had een scherp voorwerp langs de hele zijkant van de auto gehaald, van het voorspatscherm over de portieren tot het achterlicht. Konrad staarde naar de bijna geheel rechte kras en toen hij om de auto heen liep, kon hij constateren dat daar net zo'n streep zat.

De buurman was inmiddels ook hijgend beneden gekomen en verklaarde dat hij het had gezien toen hij was teruggekomen van boodschappen doen.

Konrad stond als verlamd, hij kon niet eens antwoord geven. Zijn auto, zijn Mercedes, geschonden door een stel knulletjes.

'Het is te erg voor woorden wat ze allemaal doen tegenwoordig. Zelfs een mooie auto kunnen ze niet met rust laten.'

Konrad bedacht opeens dat het misschien niet om vandalen ging. Hij keek om zich heen. Die klootzak staat vast ergens te grijnzen, dacht hij. Hij vroeg de buurman of hij op weg naar de winkel iets geks had gezien. Er kwam nog een buurman bij staan en Konrad voelde zich op de een of andere manier vereerd met de aandacht. Hij herinnerde zich dat de buurman hem 'meneer Rosenberg' had genoemd. Bovendien was gezelschap veiliger, hoewel de gemiddelde leeftijd van de buren hoog was.

'Bel de politie', zei de buurman. 'Ook al doen ze niets, u moet wel aangifte doen. Ik weet nog toen mijn Amazone werd aangereden toen hij bij de ijzerhandel van Lagerquist stond. Wat een toestand, ik kreeg een hele papierwinkel over me heen.'

Konrad luisterde maar met een half oor. Het woord 'politie' maakte hem nerveus en daarna steeds kwader.

'Ik vraag me af wat het kost om hem over te laten spuiten', speculeerde de andere buurman en Konrad werd nóg bozer.

'Ik ga naar boven om te bellen', zei hij en hij liet de twee mannen op de stoep achter.

Hij vermoedde dat dit geen gewone kwajongensstreek was maar een herinnering van een onbekende man die blijkbaar tot alles in staat was. Terwijl hij langzaam de trap op liep, verdween zijn woede en maakte plaats voor ongerustheid. Wat was er toch aan de hand? Dat Armas werd vermoord, kon worden verklaard, Konrad Rosenberg had met Slobodan Andersson verschillende motieven besproken, maar een huis laten affikken en vooral: een auto vernielen, dat was zo onlogisch dat het gewoon beangstigend werd.

34

Er zijn momenten in het leven van een politieman of -vrouw waarop de rode loper wordt uitgerold. Zo ervoer Barbro Liljendahl het. De lengte van de loper getuigde van een reeks onvoorziene ervaringen en ontdekkingen, maar er wachtten tevens routineklussen, uiteraard een heleboel werk, uren, dagen en weken van buffelen, maar dat is vast de beloning, dacht ze.

Ze had al sinds die messentrekkerij in Sävja het gevoel dat er een verband was. Er was ergens een draadje losgegaan en nu kon ze de losse uiteinden aan elkaar gaan knopen.

Nadat ze de telefoon had neergelegd, zat ze een hele tijd na te denken. Wat haar gedachten bezighield, en wat een grote mate van vakbekwaamheid en verfijnde tactiek vereiste, was dat die jonge jongen Zero als voorwaarde had gesteld dat hij niet wilde worden aangeklaagd voor het feit dat hij Sidström had neergestoken.

Anders zou hij zijn mond houden. Barbro Liljendahl begreep dat ze in het nauw zat. Als hij zou worden vervolgd voor die daad en zou worden veroordeeld, wat niet helemaal vanzelfsprekend was, zou de draad snel afbreken. En dan zou het bolletje niet helemaal compleet worden.

Sidström zou nooit toegeven dat hij Zero kende; hij had geen enkele reden om rechtvaardigheid te zoeken en zou de voorkeur geven aan zwijgen. Zolang Zero, die zijn buik had opengereten, zijn mond hield, was Sidström tevreden. Hij zou beter worden, misschien een vergoeding krijgen uit het Fonds Slachtofferhulp en zijn activiteiten weer kunnen oppakken terwijl Zero, als hij zou worden veroordeeld, een triester lot tegemoet zou gaan.

Barbro Liljendahl had voldoende jeugdcriminaliteit gezien om te begrijpen dat hij later hoogstwaarschijnlijk in andere onderzoeken zou opduiken. De jongen kon worden gered, maar alleen als er geen aanklacht zou komen. Dan zou het hopelijk een wijze les worden en bovendien zou Barbro Liljendahl verder kunnen knopen.

Ze besloot Ann Lindell op te zoeken. Een reden daarvoor was dat ze, toen ze elkaar in het ziekenhuis waren tegengekomen, over de zaak hadden gesproken. Maar ze nam ook contact op met haar collega vanuit een zekere mate van eigenbelang.

Barbro Liljendahl werkte bij Opsporing. Ze werkte daar vaak samen met Harry Andersson. Hij was wel goed, maar kon soms een echte kwelling zijn. Hij had een uitgekookte manier om haar inzet altijd te kleineren, bij voorkeur voorzien van een of ander sappig machocommentaar, dat misschien leuk bedoeld was, maar altijd lomp overkwam. Hij lachte haar protesten weg en meende dat ze overgevoelig was.

Ze wilde weg bij Opsporing en zou graag naar Geweld gaan. Lindell kon misschien een goed woordje voor haar doen. Wat Barbro van Lindell had gezien, stond haar wel aan. Bovendien had ze op de Politieacademie Beatrice Andersson leren kennen, die ook bij Geweld werkte, en verder had Barbro gehoord dat de chef van Geweld, Ottosson, een timide, vriendelijk iemand was.

'Dat wordt lastig', zei Lindell toen Barbro haar verhaal had gedaan. 'Als we er noodweer van kunnen maken, kan de officier van justitie het wellicht uit een ander perspectief zien. Met Fritzén is goed te praten, maar die nieuwe, je weet wel, die met die lange oorbellen, ik weet het niet, die komt zo ... hoe zal ik het zeggen ... rigide over.'

'Ik weet dat je het druk hebt met die moord bij de rivier, maar zouden we Sidström samen kunnen verhoren? Je zou het kunnen motiveren met het vermoeden dat er wellicht een verband is.'

'Dat is zwak', constateerde Lindell.

'Ja, ik weet het, maar ik heb op de een of andere manier medelijden met die knul', zei Barbro. 'Zijn hele familie is des duivels. Als hij wordt vervolgd, belandt hij in de hel. Ze vinden dat hij de hele familie vernedert. Zijn vader zit bovendien in Turkije in de gevangenis.'

Lindell zweeg.

'Je weet hoe het voor jongens als Zero afloopt', voegde Barbro Liljendahl eraan toe.

'Goed,' zei Lindell uiteindelijk, 'maar ik moet eerst met Ot-

tosson praten. Heb je die lijst van Sidströms kennissen al doorgenomen?'

'Ja, ik heb er een paar gesproken. Drie zitten er vast.'

'Er is één naam waar ik op reageerde en dat is Rosenberg, heb je
hem al gehoord?'

'Nee, hij en nog een stuk of drie, vier zijn nog over', zei Barbro
Liljendahl.

'Oké, we gaan naar het Academisch Ziekenhuis om te luisteren
naar wat onze gepuncteerde vriend te vertellen heeft.'

Lindell wist niet precies waarom ze hierin meeging. Ze zou het niet
moeten doen en Ottosson had ook zo zijn twijfels, maar hij was op
kinderlijke wijze gevleid dat ze zijn goedkeuring vroeg.

Ze vermoedde dat het om Berglund ging. Zijn spontane opmerking over Rosenberg die het 'opeens voor de wind ging' was
het soort informatie dat ze bijna dagelijks kreeg en als je naar alle
losse praatjes zou luisteren, zou elk onderzoek blijven steken.

Was het om Berglund te imponeren? Dat ze later zou kunnen zeggen: 'Bedankt voor de tip, het heeft ertoe geleid dat ...'
of waren het Ola Havers hautaine opmerkingen in de koffiekamer?

Hoe het ook zij, ze betrad met een zekere verwachting in gezelschap van Liljendahl de afdeling chirurgie. Ze was ook nieuwsgierig hoe haar collega de situatie zou aanpakken.

Sidström zat half in elkaar gezakt in een stoel. Zijn hoofd hing
naar voren, zijn kin op zijn borst, zijn armen rustten op de arm-
leuningen en zijn magere, pezige handen schokten haast ongemerkt.

'Ik vraag me af wat hij droomt?' fluisterde Lindell.

Hij zag er aanzienlijk ouder uit dan zijn tweeënveertig jaar.
Lindell vermoedde een langdurige verslaving achter zijn grauwe
huid en ze was ervan overtuigd dat zijn armen, en misschien zijn
benen ook wel, vol littekens van injectienaalden zaten.

Volgens Liljendahl was hij al een jaar clean en Lindell vroeg zich
af hoe hij had gereageerd op de narcose en de pijnstillers die hij in
het ziekenhuis redelijkerwijs moest hebben gekregen. Zijn laatste

tenlastelegging dateerde van drie jaar terug en betrof een inbraak.

'Olle', zei Liljendahl.

De man reageerde met een hoofdbeweging, maar werd niet wakker. Liljendahl pakte hem voorzichtig bij zijn ene schouder en Lindell voelde spontaan een enorme afkeer, op de grens van walging, voor de aanraking van haar collega, maar ook voor de waterige ogen die opengingen.

'Jezus, wat krijgen we nou?'

'Wakker worden', zei Liljendahl.

De man keek verward om zich heen, ontdekte wie zijn bezoekers waren en ging snel rechtop zitten.

'Kut', zei hij nadrukkelijk en hij trok een grimas.

Er zou nog veel meer volgen toen Liljendahl, na Ann Lindell te hebben voorgesteld, een zakcassetterecorder tevoorschijn haalde, de verhoorgegevens insprak, en begon met de vraag hoeveel cocaïne hij de laatste tijd had verkocht.

'Wat bedoel je in godsnaam? En zet dat klote-apparaat uit.'

Liljendahl glimlachte. Lindell ging bij het raam staan, schuin achter Sidström.

'We hebben weinig tijd,' zei Liljendahl, en Lindell moest grijnzen, 'dus we zouden wat samenwerking wel op prijs stellen.'

'Hoe bedoel je?'

'We weten dat je coke verkoopt en we weten bovendien een heleboel van je activiteiten.'

'Ik zeg geen reet tegen jou en die ...'

'Er zijn anderen die praten', zei Liljendahl vermoeid, en Lindell vermoedde hoe ze het van plan was aan te pakken.

'Konrad Rosenberg, komt die naam je bekend voor?'

Dat was een gok van Lindell en de man schrok op, met een grimas tot gevolg. Toen draaide hij zich om en staarde haar verschrikt aan. Lindell zag dat haar gok juist was geweest en ze wisselde een blik van verstandhouding met Liljendahl.

'Nu kun jij ook gaan praten', zei Lindell en ze meende dat ze bijna kon horen hoe de drugsdealer zijn krachten verloor. Zijn trekken veranderden in één klap en vertoonden alle tekenen van grote vermoeidheid en wanhoop. Hij schudde zijn hoofd lichtjes en snoof luidruchtig een behoorlijke hoeveelheid snot naar alle holtes in zijn hoofd.

Soms is het gewoon té eenvoudig, dacht Lindell terwijl ze tegen de vensterbank leunde.

Toen ze een half uur later in de cafetaria van het ziekenhuis hun uitstapje evalueerden, was Liljendahl zo uitgelaten dat Lindell moest lachen.

'Goed gedaan', zei ze.

'Bedankt', zei Liljendahl. 'Het was gewoon perfect!'

'Wat zegt je collega nu?'

Liljendahls gezichtsuitdrukking veranderde onmiddellijk en Lindell had spijt dat ze de vreugde niet nog een paar minuten had laten duren.

'Hij wordt chagrijnig,' zei Liljendahl, 'maar daar heb ik maling aan. Als je eens wist hoe genoeg ik heb van zijn opmerkingen.'

Lindell knikte.

'Zullen we Rosenberg ook meteen nemen?'

'Misschien is het beter dat ik nu uitstap', zei Lindell. 'Ik bedoel, als Harry hier chagrijnig van wordt, wordt het er niet beter van als we doorstomen. We kunnen ook niet zo heel veel met Rosenberg. Sidström heeft niet uitdrukkelijk gezegd dat Rosenberg de leverancier was, alleen maar dat ze met elkaar omgingen.'

'Maar je zag hoe hij reageerde', zei Liljendahl. 'Zijn gezicht sprak boekdelen.'

Lindell vond het helemaal niet leuk dat ze moest afhaken, maar de kans was groot dat dit te ver zou gaan. Als ze meeging naar Konrad Rosenberg, en als het van daaruit verder zou rollen, was ze betrokken bij een onderzoek dat ze niet helemaal had ingecalculeerd.

'Neem jij Rosenberg zelf en laat me weten hoe het is afgelopen', zei ze, en de teleurstelling op het gezicht van haar collega was niet mis te verstaan.

Ze reden zwijgend terug naar het bureau, maar toen ze uit elkaar gingen, spraken ze af elkaar de volgende dag te zien.

'Ik heb raad en daad van een ervaren collega nodig', zei Liljendahl en Lindell was zowel gevleid als geïrriteerd. Ze vermoedde dat die waarderende woorden een achterliggende gedachte hadden. Maar misschien was het simpelweg zo dat ze door een informele samenwerking met Lindell aan te gaan die Harry Andersson alleen maar wilde ergeren.

35

Eva Willman moest bij zichzelf lachen. Er lagen zeker honderd affiches voor haar. Ze had nu al spijt dat ze Helen had beloofd ze te verspreiden. De tekst was te agressief, vond Eva, zo direct en op de grens van melodramatisch. Eva had moeite met dat sentimentele terwijl Helen het graag nog wat aandikte.

'Het gaat om onze kinderen', had Helen gezegd toen Eva bezwaar maakte tegen een aantal formuleringen.

'Jeetje, Helen', zei Eva, en ze las hardop voor: '… drugsdealers zijn net roofdieren, ze maken onze kinderen kapot en trekken ze het moeras in.'

'Ja,' zei Helen, 'als er een of andere klootzak zou komen die onze kinderen in Stordammen zou gooien zodat ze zouden verdrinken, zouden we hem toch ook tegenhouden? Of niet soms?'

Stordammen was een meer met zompige stranden dat was omgeven door een smalle strook riet, gelegen in het bos even ten zuiden van de woonwijk.

'We hebben niet door wat er aan de hand is', ging Helen verder. 'Ze richten zich op onze kinderen. Je zou die verdomde dealers tegen de muur moeten zetten, nee, dat is te mild, je zou …'

'Dat mag je op de bijeenkomst niet zeggen, hoor', onderbrak Eva haar.

Helen glimlachte.

'Denk je dat ik gek ben? Ik zal me heel koest houden. Dan kun jij mooi praten, als je wilt.'

Helens stem klonk zowel spottend als beledigend.

Helen had de ruimte in het oude postkantoor geregeld. Dat was een goede keuze want het gebouw lag centraal in de wijk en, wat belangrijker was, iedereen kende het. Een goede vriend van haar had de affiches op zijn werk uitgeprint. Helen had ook koffie en koek geregeld via de gemeente en had de politie uitgenodigd om over drugs te komen vertellen.

Eva had voorgesteld een aantal politici uit te nodigen, maar dat had Helen smalend van de hand gewezen.

'Dit regelen we zelf', zei ze. 'Als die eikels hun opdracht serieus namen, zou de school er niet zo uitzien als nu. Binnenkort is er nog maar één schoolpsycholoog per gemeente. En de naschoolse opvang zou ook wel beter kunnen.'

Helen ging nog even door met het opsommen van alles wat de politiek volgens haar zou moeten doen. Er was niets nieuws bij en hoe meer Helen praatte, hoe vermoeider Eva werd.

Eva begon bij haar eigen flat. Ze ging van portiek naar portiek en plakte de gele pamfletten op de deuren. Toen ging ze de wijk door, naar de winkel en de pizzeria.

Ze kwam bij de winkel diverse bekenden tegen. Ze schaamde zich een beetje voor haar pamfletten met oubollige formuleringen, maar ze kreeg positieve reacties en werd steeds vrijmoediger.

'Mooi dat er eindelijk iemand iets zinnigs doet', zei een moeder die ze kende van de voetbaltrainingen.

Misschien zouden we een sandwichbord voor de winkel moeten plaatsen, dacht ze. Ze ging naar binnen om met de chef te praten en kwam met een halve belofte naar buiten.

Ze wist dat het gerucht zich snel in Sävja en Bergsbrunna zou verspreiden, dat de moeder van Patrik en Hugo als een Jehova's getuige met affiches rondrende, en ze vroeg zich af wat haar zonen zouden zeggen. Ze zouden zich schamen, daar was Eva van overtuigd. Maar ze was opgepept door alle bijval en toen ze op de terugweg langs de voorschool kwam, ging ze naar binnen om met iemand van het personeel te praten en ook daar mocht ze posters ophangen.

Onmiddellijk nadat Eva weer thuis was, belde Helen.

'Schitterend', zei ze. 'Het is perfect dat die posters geel zijn. En dan nog wat, de moeder van Mossa heeft het pamflet in het Arabisch vertaald. Ze zal het uitprinten. Denk je dat het ook in het Koerdisch moet? Wat spreken die lui daar op vijf? Is dat Iraans?'

'Ja, de familie van Ali komt uit Teheran.'

'Als die couscouskauwers niet komen, werkt het niet. Dan wordt het hier net als in Frankrijk.'

Eva protesteerde niet tegen haar woordkeus en vroeg niet wat Helen over Frankrijk wist. Ze had vermoedelijk een documentaire op tv gezien.

Eva beloofde met de Iraanse familie op nummer vijf te gaan praten en ze braken het gesprek af. Ze plofte uitgeput neer op de bank. Op de vloer voor haar lag de krant die ze gisteravond had gelezen. Ze pakte hem op, bladerde naar het artikel over de zeiler voor de kust van Zuid-Amerika en bedacht dat ze nooit in iets zouters had gezwommen dan het brakke water van de Oostzee. Ze had nooit per ongeluk een slok zout water binnen gekregen.

Ze probeerde zich warmte en een zandstrand voor te stellen, tropische warmte en fijn, wit zand onder blote voeten, en glimlachte bij zichzelf. Ze wist dat het alleen maar dromen waren en dat ze nooit geld zou hebben om verder te komen dan de Canarische Eilanden. En dat al niet eens. In twee jaar tijd had ze zesenveertighonderd kronen op een speciale rekening apart gezet. Afgelopen najaar had er bijna zevenduizend op gestaan, maar ze had met kerst een paar duizend kronen moeten opnemen.

De enige mogelijkheid was een kraslot. Helen en zij kochten elke week samen een lot, maar dat had tot nu toe nog weinig opgeleverd, een keer vijftig kronen en een keer duizend. Dat hadden ze gevierd met een fles wijn.

Ze wilde samen met Patrik en Hugo op reis. Daar was haast bij, want de jongens zouden binnenkort zo oud zijn dat ze niet meer mee wilden. Het deed pijn dat ze hun niet meer van de geneugten van het leven kon bieden. Ze hoorden over klasgenoten die op wintersport en zomervakantie gingen, en het was de anders zo loyale Hugo een keer ontglipt dat het oneerlijk was dat zij niet verder konden dan naar de provincie Värmland.

Maar misschien dat het nu goed zou komen. Donald had gezegd dat ze meer mensen in de keuken nodig hadden, iemand die de vaat regelde. Nu moest het bedienend personeel de vaatwasser inruimen en de glazen naar de bar brengen, maar er kwamen steeds meer gasten en Eva was nog onervaren, dus het was druk. Misschien zou ze een paar extra avonden in de maand kunnen werken en wat geld opzij kunnen zetten?

Ze moest bijna naar haar werk. Ze grijnsde, moest opeens aan Donald denken en zijn aversie tegen de vakbond. Misschien moest ze Helen eens op hem af sturen?

Ondanks haar bedenkingen ten aanzien van de actie van haar vriendin tegen de drugs voelde ze zich gesterkt. Je kon zeggen wat je wilde over Helen, en dat deden veel mensen ook, maar ze had een fantastisch vermogen om dingen voor elkaar te krijgen, ook al was Eva wat minder optimistisch over de bijeenkomst bij de post. Er zouden vast niet zo veel mensen komen als Helen verwachtte. Het verplaatsen van een vuilnishok in je eigen binnentuin is iets heel anders dan het veranderen van de gemeentepolitiek en het bestrijden van drugs.

36

Barbro Liljendahl parkeerde op straat en het eerste wat haar opviel, was de Mercedes. Lindell had haar over Konrad Rosenbergs aankoop verteld. Ze zag uiteraard ook de gigantische kras; het leek wel een lijst.

Daarom was ze niet al te verbaasd over Rosenbergs openingsrepliek toen ze zich voorstelde.

'Fijn dat u zo snel kon komen. U hebt de auto gezien, hè?'

'Dat mag een collega afhandelen', zei Liljendahl. 'Wij hebben een paar andere zaken te bespreken.'

Het rook rokerig en bedompt in de flat, maar het was er verrassend opgeruimd. Ze gingen in de keuken zitten. Konrad Rosenberg had de blik van een oude bekende van de politie. Hij deed alsof hij ongedwongen was, maar keek haar bewust niet in de ogen.

'Misschien kunnen we het toch even over die Mercedes hebben', zei Liljendahl.

Konrad keek op en de politievrouw bemerkte een sprankje hoop in zijn getergde gezicht. Ze kon zich even met hem identificeren.

'Het zijn vast kinderen', zei hij en hij stak een sigaret op.

'Mag ik vragen waar u zo'n dure auto van kunt betalen?'

'Gewonnen met paardenkoersen. Ik heb altijd in van die roest bakken gereden, dus nu dacht ik ...'

'Hoeveel hebt u gewonnen?'

'Een paar duizend', zei Konrad en op dat moment verslikte hij zich, zodat het bedrag in zijn keel bleef steken.

'Speelt u altijd mee?'

'Elke week. Ik ben de beste klant van de tabakszaak hier. Soms ga ik ook wel naar de drafbaan, naar Valla of helemaal naar Gävle. Wedt u weleens op paarden?'

Liljendahl schudde haar hoofd en glimlachte naar Rosenberg.

'Kent u Olle Sidström?'

Hier vertoonde Rosenberg een proeve van grote bekwaamheid.

Hij nam een laatste trekje van zijn sigaret en maakte hem zorgvuldig uit in de overvolle asbak.

'Ja, hij is weleens mee geweest. Vroeger vooral. Maar hij wordt zo schreeuwerig als hij een keer wint. Als je speelt, moet je discreet zijn.'

'Op dit moment speelt hij niet', zei Liljendahl. 'Hij ligt in het ziekenhuis.'

'O, ja?'

'Gestoken met een mes.'

Nu stortte Rosenbergs verdedigingswerk in. Liljendahl zag letterlijk hoe de muur barstte, hoe zijn kin omlaag zakte en hoe de angst vat op Rosenberg kreeg.

Aanvallen, dacht Liljendahl, maar ze hield zich in en liet Rosenbergs verwarring houvast krijgen voordat ze over Sidströms toestand vertelde. Ze beschreef omstandig hoe Sidströms buik eruitzag, hoe zijn angst tot uitdrukking was gekomen en dat hij een sterke behoefte had gehad om met de politie te praten.

'Wat heb ik daarmee te maken?' wist Rosenberg uit te brengen terwijl hij een volgende sigaret opstak. Liljendahl, die die vraag al zo vaak had gehoord, glimlachte, maar zei niets.

'Als hij beweert dat ik hem geld schuldig ben, dan is dat bluf', werd Rosenbergs volgende verdedigingslinie. 'Hij kraamt altijd een hoop onzin uit.'

'Ik ben hier niet als incasseerder van Sidström', zei Liljendahl. 'Ik ben bezig met een onderzoek naar een steekpartij en drugshandel. Ik dacht dat u als ex-junk misschien wat te vertellen had.'

Rosenberg schudde zijn hoofd.

'Ik ben een gezagsgetrouw burger', zei hij.

Liljendahl kon een glimlach niet onderdrukken.

'En u hebt niets te vertellen', zei ze.

'Nee, niets.'

Voordat Barbro Liljendahl Tunabackar verliet, bezocht ze de sigarenwinkel op Torbjörns torg, waar men kon bevestigen dat Rosenberg een verstokt gokker was en 'een duizendje' per week aan drafsport en toto besteedde.

Volgens de eigenaar van de winkel was Rosenberg 'vrij goed' en won hij bij tijd en wijle 'vrij redelijke' bedragen aan zijn spel.

Liljendahl begreep dat ze met iets concreets moest komen om Sidström te breken en eventueel een link naar Rosenberg moest vinden. Ze voelde dat Rosenberg iets verborgen hield. De nervositeit die hij aan de dag had gelegd, was niet alleen de gewone stress waar alle criminelen bij confrontatie met de politie last van hebben. Ze had hem nu bang gemaakt en het idee was om Rosenberg over een dag of twee opnieuw te bezoeken, de druk te verhogen en ervoor te zorgen dat hij wellicht een misstap beging. Hij zou nooit vrijwillig gaan praten. Alleen nieuwe informatie kon dat bewerkstelligen; dat hij om zijn eigen hachje te redden inlichtingen zou gaan verkopen.

Ze wist ook dat die zwakke schakel Zero heette. Hij was degene die moest gaan praten.

37

Lorenzo was niet blij, maar zijn omgeving merkte meestal geen verschil want hij was erin getraind zijn kalmte te bewaren. Maar Olaf González was geroutineerd genoeg om Lorenzo's rechterhand op te merken, die onrustig zijn haar naar achteren streek.

'Wie?' vroeg hij, en Gonzo wilde dat hij een antwoord had.

'Er zijn meerdere mogelijkheden,' begon hij voorzichtig, 'iemand in de branche die door Armas het leven zuur is gemaakt of iemand uit dat verhaal dat naar boven is gekomen.'

Toen Gonzo had gehoord dat Armas was vermoord, was zijn eerste reactie geweest om te vluchten. Hij was ervan overtuigd dat Lorenzo achter de moord zat en omdat hij de enige was die de relatie tussen Armas en Lorenzo kende, bevond hij zich in een netelige positie. Misschien dat Lorenzo hem ook wel het zwijgen wilde opleggen; om zijn eigen hachje te redden?

'Dat had ik zelf ook al bedacht,' zei Lorenzo, 'maar jij werkte heel dicht bij hem in de buurt, jij zou toch verdomme ook wel iets hebben moeten horen?'

Lorenzo vloekte maar zelden en sprak slechts sporadisch met stemverheffing. Ze zaten bij Pub 19, ieder met een biertje voor zich. Het was half zeven en het was niet druk. Aan de bar hingen een paar studenten en een groep vrouwen, van wie Gonzo aannam dat het collega's waren, had beslag gelegd op twee tafels aan het raam aan Svartbäcksgatan. Een van de vrouwen keek hen even aan.

Gonzo koos ervoor geen antwoord te geven. Wat hij ook zei, het zou Lorenzo alleen maar nóg meer ergeren. Gonzo wilde er goed voorstaan. Dit was zijn enige kans. Nu hij bij Dakar was ontslagen, kon hij bij geen enkel ander restaurant in de stad aan de slag, daar zou Slobodan wel voor zorgen, en Lorenzo was zijn redding.

Shit, dacht hij, waarom moest ik me er ook zo nodig mee bemoeien? De eerste keer dat Lorenzo contact met hem had gezocht, had Gonzo gedacht dat het om werk ging, dat Lorenzo op zoek was naar informatie en eventueel contacten wilde leggen binnen de restaurantbranche. Dat was in elk geval wat hij had laten doorschemeren, dat hij erover dacht zich in de stad te vestigen en dat hij 'ingangen' nodig had.

Gonzo was gevleid geweest en had een promotie in het verschiet gezien, en alleen al het idee om naar Slobodan te kunnen gaan en de sleutels op tafel te kunnen smijten, maakte dat hij bereidwillig had verteld wat hij over Dakar en Alhambra wist. Hij voelde zich niet afvallig, want Armas en Slobodan hadden hem altijd als een drol behandeld. En toen was die trut van een Tessie gekomen, die meende dat ze de eigenaresse was en hem als een huisslaaf kon commanderen. Wat wist zij nou van bedienen? Hij zat al vijftien jaar in het vak terwijl Tessie bij een of andere hamburgertent in Boston had gewerkt.

Hij had veel te laat ingezien dat Lorenzo veel meer wilde dan dat. Hij wilde Armas breken en Slobodan op die manier verzwakken en zijn restaurants misschien wel overnemen. En Lorenzo wilde meer, maar Gonzo kon er niet goed achter komen wat dat was. Dat gevoel was de afgelopen week ook versterkt. Hij kon Lorenzo's onrust anders ook niet verklaren. Er stond aanzienlijk meer op het spel dan twee restaurants in Uppsala.

'Wat zegt de politie?'

'Tegen mij niets', zei Gonzo, en hij herinnerde zich hoe de politie hem had overstelpt met vragen over zijn ruzie met Armas en waarom hij wegging bij Dakar. 'Ze dachten dat ik met die moord te maken had.'

'En, is dat zo?'

Lorenzo glimlachte toen hij die vraag stelde.

'Jezus!' riep Gonzo uit, en een van de studenten aan de bar draaide zijn hoofd om en keek nieuwsgierig naar het duo in de hoek.

Gonzo nam een grote slok bier. Hij sloot zijn ogen terwijl hij dronk, maar voelde Lorenzo's blik. Toen hij ze weer opende, besloot hij het te vertellen.

'Ik heb het pakje aan Armas geleverd,' zei hij, 'maar dat was een vergissing. Hij sloeg terug.'

'Een diefstal.'

Lorenzo knikte, stelde verder geen vragen, dronk wat van zijn bier en glimlachte opnieuw.

'Als je mee wilt doen, moet je gauw aan boord springen', zei hij.

'Wat zit er in die boot?'

'Om aan te monsteren, hoef je de lading niet te kennen', zei Lorenzo.

Hij stond op, pakte een briefje van honderd en gooide het op tafel.

'Vermenigvuldig dit met duizend', zei hij cryptisch en hij verliet de kroeg.

Gonzo gaf de barkeeper een seintje dat hij nog een biertje wilde, voornamelijk om de verleiding te weerstaan op te staan en achter Lorenzo aan te lopen. Hij staarde naar het bankbiljet en dacht er drie nullen achter.

Hij kreeg zijn biertje en op dat moment zag hij een beeld uit zijn jeugd. Het was een lijn tussen twee bomen, waar zijn moeder altijd de was ophing. Zijn vaders kleurrijke overhemden naast zijn eigen T-shirts en onderbroeken, een rode jurk en een paar lakens.

'Hoe gaat-ie?'

Gonzo keek verbaasd op.

'Goed', zei hij.

'Je stopt bij Dakar, heb ik gehoord', zei de barkeeper.

Gonzo knikte, maar het beeld van de waslijn bleef op zijn netvlies hangen. De kleren bewogen zachtjes heen en weer in de wind. Het was hoogzomer en Gonzo stond voor het open raam op de bovenverdieping. Even meende hij de geur van waspoeder te ruiken.

De barkeeper keek hem met een uitdrukkingsloos gezicht aan en liep vervolgens weer weg. Gonzo nam een slok en bedacht waarom hij wasgoed voor zich zag. Hij was al jaren niet bij zijn ouders in Noorwegen geweest. Was dit visioen een teken dat hij Uppsala moest verlaten en terug moest gaan? Het huis was er nog en zijn moeder hing vast nog steeds de was tussen dezelfde bomen.

Gonzo dronk zijn bier op, stond op en liep vlug het café door, plotseling ontzettend geïrriteerd over de vrouwen die steeds luidruchtiger werden. Het was alsof hun lach hem bespotte.

Wat weten die wijven van Uppsala? dacht hij en hij wierp een van hen een boze blik toe toen hij zich tussen de stoelen en tafels door wurmde. Ze keek hem uitdagend aan alsof ze zijn gedachten vermoedde en haar weerstand en minachting tot uitdrukking wilde brengen.

Eenmaal buiten kon hij niet beslissen welke kant hij op zou gaan. Zijn eigen wil was verdwenen. Hij voelde dat er problemen in aantocht waren en van aanzienlijk ernstiger aard dan het verliezen van je baan. Een stem zei hem naar huis te gaan, zijn geld te tellen en een ticket naar Oslo te kopen. Misschien dat hij daar opnieuw zou kunnen beginnen, werk zou vinden en Uppsala voorgoed achter zich zou kunnen laten. Een andere stem riep hem op revanche te nemen, ook al was Armas er niet meer. Slobodan was er immers nog wél.

Aan de overkant van de straat schuifelde een oude man achter een rollator. Aan zijn stuur hing een plastic tas. De oude man kwam met veel moeite vooruit. Toch glimlachte hij. Gonzo schudde zijn hoofd en sloeg linksaf richting centrum.

38

Op de binnenplaats achter Dakar was niets moois te zien. In de ene hoek stond een roestige Opel, in de andere stonden drie groene vuilcontainers en een oude damesfiets in een roestig fietsenrek.

Het asfalt was ongelijkmatig en gebarsten en op diverse plaatsen gerepareerd. Zelfs het onkruid dat tussen de scheuren naar boven kwam, zag er niet-levensvatbaar uit en verwelkte in de stilstaande lucht. Het stonk naar vuil, maar dat kon Manuel niet deren. Hij merkte het amper. Zijn belangstelling was volledig gericht op de roodgeschilderde deur met daarop de naam van het restaurant in witte letters.

Hij stond daar al een half uur. Eerst was hij doelbewust op de deur af gestapt, maar had zich, met zijn vinger op de bel, toch bedacht, zijn arm omlaag gedaan, zich teruggetrokken en was op het fietsenrek gaan zitten. In deze toestand van besluiteloosheid ervoer hij voor de eerste keer in het vreemde land rust. Misschien kwam het door de stank van vuil en de brandende zon dat hij glimlachend achteroverleunde. Hij kon zonder probleem de geur en de warmte uit zijn vroegere leven ophalen en identificeren. Er was iets geborgens in dat passieve wachten. Hoe vaak had hij dat niet ervaren in Californië? Wachten op werk, wachten tot iemand in zijn pick-up voor zou rijden, het raampje omlaag zou draaien en hem en de andere mannen woordeloos zou monsteren, hun spierkracht en uithoudingsvermogen inschattend.

Hij wilde dat hij een shagje had kunnen rollen en misschien een biertje met iemand had kunnen delen. Toen hij zijn ogen sloot, meende hij het rustige gepraat van zijn lotgenoten te kunnen horen. Korte berichten over dorpen en mensen over wie hij nooit eerder had gehoord, maar die toch overkwamen als oude bekenden, over werkgevers voor wie je moest oppassen, slavendrijvers en racisten, en over vrouwen, levende en gedroomde. Mannen waren nooit zo brutaal en tegelijkertijd zo naakt in hun gemis en verlangen als wanneer ze op werk wachtten.

En hij hoorde de hoop waarmee deze mannen op de been bleven door met elkaar te praten, alsof de stilte hun reeds bevroren harten dreigde te doen barsten.

Toen al wist Manuel dat alles tevergeefs was. Geen van hun dromen zou ooit verwezenlijkt worden, toch liet hij zich beïnvloeden door hun ijdele hoop en plannen voor de toekomst. Hij nam zelden deel aan de gesprekken, maar liet de mompelende stemmen ook zíjn hoop in leven houden. Misschien dat voor de anderen hetzelfde gold? Manuel geloofde dat er achter de onschuldigste en meest naïeve landgenoot een realist schuilging. Ze maakten allen deel uit van een gigantische schijnvertoning, waar miljoenen armen en naar werk hunkerende mensen aan meededen. Ze lieten zich op dezelfde manier duperen als waarmee ze zich tijdens de fiësta enkele momenten lieten meevoeren met de capriolen en breedsprakige, wereldvreemde fantasieën van de potsenmakers.

Was dat wat Angel en Patricio niet langer hadden kunnen verdragen? Manuel wilde het geloven, hij wilde geloven dat ze niet alleen uit stommiteit drugskoerier waren geworden, dat ze er niet gewoon waren ingetuind maar zich volledig bewust waren geweest van waar ze aan begonnen waren. Ze lieten zich niet langer verdoven door het zachte gepraat. Ze wisten dat een arme campesino die op werk en geluk wachtte geen toekomst had. Ze konden die dwaasheid niet langer uitstaan en besloten zich iets toe te eigenen van de rijkdom die de drugshandel van de dikke opleverde.

Angel vroeg altijd waarom de blanken rijk waren en waarom de indianen het nog slechter hadden dan honden. Manuels praatje over vijfhonderd jaar onderdrukking en uitbuiting kon hem niet imponeren.

'Wij zijn met meer,' zei hij, 'waarom accepteren we dat de blanken al het goede inpikken?'

Manuel wist dat Angel alleen maar droomde van een vrouw om mee samen te leven. Waar en onder welke omstandigheden maakte hem niet uit. Zijn broer had een ongecompliceerde instelling tegenover het leven; hij wilde beminnen en worden bemind. Manuel had Angel altijd voor zich gezien als vader van veel kinderen, kleine, dikke Zapotekenkinderen in een dorp als alle andere.

Waarom zou hij het over politiek hebben als hij daar toch niets van wist? En waarom moest hij over de onrechtvaardigheid van het leven nadenken als hij alleen maar een vrouw wilde omhelzen?

Er was misschien een uur verstreken toen er plotseling een man op de binnenplaats verscheen. Pas toen hij de rode deur naderde, kreeg hij Manuel in het vizier. Hij schrok even, maar glimlachte vervolgens en zei iets wat Manuel niet begreep.

Manuel knikte en vroeg in het Engels of hij bij Dakar werkte.

'Kom je uit Spanje?' vroeg de man.

'Venezuela', zei Manuel.

'Een vriend van Chávez', zei de man in een merkwaardig soort Spaans.

'No', zei Manuel.

'Ik bedoel jullie president. Vergeet het', zei hij vervolgens toen hij Manuels vragende gezicht zag. 'Ik heet Feo en ik werk hier inderdaad.'

'Kom jij uit Spanje?'

'Portugal', zei Feo.

Manuel keek hem aan. Feo pakte een sleutelbos.

'Wacht je op iemand?'

Manuel schudde zijn hoofd.

'Ik zoek werk', zei hij.

Feo stak een sleutel in het slot maar draaide hem niet om. Manuel herkende het gespannen gevoel uit Californië en kwam overeind.

'Bij Dakar? Heb je ervaring?'

'Ik weet wat werken is', zei Manuel snel. 'Ik ben alles gewend. Ik kan hard en lang werken.'

Feo keek hem nadenkend aan. Manuel stond met zijn armen langs zijn lijf, ontmoette Feo's blik en dacht aan Angel. Hij besloot naar Frankfurt te gaan om te zien waar zijn broer was gestorven. Misschien waren er nog stenen op de spoordijk met ingedroogd bloed? Misschien had iemand hem wel zien rennen?

'Dan moet je met de eigenaar praten', zei de Portugees. 'Hij is niet hier, maar kom binnen maar wachten. Je ziet eruit of je wel een colaatje kunt gebruiken.'

Hij deed de deur open en liet Manuel eerst naar binnen gaan, deed de deur weer op slot en het viel Manuel op hoe koel het was. Het rook er licht naar schoonmaakmiddel en eten.

Feo legde een hand op zijn schouder.

'Je ziet eruit of je wel een colaatje kunt gebruiken', herhaalde hij.

Manuel keek om zich heen alsof hij elk moment een aanval verwachtte. Feo nam hem mee naar de bar, pakte een Coca-Cola en stak hem die glimlachend toe.

Uit de keuken was gekletter van pannen hoorbaar, uit de radio klonk Bruce Springsteen. Manuel had dorst, maar was niet in staat meer dan een slok te drinken.

'Loop mee, dan kun je kennismaken met onze chef-kok', zei Feo.

Manuel liep achter Feo de keuken in. Terwijl Feo hem voorstelde, vroeg Manuel zich af waarom hij zo vriendelijk werd bejegend. Hij keek naar de Portugees en hoorde hoe hij in het Zweeds verklaarde wat de vreemdeling kwam doen. Donald keek hem kort aan en knikte, maar ging onmiddellijk weer aan het werk. Voor hem lagen gekruide lamsrolletjes die hij in stukken sneed, woog en in een kunststof doos stapelde. Manuel snoof de geur op.

'Spreek je Engels?' vroeg Donald.

Manuel knikte.

'Shit, jij spreekt Engels met een Indiaas accent', zei Feo, en hij mepte Donald op zijn rug.

'Heb je een werkvergunning?'

'Nee', zei Manuel.

'Dan wordt het moeilijk. Slobban, de eigenaar, is daar erg zorgvuldig mee.'

'No problems', zei Feo.

'Je komt uit Venezuela?' vervolgde Donald zijn ondervraging.

'Waar heb je Engels geleerd?'

'Ik heb in Californië gewerkt.'

'*De druiven der gramschap*', zei Donald in het Zweeds, en hij glimlachte onverwacht.

Hij sneed het laatste stuk lamsvlees door.

'Een boek', zei hij toen hij Feo's vragende gezicht zag, en ging vervolgens weer over in het Engels. 'Ik zal met Slobban praten, want we hebben iemand nodig voor de afwas. Als je in de States hebt gewerkt, is vaat inruimen bij Dakar gewoon vakantiewerk.'

Manuel luisterde gefascineerd naar de kok. Zijn Engels was inderdaad grappig.

'Maar het gaat maar om een paar uur elke avond', verklaarde Donald verder. 'Vind je dit lekker ruiken?'

'Verrukkelijk', zei Manuel.

39

'We hebben beet', zei Allan Fredriksson, maar hij keek niet over-dreven enthousiast toen hij bij Ann Lindell naar binnen liep.

Ze wachtte op het vervolg, dat niet kwam. Allan ziet er moe uit, dacht ze terwijl hij op de bezoekersstoel ging zitten. Hij krijgt steeds meer grijze haren en de wallen onder zijn ogen worden steeds donkerder.

'Met wat?'

'De tatoeage', zei Fredriksson. 'Armas is bij een zaak geweest op Salagatan. Er zijn vier tatoeëerders in de stad. Drie ervan had ik al eerder gecheckt, maar deze knul was op vakantie.'

'En hij kan zich Armas herinneren?'

'Heel goed. Hij herinnerde zich de tatoeage en het litteken op zijn rug ook.'

'Welk litteken?'

Fredriksson keek Lindell verbaasd aan.

'Dan heb je je huiswerk slecht gedaan. Armas had een litteken vlak onder zijn ene schouderblad, misschien van een mes.'

Lindell voelde dat ze rood aanliep. Dat had ze gemist.

'O, ja,' zei ze, 'nu herinner ik het me weer. Hij was daarnaartoe gegaan om zich te laten tatoeëren?'

'Hij wilde nóg een tatoeage, op zijn andere arm. De tattoo waarvan wij de restanten hebben gezien, zat er al.'

'Maar er is er geen bijgekomen', constateerde Lindell. 'Had Armas iets gezegd over de tatoeage die hij al had?'

'Niet zo veel, maar wel dat hij vond dat hij goed bij hem paste. De tatoeëerder heeft hem opgezocht op internet. Hij stelde een Mexicaanse god voor met een naam met te veel letters.'

Fredriksson legde een papier op haar bureau. Het was een kopie van de tatoeage. Hij stelde een dier voor, of was het een mens, dat leek te dansen. Op zijn rug hingen veren.

'Dat hij goed bij hem paste', herhaalde Lindell, en ze keek naar de afbeelding. 'En het moet een Mexicaanse god voorstellen? Dat moeten we bij Slobodan Andersson checken. We weten dat ze allebei een paar jaar geleden in het buitenland zijn geweest. Zei de deurwaarder dat niet? Misschien waren ze wel in Mexico.'

Fredriksson stond zuchtend op.

'Hoe gaat het, Allan?'

'Ik heb al die shit van Berglund erbij gekregen', zuchtte hij. 'Neem jij Mexico?'

Lindell knikte,

'Bedankt voor je hulp', riep ze Fredriksson achterna, die de gang op verdween.

Wat paste er nou zo goed? Een dansende figuur uit Mexico. 'Quetzalcóatl' had Fredriksson op het papier geschreven. Wat betekende hij voor Armas en wat zegt hij vandaag de dag? Hij betekende iets voor de moordenaar, dat was duidelijk. Lindell wist absoluut niets over Mexico, behalve dat de hoofdstad een ramp was voor astmapatiënten. En hier had ze bovendien te maken met een mythologische figuur waarvan ze de naam niet kon uitspreken en die haar niets zei.

Waarom? was de vraag die ze telkens maar herhaalde terwijl ze de kopie van de tatoeage bekeek. Waarom zou je een tatoeage verwijderen die een Mexicaanse god voorstelt?

Ze rekte zich uit naar de telefoon om Slobodan Andersson te bellen, maar bedacht zich op hetzelfde moment. Het was beter om naar Dakar te gaan, en ze belde Görel in plaats daarvan, haar vriendin, die soms op Erik paste.

'Ga je mee uit eten?'

'Altijd, dat weet je', zei Görel.

'We gaan op speurtocht', zei Lindell.

'Eindelijk.'

'Denk jij dat Margot op Erik kan passen?'

'Mijn zus staat altijd klaar', zei Görel. 'Ik bel haar meteen.'

Ze spraken af elkaar om zeven uur op Stora torget te ontmoeten.

'Speuren', was het laatste dat Görel zei voor ze ophing.

Daarna volgde een reeks gesprekken. Het eerste ging naar Schönell, die Armas' videobanden had bekeken. Hij had ruim honderd banden gescreend, maar niets opzienbarends ontdekt. Het waren voornamelijk actie- en oorlogsfilms.

'Was er iets over Mexico?' vroeg Lindell.

'Een Mexicaanse film, bedoel je?'

'Ik weet niet precies wat ik bedoel.'

'Nee, volgens mij niet, ik heb met name op porno gelet, maar ik kan de omslagen nog een keer bekijken om te zien of er iets Mexicaans bij zit', zei Schönell.

'Top', zei Lindell en ze hing op.

Het volgende gesprek was naar Barbro Liljendahl. Ze bevond zich in Järlåsa op jacht naar een heler, maar had alleen maar cantharellen gevonden.

'Ontzettend veel, zó langs de kant van de weg. Het is er helemaal geel. Ik ga daar met Jan vanavond weer naartoe. Hij is gek op paddestoelen.'

'Mooi', zei Lindell, maar ze ergerde zich aan het enthousiasme van haar collega en de informatie dat er een 'Jan' was. De hijgende en verhitte stem ervoer ze als onbehaaglijk, bijna afstotend.

'Ik wilde alleen even horen hoe het was afgelopen bij Rosenberg', hernam ze het woord.

'Hij was vooral verontwaardigd over zijn Mercedes. Iemand had zich uitgeleefd op de lak. Hij beweerde dat hij die auto had gekocht met geld dat hij had gewonnen met paardenkoersen.'

'En het contact met Sidström?'

'Ze waren alleen kameraden, zei hij, maar hij was er behoorlijk van ondersteboven toen ik vertelde dat zijn vriend opengereten in het ziekenhuis lag.'

'Wat denk je?' vroeg Lindell.

'Drugs', zei Liljendahl. 'Er is iets. Ik denk dat het zin heeft om Rosenberg onder de loep te nemen.'

'Succes', zei Lindell, ervan overtuigd dat er geen geld was en blij dat haar collega haar niet verder bij het onderzoek naar de steekpartij in Sävja wilde betrekken.

'Nog één ding,' zei Liljendahl, 'Rosenberg rookte als een ketter en zijn lucifers waren reclame van restaurant Dakar. Dat is toch die tent waar Armas werkte?'

'Inderdaad', zei Lindell.

'Ik vroeg me af of je misschien een foto van Rosenberg aan het personeel daar moet laten zien.'

Lindell hoorde hoe voldaan Liljendahl klonk en ze begreep dat ze die informatie had achtergehouden om haar zo in het voorbijgaan los te laten.

'Misschien', zei Lindell.

Ze stond op het punt iets waarderends te zeggen, maar deed dat toch niet.

Ze beëindigden het gesprek en Lindell pakte haar blok en begon cirkels en pijlen te tekenen.

In de grote cirkel schreef ze 'Dakar' en van daaruit gingen pijlen in alle richtingen, met namen van plaatsen en personen die tot dan toe in het onderzoek waren voorgekomen. Ze staarde naar haar poging tot overzicht voordat ze in de linkerhoek 'Mexico' toevoegde en een pijl trok naar 'Armas'.

Daarna belde ze Ola Haver en vertelde over de tatoeage en de lucifers bij Rosenberg. Ze vroeg haar collega alles op te vragen over deze voormalige junk en een foto af te drukken.

Ze leunde achterover, trok haar schoenen uit, legde haar voeten op het bureau en floot vals een paar maten uit een liedje van Simon & Garfunkel.

40

Eva Willman zag hem al van verre. Je kon hem niet over het hoofd zien: zijn brede rug, de dikke nek en de kale plek op zijn kruin. Als een stier, met zijn hoofd omlaag en met opgetrokken schouders, baande Slobodan Andersson zich een weg op het trottoir, de tegenliggers opzij duwend.

Hij bezwijkt nog eens aan een hartinfarct, dacht Eva en ze rustte met haar voeten op de pedalen, rolde langzaam naar voren, passeerde de restauranthouder, die haar niet opmerkte, en zette opnieuw vaart. Ze fietste in hoog tempo naar Gamla torget, waar ze even pauzeerde.

De fietstocht van Sävja had haar goed gedaan. Ze keek op haar horloge en constateerde dat ze een nieuw persoonlijk record had gevestigd. Slobodan kwam aan de overkant aanlopen en Eva keerde zich om, boog voorover over de brugleuning en staarde in het water, waar tussen de stenen op de bodem een fiets zichtbaar was.

Ze werd wat duizelig van het stromende water en tilde haar hoofd op, keek naar de lucht en glimlachte bij zichzelf. Ondanks de problemen met Patrik voelde ze zich gelukkig. Ik ben het waard, dacht ze. Alleen al het fietsen naar de stad, het was zeker acht, negen kilometer, gaf haar een gevoel van kracht. Ze keek altijd naar haar dijen als ze over Ultunagärdet fietste, hoe haar spieren zich spanden onder de stof van haar broek, en telde dan tot twintig trapbewegingen voordat ze weer opkeek.

Soms deed ze even haar ogen dicht, liet de wind haar gezicht strelen en luisterde naar het suizende geluid van de banden op het asfalt.

Ze had ontdekt dat het elke dag dezelfde mensen waren die naar de stad fietsten. Sommigen was ze al gaan groeten. Een oude man met een fietshelm en fietsstassen aan de bagagedrager riep haar telkens iets toe als ze elkaar bij Lilla Ultuna tegenkwamen; ze hoorde niet wat hij zei, maar zag wel zijn vriendelijke blik.

De restauranthouder was nu gepasseerd en vervolgde zijn weg op de stoep langs het badhuis en de oude bibliotheek. Ze vroeg zich af waar hij naar op weg was. Ondanks zijn omvang hield hij een hoog tempo aan.

Eva keek hem na en meende te zien dat hij rechtsaf sloeg naar Linnégatan. Ze was nog steeds een beetje bang voor hem. Hij leek op niets wat ze eerder had ontmoet.

De mensen binnen de restaurantbranche waren haar überhaupt vreemd, stoerder en grover in de mond dan ze gewend was. Ze begreep dat ze er wel aan zou wennen, maar miste de vertrouwelijkheid van haar vroegere werkplek. Ze had alleen met Feo wat contact. Johnny, daar werd ze geen wijs uit, zijn humeur wisselde enorm en hij keek zo verdrietig. Ze had van Feo gehoord dat hij net een relatie met een vrouw had verbroken en dat hij min of meer uit zijn woonplaats Jönköping was weggevlucht.

'Hij moet eten koken', had Feo gezegd. 'Hij heeft ons nodig, hij heeft wat warmte van het fornuis nodig, dan gaat het wel over.'

Alles gaat over, dacht ze, en ze ging weer op haar fiets zitten. De minimale afdaling van de brug naar Östra Ågatan deed haar Johnny's neerslachtige gezicht al vergeten. Ze kreeg de impuls om haar benen rechtuit te steken, zoals ze als jong meisje op de heuvels van de grindwegen buiten Flatåsen deed, en de hele weg naar Dakar te freewheelen, ook al was het nog vijfhonderd meter daarnaartoe en gedeeltelijk heuvel op.

Er zat een vreemde man in de keuken. Eva mocht zijn uiterlijk niet, hij leek op een misdadiger uit een Amerikaanse film die ze samen met Helen op een video had gezien. Hij keek op en keek haar even snel aan. In zijn uitdrukkingsloze ogen was niets waar ze haar blik op kon vestigen.

'Hoi', zei ze, en ze gaf Feo een por.

'Dit is Manuel, maar ik noem hem Mano', zei Feo. '*La mano*, de hand, die ons met de afwas komt helpen.'

'Oké', zei Eva, en ze knikte naar de nieuwe.

'Nu moet je Spaans of Engels praten. Hij komt uit Venezuela.'

'Venezuela', zei ze.

Ze herinnerde zich de reportage over het zeilen in het Caribisch gebied en bestudeerde hem wat beter. Hij straalde ook verdriet uit. Geen afgeleefd verdriet, maar een verbeten, bijna krampachtige droefenis. De gebalde vuisten die op zijn schoot rustten en zijn waakzame ogen gaven de indruk van een man die bij het minste teken van onrust of gevaar zou opspringen en de keuken uit zou rennen.

Eva voelde zich plotseling ongemakkelijk. Wat deed hij bij Dakar? Was het een oude bekende van Feo?

'Als Slobban het goed vindt', zei Feo.

Op dat moment kwam Donald vanuit de bar binnen met een fles mineraalwater in zijn hand.

'Ik kan hem aannemen', zei hij, 'en daar heeft die poedeljoego niets mee te maken. We hebben mensen nodig, verdomme, we lopen op ons tandvlees.'

'Je bent aangenomen', zei Feo in het Spaans en hij lachte een triomfantelijk lachje, knipoogde naar Eva en haalde zijn schouders op.

Manuel stond op.

'Waar is mijn werkplek?'

'Daar', antwoordde Donald plotseling in het Spaans en hij wees iets verder. 'Feo zal je laten zien hoe het werkt. Leer het nu en kom om half zeven terug. Begrijp je dat?'

Manuel knikte.

'Ik wist niet dat jij Spaans sprak', zei Feo.

'Ik heb op Mallorca gewerkt', zei Donald.

Feo en Manuel vertrokken naar de spoelkeuken. Eva keek hen na. Je zag dat Feo schik had in zijn rol als mentor. De nieuwe nam alle informatie aandachtig in zich op, maar vroeg niets. Hij knikte en herhaalde mechanisch wat Feo had gezegd.

'Dat gaat lukken', zei Feo toen hij weer terugkwam.

Slobodan Andersson wiste het zweet van zijn voorhoofd.

'Jezus, wat een hitte', pufte hij.

Niemand had hem zien of horen binnenkomen. Hij stond opeens in de keuken. Hij was door de personeelsingang van Dakar binnengekomen, dezelfde weg als waardoor Manuel even daarvoor was vertrokken.

Donald vertelde dat hij een afwasser had aangenomen die elke avond een paar uur zou helpen.

'Anders werkt het niet, Tessie en Eva kunnen niet als antilopen tussen de eetzaal en de vaatwasser heen en weer rennen, en wij hebben geen tijd, het is maar dat je het weet.'

Tegen alle verwachtingen in had de eigenaar geen bezwaar.

'Oké', was het enige wat hij zei, en hij frunnikte aan een stapel borden. 'Is de politie hier geweest?'

'Die zijn schoon', zei Donald.

Slobodan keek op, deed zijn mond open om iets te zeggen, maar bedacht zich en haalde zijn hand van de borden.

'Als de tuut hier komt, wil ik het meteen weten', zei hij.

'Is er nog nieuws?' vroeg Feo.

'Ik word ontzettend nerveus van die klojo's', riep Slobodan. 'Het is toch vreselijk dat je nooit met rust wordt gelaten!'

Hij zeilde de keuken uit en ze hoorden hem schreeuwen tegen Måns aan de bar, op wie hij vaak zijn frustraties botvierde.

Iedereen was verbaasd over Slobodans desinteresse voor de situatie in de keuken. Ook al had Armas altijd het laatste woord gehad als er mensen werden aangenomen, toch had Slobodan wel iets in de melk te brokkelen gehad. Maar nu leek het alsof hij geen fantasie of kracht had om zich ermee te bemoeien.

41

Lindell had een zwart jurkje aangetrokken en een kort, wit jasje.

'Zo speurneus, je bent er helemaal klaar voor, zie ik', zei Görel, toen ze elkaar op Stora torget ontmoetten.

Lindell had Erik op de crèche opgehaald en hem rechtstreeks naar Görels zus gebracht waar hij zou logeren, en was vervolgens naar huis gegaan om zich te verkleden.

De regen kwam totaal onverwacht. Het kwam met bakken uit de hemel en de straten stonden meteen blank.

'Waar zijn die wolken opeens vandaan gekomen?' vroeg Görel verbaasd.

Ann Lindell staarde naar de lucht. Ze stonden te schuilen in een portiek aan Svartbäcksgatan.

De regen hield even plotseling op als hij was gekomen. Onzeker of ze op de weergoden konden vertrouwen, liepen ze half rennend over Svartbäcksgatan.

Toen ze Dakar naderden, en de zon zelfs door de wolken piepte, verminderden ze hun vaart en liepen ze langzaam naar het restaurant.

Lindell had niets tegen Görel gezegd over het doel van het restaurantbezoek, maar ze was ervan overtuigd dat haar vriendin vermoedde dat er verborgen motieven achter Lindells royale aanbod zaten.

'Ik betaal, het is maar dat je het weet', herhaalde Lindell toen ze naar binnen gingen.

'Tuurlijk,' zei Görel, 'daar heb ik geen moeite mee.'

Het restaurant was halfvol. Er kwam onmiddellijk een serveerster naar hen toe en ze kregen een tafeltje aan het raam toegewezen. Lindell keek om zich heen.

'Het speuren begint meteen', zei Görel.

Helemaal achterin, gedeeltelijk verstopt achter een pilaar, zat een man die onmiddellijk Lindells aandacht trok. Ze nam hem in zich op en trok vervolgens het menu naar zich toe, dat de serveerster had neergelegd.

'Ik neem lam', zei Görel direct. 'Dat eet ik maar zo zelden.'

Lindell bestudeerde het menu en probeerde zich te herinneren waar ze de man eerder had gezien. Ze wist dat ze hem in politieel verband was tegengekomen, maar kon het bekende gezicht niet plaatsen.

'Wat neem jij?'

'Ik weet het niet', zei Lindell, die niet overdreven veel trek had. 'Misschien snoekbaars.'

De serveerster kwam terug en nam de bestelling voor de drankjes op. Lindell nam een alcoholarm biertje terwijl Görel om een glas witte wijn vroeg. Ze nam onmiddellijk een grote slok.

Lindell leunde voorover, de man zat achterovergeleund en was nu bijna helemaal verstopt achter de pilaar. Plotseling wist Lindell het weer. Hij was een recherchecollega uit Västerås, Axel Lindman, en ze hadden elkaar gezien op een bijeenkomst op de Politieacademie een half jaar terug.

'Heb je al iemand op het oog?' vroeg Görel, die Lindells verstrooidheid had opgemerkt.

'Nee, alleen een collega die een keer wat van me wilde tijdens een cursus.'

'Je bedoelt die man in dat donkerblauwe pak met die gele das? Die rode wijn drinkt?' vroeg Görel.

Lindell keek Görel stomverbaasd aan.

'Hij ziet er wel oké uit. Wilde hij wat van je? En daar moest jij natuurlijk niets van hebben, hè? Is hij getrouwd?'

Görel keek discreet naar de man terwijl ze wat van haar wijn dronk.

'Volgens mij niet.'

'Wat is dan het probleem?'

'Hij is niet mijn type.'

Lindell vond de wending die het gesprek had genomen niet prettig.

'Proost', zei ze en ze hief haar glas op.

Görel dronk een slok wijn, plotseling was haar glas leeg, maar ze ging onverdroten door.

'Wat is jouw type dan? Zeg niet Edvard, want dan ga ik gillen. Je bent nu toch wel eens klaar met die landrot?'

Ze sprak met stemverheffing en het stel aan het tafeltje naast hen keek nieuwsgierig op.

'Die struint daar wat rond op Gräsö met een dame van in de negentig', zei Görel, en ze hield haar glas omhoog als teken aan de serveerster dat ze nog een glas wilde, voor ze doorging.

'Hij is en blijft een slome vent. Het was toen natuurlijk wel leuk en gezellig, maar je leeft hier en nu. Er zijn genoeg leuke kerels, kijk naar dat lekkere ding daar verderop, maar jij blijft hangen bij een sociaal gehandicapte eilandbewoner. Wat pathetisch!'

Lindells eerste reactie was woede, maar toen kreeg ze bijna gevoelens van schaamte, die ze probeerde te onderdrukken toen ze het voldane gezicht van haar vriendin zag. Haar protest ging verloren, want op dat moment arriveerde de serveerster, die een nieuw glas wijn voor Görel neerzette.

'Ik wil ook graag een glas', zei Lindell.

'Heb ik gelijk of niet?' vroeg Görel toen de serveerster weer was verdwenen. 'Het is toch te gek dat je nog steeds een slecht geweten hebt omdat je Erik kreeg. Als ik eerlijk ben, had ik in het begin ook wel medelijden met je, maar potverdorie. Je bent knap en leuk, nee, je mag me niet tegenspreken, je hebt een baan, een fantastische zoon en je hebt vast een hoop geld, want je gunt jezelf nooit iets. Waar wacht je op? Dat Edvard op een wit paard zal langskomen? Dan kun je lang wachten.'

'Hij wilde mij een paar jaar geleden mee hebben naar Thailand', bracht Lindell ertegenin.

'Maar vervolgens heeft hij daar iemand anders versierd, toch?'

Lindell kreeg haar wijn. De avond was niet begonnen zoals ze had gedacht. Ze was bij Dakar om zich een beeld te vormen van het restaurant en daarmee van Slobodan Andersson, maar nu zat ze daar bijna te janken.

'Jij hebt makkelijk praten,' zei ze, 'jij hebt je schaapjes op het droge. Jij bent toch nooit een alleenstaande moeder geweest?'

'Erik is geen belemmering om een ander te ontmoeten, wanneer ga je dat nou eens inzien? Er zijn honderdduizenden alleenstaanden met een kind en die komen ook nieuwe partners tegen.'

Lindell keek om zich heen. Er kwamen steeds meer gasten binnen en aan de bar was het een drukte van belang. Ze bestudeerde de ruggen van de mannen aan de toog. Ze stonden daar net als een kudde dieren bij een bron, schouder aan schouder, pratend, lachend, drinkend.

'Ik heb Charles gehad', zei ze.

'Maar dat hield je na een tijdje weer voor gezien', zei Görel.

Ze moet wat minder snel drinken, dacht Lindell. Ze besloot het gesprek over een andere boeg te gooien. Als Görel kritiek kreeg, zou ze alleen maar nog koppiger worden en Lindell kon alleen maar vermoeden welke waarheden er uit Görels mond zouden rollen als ze eenmaal op stoom was. Lindell wist dat ze het goed bedoelde en dat er een kern van waarheid zat in wat ze zei, maar ze voelde zich tegelijkertijd oneerlijk aangevallen.

'Ik ben hier voor mijn werk', zei ze zachtjes.

'Dacht je dat ik dat niet had begrepen?'

Op hetzelfde moment kwam de restauranteigenaar de zaak binnen. Hij liep met rasse schreden naar de bar, zag een gaatje in de kudde mannen en ging zitten. Hij zat met zijn korte, mollige benen op de barkruk te bungelen. De barkeeper zette onmiddellijk een biertje voor hem neer.

Hij zat met zijn rug naar Lindell en Görel. Haar vriendin draaide zich voorzichtig om en keek in de richting van de bar.

'Gaat het om hem?'

Lindell knikte en zag hoe Slobodan Andersson om zich heen keek. Plotseling staarde hij in een afgescheiden ruimte vlak bij het tafeltje van de collega uit Västerås. Daar zaten twee mannen. De ene was Konrad Rosenberg, wiens foto ze in haar handtas had en die ze jaren terug maar heel vluchtig in een verhoorkamer had gezien. De andere man was onbekend en zat gedeeltelijk met zijn rug naar haar toe. Ze schatte zijn leeftijd zo rond de vijftig. Hij was donker en goedgekleed, zeker in vergelijking met zijn tafelgenoot.

De mannen zaten uitvoerig te praten en Lindell meende dat ze Slobodan niet hadden opgemerkt, die snel van de barkruk gleed en de ruimte verliet. Zijn biertje stond nog op de toog.

Lindell keek hem na. Görel zat met het wijnglas in haar hand het stille schouwspel in zich op te nemen.

'Hij is weggegaan', zei ze totaal overbodig. 'Zullen we erachteraan gaan?'

Lindell moest lachen en schudde haar hoofd. Ze vroeg zich af wie de kennis van Konrad Rosenberg was. Het was duidelijk dat ze veel te bespreken hadden.

'Ik ga even naar het toilet', zei ze en ze stond op.

Om daar te komen, moest ze langs Rosenberg en de onbekende, maar ook langs het tafeltje van haar collega. Ze zag zijn snelle blik toen ze aan kwam lopen en zag hoe hij vervolgens omlaag keek. Toen ze een paar meter van hem vandaan was, keek hij op en stak hij zijn ene hand omhoog alsof hij betrokken was bij een discussie.

'Nee, nee, ik ken haar niet', zei hij luid, en hij keek Lindell een seconde met een totaal nietszeggende blik aan en schudde demonstratief zijn hoofd, voordat hij zijn blik op zijn tafelgenote richtte, een vrouw van rond de vijfendertig.

Lindell liep langs het tafeltje en ging naar het toilet, ervan overtuigd dat haar collega niet wilde dat ze zich kenbaar zou maken. Haar onmiddellijke reactie was verbazing, voordat ze het verband begreep. Ze was ervan overtuigd dat Axel Lindman haar had herkend, maar dat hij geen contact wilde. Dat kon maar één reden hebben: hij was aan het werk. Want het kon toch niet zo zijn dat haar collega bang was dat ze hem belachelijk zou maken voor zijn vrouwelijke gezelschap? Nee, Lindell besloot dat Axel Lindman in functie was.

Was Rosenberg het onderwerp van zijn belangstelling? Of de donkere man? Of misschien heel iemand anders? Slobodan? Ze overwoog even om de dienstdoende rechercheur te bellen om te vragen even een telefoontje naar Västerås te plegen en te checken waarom Lindman in Uppsala was, maar ze zag in dat die informatie niet door een eenvoudig telefoontje te verkrijgen was.

Op de weg terug van het toilet negeerde ze haar collega en besteedde ze daarentegen aandacht aan het gezelschap van Rosenberg, dat ze nu recht van voren kon bestuderen. Hij leunde voorover en zei iets tegen Rosenberg, en Lindell vermoedde irritatie achter zijn goed gepolijste uiterlijk. Haar intuïtie zei haar dat de onbekende man behoorlijk verontwaardigd was, maar er alles aan deed om dat niet te laten blijken.

Ze herkende hem niet. Hij had een uiterlijk dat je bijbleef: een krachtige kaaklijn en een blik die door staal zou kunnen snijden. Geen goed mens, dacht ze, om een van Berglunds uitdrukkingen te gebruiken.

Ze aten in het begin zonder wat te zeggen. De snoekbaarsfilet was perfect gebakken, het wat zoetige paprikaprutje en de voorzichtig gebakken rijst, die Lindell eerst aanzag voor een visstick, vulden de vis op fantastische wijze aan. Je kon over Slobodan Andersson zeggen wat je wilde, maar het eten in zijn restaurant was van grote klasse.

Bij de snoekbaars dronk ze een droge, witte Loire-wijn, aanbevolen door de serveerster, en ze had best nog een glas kunnen nemen, als ze niet alert had moeten zijn.

Ze had moeite zich op het gepraat van Görel te concentreren, die voortdurend van de hak op de tak sprong.

Rosenberg en de onbekende man discussieerden indringend verder. Axel Lindman en zijn gezelschap zaten inmiddels aan de koffie. Lindell beeldde zich in dat haar collega onder zijn ontspannen uiterlijk elke repliek en de minste stemmingswisseling aan het tafeltje naast het zijne opmerkte, en ze meende het spanningsveld dat over de eetzaal hing te voelen, waar drie van de tafeltjes tot een onzichtbaar netwerk waren verbonden.

Slobodans haastige vertrek hing duidelijk samen met de aanwezigheid van beide mannen. Hoe moest dat worden geïnterpreteerd? Lindell meende dat hij niet door hen gezien wilde worden. Ze dacht na over het motief, maar er waren te veel onbekende factoren om dat te zien. Axel Lindman wist het antwoord wellicht.

'Zullen we zo afrekenen?' vroeg ze en Görel keek haar verbaasd aan.

'We nemen toch nog wel een toetje?'

'Ik zit helemaal vol,' zei Lindell, 'en bovendien ben ik bekaf.'

'Ben je boos?'

'Absoluut niet.'

Ze kon niet begrijpen waarom ze zo'n weerstand voelde om Görel te vertellen dat ze vlak na Lindman weg wilde gaan en indien mogelijk met hem in contact wilde komen. De nieuwsgierigheid voor wat hij in Uppsala en Dakar deed, maakte haar afwezig voor Görels geklets.

Ze wenkte de serveerster, bestelde twee espresso en vroeg meteen om de rekening. Ze voelde zich gemeen en unfair, ze wist dat ze Görel moest vragen om alleen naar huis te gaan terwijl zij contact opnam met Lindman. Dat gesprek kon wachten tot morgen maar ze voelde dat er iets gaande was. Ze wilde vanavond al antwoord op haar vragen.

'Het spijt me als ik je heb gekwetst', zei Görel. 'Ik wauwel maar door.'

'Geen probleem', zei Lindell, maar ze wist dat dat niet waar was. Ze was onaangenaam getroffen door Görels onbeschaamdheid. Natuurlijk, ze zou een man moeten ontmoeten. Als ze 's avonds alleen thuis zat, wilde ze niets liever dan dat de man in haar leven binnen zou komen en naast haar op de bank zou gaan zitten. Maar wie was Görel om met haar bemoeizieke adviezen te komen? Zij leefde samen met haar grote liefde en zou dat toch wel moeten begrijpen. Een man als Edvard kom je maar één keer in je leven tegen. Dat hij een 'sociaal gehandicapte eilandbewoner' was, maakte niet uit. Wat wist Görel, of wie dan ook, van wat hij voor haar had betekend? Ze kon zijn handen op haar lichaam nog bijna voelen. Hij is een goed mens, dacht ze en ze werd opeens heel verdrietig, een verdriet dat snel overging in woede toen Görel een poging deed de rekening naar zich toe te trekken; Lindell rukte hem uit haar hand en pakte haar creditcard.

'Ik betaal', zei ze kortaf en ze vermeed de blik van haar vriendin.

Ze verlieten Dakar zwijgend. Het was pas even na negenen. Lindman en zijn gezelschap waren een halve minuut eerder vertrokken. Hij was hun tafeltje gepasseerd zonder haar aan te kijken.

Lindell zag hen langzaam de straat naar Stora torget in lopen.

Ze twijfelde over haar gehaaste vertrek. Misschien was het beter geweest om in Dakar te blijven en zich te concentreren op Rosenberg? Dan zou ze zich ook niet op zo'n vervelende wijze van Görel hoeven te ontdoen.

'Ik denk dat het het best is als we hier afscheid nemen. Ik ga proberen mijn collega in te halen,' zei ze en ze wees naar de man iets verderop, 'en dan gaan we het alleen maar over het werk hebben, dus dan heeft het weinig zin …'

Görel luisterde niet naar het vervolg, maar keerde zich om en beende weg.

Axel Lindman keek Lindell geamuseerd aan. Zijn collega, die zich alleen voorstelde als Elin, vond het duidelijk minder geslaagd dat Lindell aanhaakte. Misschien had ze andere ideeën voor het vervolg van de avond gehad dan met een glaasje jus d'orange bij een hamburgertent te gaan zitten.

'Je lijkt ergens mee bezig', zei Lindman. 'Wat deed jij bij Dakar?'

Lindell keek om zich heen. Het was bijna uitgestorven in het gedeelte waar ze zaten.

'De boel in de gaten houden', zei Lindell. 'Een compagnon van de eigenaar is onlangs vermoord. En jij?'

'Wij zijn hier in opdracht van de collega's in Stockholm', zei Elin uit Västerås en ze liet het klinken alsof ze waren uitgezonden door het Vaticaan.

'Het betreft een man genaamd Lorenzo Wader', zei Lindman. 'Klinkt dat bekend?'

'Was dat degene die tegenover Konrad Rosenberg zat?'

'Rosenberg zegt ons niets', zei hij.

'Dan vullen we elkaar mooi aan', zei Lindell grijnzend, terwijl Elin demonstratief en met gespeelde desinteresse een rietje verpulverde.

Axel Lindman vertelde dat Lorenzo Wader actueel was in een omvangrijk onderzoek waarbij diverse overheidsinstanties in de provincies Stockholm en Västmanland waren betrokken. Het betrof het witwassen van geld, kunstroven, heling en een aantal andere activiteiten. De Stockholmse recherche hield Wader al een half jaar in de gaten en de kans was groot dat hij de Stockholmers zou herkennen. Daarom hadden ze zich gewend tot Västerås.

Waarom niet tot Uppsala? vroeg Lindell zich af, maar ze wist het antwoord al.

'Hij logeert al vier weken in hotel Linné', vervolgde Lindman. 'Noemt zich zakenman en leeft een luxe leventje. Hij lijkt ...'

'Wie is Konrad Rosenberg?' onderbrak Elin.

'Sorry, ik heb je achternaam niet goed gehoord', zei Lindell.

'Bröndeman', zei haar collega, en Lindell meende een trekking in Lindmans mondhoeken te zien.

Lindell vertelde over Rosenberg. De collega's uit Västerås luisterden zonder haar te onderbreken.

'Cocaïne', zei Lindman toen Lindell was uitgesproken. 'Onze goede Lorenzo is veelzijdig.'

'We hebben alleen maar verdénkingen van criminele activiteiten voor wat betreft Rosenberg, en al helemaal niet van Wader,' zei Lindell, 'maar het ziet er interessant uit.'

Ze wilde dat Lindman meer over de achtergrond zou vertellen, maar ze vermoedde de weerstand van Elin Bröndeman.

'Wie leidt het onderzoek in Stockholm?' vroeg Lindell in de hoop dat ze die collega kende.

'Eyvind Svensson', zei Lindman lachend.

Hij keek om zich heen en vestigde vervolgens zijn blik op Lindell, alsof hij de redenering over hun opdracht in Uppsala wilde afronden.

'Hoe is het verder?'

Axel Lindman keek haar met een ondeugende blik aan, alsof hij de onschuldige flirt op de Politieacademie weer had opgepakt.

'Druk, druk, druk', antwoordde Lindell in gedachten. Ze moest aan Görel denken, hoe ze zonder wat te zeggen was vertrokken.

Toen schoten Görels woorden over Edvard als gal omhoog. Ze had hem 'een sociaal gehandicapte eilandbewoner' en 'een slome vent' genoemd. Welk recht had ze om zo gemeen over Edvard te spreken? Het was alsof haar oordeel over Ann zelf ging. De kritiek had haar harder getroffen dan ze wilde toegeven en had getoond. Ze had Edvard ook weleens zo gekarakteriseerd, maar hij was zo veel méér. Wat wist Görel daarvan? Geen reet.

Ze stond op, bedankte voor het gesprek en liet de beteuterde collega's aan het tafeltje achter. Haar beker jus stond er nog.

42

De serveerster schonk nog een kopje koffie in. Lorenzo Wader glimlachte naar haar en roemde het eten terwijl hij de man aan de andere kant van het tafeltje in zich opnam. Rosenberg merkte hoe hij werd ingeschat en had het idee dat hij aan de rand van de afgrond stond.

'Ja, het was erg smakelijk', voegde Rosenberg eraan toe alsof hij Lorenzo's blik wilde ontwijken. 'Ben je nieuw hier?'

'Ik ben een week geleden begonnen. Het is nog even wennen.'

'Je doet het prima', complimenteerde Lorenzo. 'Slobodan heeft echt de gave om goed personeel te vinden', vervolgde hij gul.

Toen ze was weggelopen, knikte hij en herhaalde hij hoe smakelijk het diner was geweest. Rosenberg werd niet goed wijs uit hem. Het ene moment zag hij er levensgevaarlijk uit en op het andere moment glimlachte hij poeslief.

'Wat ik niet begrijp,' zei Lorenzo, 'is hoe Armas de spullen op veilige wijze aan de man kon brengen. Ik zie hem niet al dealend door de stad rennen.'

Rosenberg had, tegen zijn wil, maar met een duistere behoefte om Lorenzo tevreden te stemmen – misschien zelfs om een beetje van diens glans mee te pikken – verteld dat Armas zich had beziggehouden met cocaïne. Lorenzo leek overigens verder precies te weten hoe de vork in de steel stak.

'Er zijn mensen die tot alles in staat zijn als ze wat kunnen verdienen', zei Rosenberg.

'Jij ook?'

De vraag kwam bliksemsnel en vereiste een even snel antwoord.

'Dat ligt eraan', zei Rosenberg, en hij zag op hetzelfde moment in dat dat een goede repliek was. 'Als de risico's klein zijn en de opbrengt groot', voegde hij eraan toe.

Konrad nam een wat te grote slok koffie en begon te hoesten.

'Noem eens een paar namen', zei Lorenzo onaangedaan door de hoestaanval, en hij stak zijn hand op toen Rosenberg een poging deed te protesteren. 'Ik weet dat je in de branche hebt gezeten en dat maakt mij niet uit, maar als we vrienden willen zijn, moet je me helpen.'

Rosenberg vervloekte het feit dat hij Lorenzo's uitnodiging voor een etentje had geaccepteerd. Dat Lorenzo bovendien Dakar als ontmoetingsplek had gekozen, maakte de zaak er niet beter op. Niet bevriend zijn met Lorenzo zou problemen betekenen, dat begreep hij ook wel, en de nu eens joviale, dan weer satanische Stockholmer was een aanzienlijk grotere dreiging dan Slobodan. Had Lorenzo Armas laten vermoorden? Die gedachte kwam opeens in hem op toen hij naar Lorenzo's smalle handen en de vingers met de vele ringen keek.

'Er is één knul', zei hij uiteindelijk. 'Een jonge jongen, maar ontzettend actief. Hij wil geld verdienen om zijn vader te bevrijden, beweert-ie.'

'Zit die in de bak?'

'In Turkenland of zo', zei Rosenberg, die opgelucht was om over iemand anders te kunnen praten dan over zichzelf. 'Hij verkoopt aan vriendjes en is echt ijverig.'

'Gebruikt hij zelf?'

Rosenberg schudde zijn hoofd.

'Hoe heet hij?'

'Hij wordt Zero genoemd.'

Lorenzo glimlachte.

'Kijk, nu beginnen we ergens te komen', zei hij en hij wenkte de serveerster. 'Ik denk dat we een cognacje nemen.'

43

De klep van de vaatwasser stond te schudden. Manuel deinsde terug, aanschouwde de glanzende machine en hoorde hoe het water binnenstroomde. Na het eerste uur van verwarring over al het nieuwe werkte hij met steeds meer voldoening en plezier. De hitte van de spoelkeuken deerde hem niet, integendeel. En alle vaat die hem werd toegeschoven al evenmin. De stapels borden en alle glazen maakten dat hij aan andere dingen kon denken dan aan narcotica en Patricio en Armas.

Bovendien mocht hij de andere medewerkers wel. Met name de Portugees, maar Eva ook, de serveerster die ook degene was met wie hij het meeste contact had. Ze sprak geen Spaans, maar maakte zich in steenkolenengels verstaanbaar.

Manuel had begrepen dat zij ook nieuw was bij Dakar. Ze keek hem aan op een manier die hem verbijsterde. Ze keek hem recht in zijn ogen, nieuwsgierig en met een glimlach om haar lippen. Ze vroeg over Venezuela, hoe het land eruitzag, de kleding, het klimaat en hoe het voedsel smaakte. Alles wilde ze weten, er leek geen eind te komen aan haar vragen en ze toonde zo'n interesse dat hij zich niet kon verdedigen.

Even was hij geneigd de waarheid te zeggen, dat hij Mexicaan was. Hij wilde haar eigenlijk niet voorliegen, de eerste persoon in Zweden met wie hij fatsoenlijk contact had en die deze ongegeneerde nieuwsgierigheid toonde. In plaats van de waarheid te vertellen, schiep hij het land Venezuela opnieuw, hij stopte er zijn ervaring in van de bergen ten noorden van Oaxaca, plakte ze in Venezuela. Hij beschreef het leven van de kleine boeren en ontdekte dat Eva dat mooi vond, die kleine details: hoe de koffie op het dak werd gedroogd en wie 's morgens het fornuis aanmaakte.

Manuel had geen slecht geweten, want hij meende dat de volkeren in Venezuela en Mexico onder ongeveer dezelfde omstandigheden leefden. Hij begreep dat de drijfkracht achter de vragen van de serveerster een verlangen was naar iets anders, en in hun intensieve gesprekken vonden ze elkaar in het enthousiasme over een afgelegen land dat feitelijk uit twee landen bestond. Eva bracht hem aan het praten en deed hem verlangen. Hij keek uit naar hun korte ontmoetingen wanneer ze binnen kwam zeilen met afwas.

Hij had één keer het restaurant in gekeken en een schok gekregen. De dikke zat aan de bar met een biertje voor zich. Hij had zijn aandacht gericht op de barkeeper en had Manuel niet ontdekt, die zich snel had teruggetrokken.

Terug bij de vaat bloeide de oude haat weer op, die tijdens het gesprek met Eva even was weggezakt. Toen Feo kwam om te vragen hoe het ging, vroeg Manuel hoe de dikke heette en hoe vaak hij naar Dakar kwam.

'Je hoeft niet bang te zijn,' zei Feo, 'we hebben met hem gesproken en hij weet dat je bent aangenomen.'

'Is hij aardig?'

Feo moest hartelijk lachen.

'Je hoeft niet bang te zijn', herhaalde hij.

Manuel was niet bang maar hij wist niet wat hij moest doen. Werk zoeken bij Dakar was het resultaat van een impuls. Hij was ernaartoe gegaan om te kijken hoe het eruitzag en om misschien een glimp van de dikke op te vangen. Nu bevond hij zich in het hol van de leeuw. Werken in een restaurant had een voordeel: hij kon zijn buik rond eten. De eerste dagen in Zweden had hij zich niet veel veroorloofd en had hij voornamelijk geleefd op brood en maïs uit blik, en pas nu, met zo veel voedsel in de buurt, begreep hij wat een trek hij had gehad.

De rest van de avond piekerde hij over de vraag wat hij moest doen. Een mogelijkheid was om de narcotica die hij in het huisje had gestolen te vernietigen, Patricio gedag te zeggen en naar Mexico terug te gaan. Dat was de eenvoudigste oplossing, maar hij wist dat hij nooit rust zou krijgen als hij met de staart tussen de benen zou afdruipen. De gedachte dat zijn broer achter de tralies zat terwijl degenen die achter de narcoticasmokkel zaten nooit in de gevangenis zouden belanden, was ondraaglijk. Hij wilde het leven voor Patricio gemakkelijker maken, dat was zijn plicht als

oudere broer. Maar hoe zou dat in zijn werk moeten gaan? Slobodan Andersson tienduizend dollar afdwingen in ruil voor zijn
eigen zwijgen was misschien niet onmogelijk, maar voelde ontoe-
reikend. Manuel wilde Slobodan Andersson niet dood, dat hij het
bloed van Armas aan zijn handen had, was al meer dan genoeg.
Maar hij wilde hem op de een of andere manier straffen.

Hij droomde elke nacht hoe hij de dode naar het water had
gesleept en hoe diens overhemd was stukgescheurd en de tatoeage
zichtbaar was geworden. Dat was het ergste geweest, om Quetzalcóatl uit de bovenarm van de gringo te snijden. Een blanke man
mocht zo'n symbool niet dragen. Hij voelde dat toen zo, in zijn
verbittering en verwarring. Maar nu had hij spijt. Welk recht had
hij om in een dode man te snijden?

Hij pakte bestek, borden en glazen, en spoelde en waste af met iets
wat kon worden vergeleken met arbeidsvreugde. Hij deed het niet
om het iemand naar de zin te maken, maar de warmte van de
spoelkeuken en zijn bewegingen op zich moedigden hem aan en
brachten hem in een goed humeur. Iets waartoe Feo ook bijdroeg
als hij naar hem toe kwam. Ze wisselden enkele woorden en
maakten een grapje.

Hij luisterde naar het gepraat tussen de collega's zonder een
woord te begrijpen en zag hoe Tessie, de gringa, en de nieuwe
serveerster bonnen voor de gerechten doorgaven. Er kwam gekletter uit de keuken, er steeg stoom op uit de pannen en de
walmen die de spoelkeuken bereikten, brachten geuren van vis,
knoflook en andere dingen mee waardoor het water hem in de
mond liep. Met name het gesis van vlees dat in de koekenpannen
werd gesmeten. Even vergat Manuel waarom hij in Zweden was en
hij neuriede zelfs een liedje dat hij Lila Downs op het plein in
Oaxaca had horen zingen.

Om elf uur begon de stroom serviesgoed en bestek af te nemen
en kon hij een beetje ontspannen. Eva en Tessie serveerden de
laatste desserts en de koks begonnen op te ruimen en schoon te
maken. Feo riep en vroeg of hij moe was, maar Manuel voelde dat
hij de hele nacht zou kunnen doorwerken als dat nodig was.

Eva kwam met een dienblad met glazen. Ze keek hem aan alsof ze wilde testen of hij nog meer vragen over zijn geboorteland aankon. Zo vatte hij haar onderzoekende blik en voorzichtige glimlach althans op en toen hij vriendelijk knikte, ging ze naast hem staan en begon vaat in te ruimen.

'Kom je uit een klein dorp?' vroeg ze en Manuel knikte.

'Hoe had je dan geld om hiernaartoe te komen?'

'Gespaard', zei Manuel, plotseling op zijn hoede.

'Ik spaar ook,' zei Eva, 'maar ik kom nergens. Ik heb nooit genoeg geld. Ik droom over een reis, maar ik ben nooit over de grens geweest. Nou ja, één keer, met mijn opa naar Noorwegen.'

'Noorwegen is een ander land?'

'Ja, het grenst aan Zweden.'

'Gingen jullie werk zoeken?'

'Nee,' lachte Eva, 'we hebben bessen geplukt en opa vond dat we naar Noorwegen moesten. Ik weet nog hoe moe ik was.'

'Was er dan geen politie? Bij de grens, bedoel ik?'

'Politie?'

'Je kunt toch niet zomaar een ander land binnen lopen?'

'Ja hoor, de grens tussen Zweden en Noorwegen is bijna helemaal open,' legde Eva uit, 'je kunt gewoon komen en gaan zoals je wilt.'

Ze vertelde over de nauwe contacten die de mensen aan beide kanten van de grens altijd hadden gehad. Ze gaf de min of meer waargebeurde verhalen van haar opa over heldendaden tijdens de Tweede Wereldoorlog weer, hoe Noorse verzetsstrijders over de grens werden gesmokkeld, beide kanten op. Manuel luisterde gefascineerd.

'Iedereen hielp mee. Bijna iedereen stemde op de communisten en haatte de nazi's, dus het was niet zo moeilijk om vrijwilligers te vinden.'

Eva glimlachte bij zichzelf.

'Verlang je daar nooit naar terug?' vroeg Manuel.

'Ja, soms. Maar het is een beetje dubbel, net als voor mijn opa. Als hij thuis was in Värmland was hij een heel ander mens. Hij was blij, sprak met mensen en lachte. Hij gebruikte soms zelfs Finse woorden. In Uppsala was hij chagrijnig en koppig.'

'Hij verlangde ook terug', constateerde Manuel.

Ze glimlachte en Manuel merkte dat haar glimlach iets anders verborg.

'Ik kan je misschien komen opzoeken,' vervolgde Eva plotseling, 'ik bedoel je familie. Niet dat ik gratis wil overnachten, maar het is altijd goed om iemand te kennen …'

Ze zweeg en Manuel zag hoe ze begon te blozen. Hij zette een paar borden in de vaatwasser en zag uit zijn ooghoek hoe de serveerster even haar ogen sloot en met de achterkant van haar hand over haar voorhoofd streek.

'Ben je moe?'

'Ja, het is laat', zei ze.

'Bezoek zou leuk zijn', zei Manuel.

Hij kon best royaal zijn, dacht hij, want hij vermoedde dat zo'n reis er nooit van zou komen. Maar toen bedacht hij dat hij zelf ook ver van huis was. Waarom zou Eva de oversteek over de Atlantische Oceaan niet ook kunnen maken?

Hij bleef steken in zijn bewegingen, schoof onbewust een krat met schone glazen tegen de muur en bestudeerde haar wat beter. Eerst had ze niet in de gaten dat hij haar stond te bekijken, maar toen ze de vaatwasser had ingeruimd en de klep dicht had gedaan, ontdekte ze dat hij gestopt was met werken.

'Wat is er?'

'Niets', zei Manuel, maar hij kon zijn blik niet van haar gezicht afhouden, hoewel hij best begreep dat deze screening op zo korte afstand zo niet onaangenaam, dan wel wat vreemd was.

'Het zou goed zijn als je naar mijn land kwam. De toeristen die Mexico bezoeken, zijn anders dan jij. Ze lopen over het plein, gaan de kerken binnen en zitten op de terrassen zonder ons eigenlijk te zien. Als je wist hoe we ons …'

'Mexico? Je zei Venezuela?'

'Ik heb gelogen', zei Manuel en pas nu sloeg hij zijn blik neer. 'Vraag niet waarom en zeg het tegen niemand.'

'Nee, waarom zou ik,' zei Eva simpelweg, 'ik ga net zo lief naar Mexico.'

Hij lachte met haar mee en bedacht dat het de eerste keer in Zweden was dat hij lachte. Manuel voelde hoe de vreugde, die werd versterkt door Feo's geneurie uit de keuken en de warmte van de vaatwasser, vat op hem kreeg en hem een paar seconden optimisme bood. Het was alsof de bevrijding van de leugens hem verzoende met de gebeurtenissen van de laatste dagen. Hij meende dat Eva hem niet zou verraden en misschien kwam het door zijn vertrouwen in een ander mens dat hij even gewoon vrijuit kon praten, alsof hij thuis was bij de zijnen.

Hij begon te vertellen over Californië, over de oogstwerkzaamheden, over de barakken waarin zijn broers en hij waren gehuisvest, over de zon die hen eerst bezweet en sloom maakte en vervolgens onrustig en twistziek. Hij vertelde over de waterkraan op de boerderij die sommige dagen slechts een paar druppels gaf terwijl de velden werden besproeid door grote waterkanonnen, die als prehistorische dieren over de velden voortbewogen.

Hij nam Eva mee naar Orange County, want hij begreep hoezeer ze geïnteresseerd was in de details. Ze mocht ook de terugweg van de drie broers naar Oaxaca volgen. Het dorp beschreef hij alsof het een paradijselijk oord was, maar hij merkte dat hij het mooier afschilderde dan het was en corrigeerde zichzelf door te vertellen over de armen, de slechte weg en hoe verdeeld de dorpsbewoners waren.

Eva zat met haar handen op haar schoot op een kruk te luisteren. Soms stelde ze een vraag, maar ze zat soms ook een hele tijd te luisteren terwijl ze hem aankeek. Er verstreek een kwartier. Toen het geruis van de vaatwasser met een tikkend geluid afnam, zweeg Manuel ook.

'Dat is mijn land', sloot hij zijn verhaal af, en hij ervoer het alsof hij de waarheid had gesproken, maar voelde tegelijkertijd hoeveel er ontbrak. Hij voelde zich vrolijk en stelde het enorm op prijs dat ze echt geïnteresseerd luisterde. Desondanks kwamen de leegte en de verwarring die hij had gevoeld sinds hij het bericht over de dood van Angel in Duitsland en de gevangenneming van Patricio had ontvangen weer terug op het moment dat Eva opstond en zei dat ze iets nuttigs moest gaan doen.

Ze verliet de keuken en Manuel volgde met zijn blik hoe de deur naar de eetzaal heen en weer zwiepte voordat hij definitief stilstond.

Op dat moment kwam Slobodan Andersson de keuken binnen.

44

'Wie ben jij?'

Slobodan Andersson staarde verbaasd naar Manuel, die onbewust de blauwe machinekorf die hij in zijn handen had, omhoog hief.

Het was alsof de restauranthouder zijn ogen niet van de nieuwe afwasser kon afhouden. Manuel moest zijn ogen neerslaan, hij stond wat te draaien en schoof de korf in de stellage boven het aanrecht.

'Waar kom je vandaan?'

Manuel keek de dikke vragend aan, die de vraag in het Engels herhaalde.

'Amerika', antwoordde Manuel en hij ervoer een onverwacht gevoel van optimisme. Misschien kwam het door zijn gesprek met Eva eerder die avond of door het feit dat Slobodan Andersson dronken was, maar nadat de eerste verbazing en schrik dat de dikke zo onverwacht was opgedoken, waren weggeëbd, voelde hij vertrouwen.

Slobodan Andersson ging op de kruk bij de deur naar het restaurant zitten. Zijn bovenlijf wiegde heen en weer en in zijn gezicht was een bijna wanhopige moeheid zichtbaar.

'Amerika is een groot land', zei hij lallend. 'Daar heb je ... Ik ben in Las Vegas geweest, wat een vreselijke stad.'

Manuel keek hem aan en moest naar een lange verhandeling luisteren over Slobodans ervaringen in de vs, voordat Slobodan plotseling zweeg, zijn zware hoofd optilde en Manuel aankeek.

'Ik vertrouw niemand', zei hij onverwacht heftig. 'Iedereen wil er altijd beter van worden. Wees maar blij dat jij alleen hoeft na te denken over wat afwas.'

Manuel glimlachte en zette wijnglazen in een korf, blij dat hij wat omhanden had.

'Ik had een vriend en die is vermoord, dat heb je vast wel gehoord. We kenden elkaar al minstens twintig jaar ... twintig verdomd lange jaren, en dan wordt die klootzak vermoord. Is dat eerlijk? We waren net broers ... Heb jij een broer?'

Manuel knikte.

'Dan weet je waar ik het over heb. Een broer is alles. Broers laten je niet in de steek.'

'Heeft hij je in de steek gelaten?'

Slobodan Andersson fixeerde de afwasser met een glazige blik en even vergat Manuel alles om zich heen; hij had medelijden met de man voor zich. In diens ellendige blik zag hij het grote verdriet en alle menselijke armzaligheid die hij maar al te goed kende.

Hij pakte een mes uit de bestekkorf. Er zat nog een restje vlees op het lemmet. Hij zou het mes in dat vette lijf kunnen steken en vervolgens Dakar kunnen verlaten. Dan zou alles zijn verrekend.

'Ik weet het niet', zei Slobodan met zijn blik op het mes.

Manuel gooide het mes terug in de korf, keerde Slobodan de rug toe en deed de vaatwasser open, die een stoomwolk uitblies.

'De onzekerheid is het ergst', zei hij, en hij tilde een korf met glazen uit de vaatwasser.

'Ik ben bij nul begonnen', hernam Slobodan het woord en hij deed zijn handpalmen omhoog als om zijn uitgangspositie te illustreren. 'Net als jij. Ik heb gebuffeld, ik was zo bang dat ik bijna in mijn broek piste. Ik heb gevochten, iets opgebouwd, en ik wil niet dat een of andere klootzak ermee vandoor gaat. Snap je wat ik bedoel? Er moet toch wel énige gerechtigheid zijn? Ik heb niets cadeau gekregen! Werken, werken, werken, dag en nacht, jaar in, jaar uit. En wat krijg je? Stank voor dank. De overheid zit je achter de vodden, ze willen belastingcenten hebben om zichzelf vet te mesten, zodat ze op hun vette reet kunnen gaan zitten en uit hun neus kunnen vreten. Het moet brandschoon zijn, anders gooien ze de tent dicht. De vakbond zit je op de huid, alsof het geld je op de rug groeit. Er moeten zo nodig overal regeltjes voor zijn. Ik kreeg echt geen overuren uitbetaald of vakantiegeld. Ik was blij dat ik werk had.'

Slobodan leunde met zijn arm op het aanrecht en kwam overeind voor hij verderging.

'Ik creëer verdomme werk! Weet je hoeveel lui ik heb ingewerkt

en aan een baan heb geholpen? Van wie ik het leven heb vorm-
gegeven? Ja, want zo is het wel, ik heb iedereen een leven gegeven
die zelf geen kloten had om eigenhandig wat te verzinnen.'

Hij sloeg met zijn hand op het aanrecht als om zijn woorden te
onderstrepen.

'Ik maak mensen blij. Ze kunnen hier komen om te eten en te
drinken, om even te vergeten dat we in een boevenmaatschappij
leven. Ik ben een royaal mens, maar daar is nu geen plaats voor.
Iedereen wil zich alleen maar dingen toe-eigenen, zonder er iets
voor te hoeven doen.'

Hij zweeg even plotseling als hij zijn tirade was begonnen en
zakte weer op de kruk. Hij keek naar zijn handen, naar de nagelriemen en de knokkels.

'Ondankbaar', fluisterde hij in het Zweeds.

Manuel wist niet of hij van de gelegenheid gebruik moest
maken om zijn identiteit bekend te maken en te laten weten
dat hij erop uit was Patricio's geld binnen te halen, maar besloot
af te wachten. Er was een nieuw idee ontstaan dat aanzienlijk meer
kon opleveren.

Hij wilde Slobodan niet doden, alleen zijn geld afhandig maken
om hem vervolgens te breken. Die zielepoot op de kruk mocht
best lijden en nog een paar dagen worden gekweld.

'Nu ben ik klaar', zei Manuel en hij schoof de laatste korf in de
machine.

Hij wilde met Feo spreken voordat hij Dakar verliet. Hij verlangde terug naar de rust bij de tent, maar misschien moest hij nog
iets doen voor hij weg mocht. Hij keek in de richting van de bar.
Feo zat aan de tapkast over een biertje gebogen. Måns zei iets waar
Feo om moest lachen, waarna hij in de eetzaal om zich heen keek.

Manuel werd jaloers op de Portugees. Zijn glimlach was echt.
Zijn tedere praatjes over zijn vrouw en kind waren authentiek. Hij
had het naar zijn zin op zijn werk, stond lachend te koken met een
bewegingsschema of hij een bondgenootschap had gesloten met
het geluk.

Slobodan kuchte achter zijn rug en Manuel keerde zich om. De
dikke staarde nietsziend voor zich uit. Hij liet zijn hoofd hangen

en in zijn ene mondhoek glom speeksel.

Manuel werd opnieuw getroffen door een soort medelijden voor de restauranthouder en even, in een vlaag van verstandsverbijstering, had hij de impuls om Slobodan Andersson op de been te helpen, hem te troosten en ervoor te zorgen dat hij thuiskwam.

Plotseling werd de deur van de eetzaal opengerukt en kwam Tessie de keuken binnen, ze keek naar Slobodan, die nog verder op de kruk in elkaar was gezakt, en barstte in lachen uit.

'Ben je aan het babysitten?' vroeg ze met een Amerikaans accent dat Manuel terugbracht naar Californië.

'Wakker worden', vervolgde ze en ze schudde Slobodan aan zijn schouder heen en weer, zonder zich verder om de afwasser te bekommeren. 'Het is tijd om naar huis te gaan. Ik bel een taxi.'

De restauranthouder schudde zijn hoofd.

'Ik kan niet …'

'Dat kun je best', onderbrak Tessie, en Manuel begreep het, hoewel ze Zweeds sprak.

'Er is iemand daarbuiten', zei Slobodan lallend.

'Waar heb je het over? Heb je een afspraak?'

Slobodan probeerde overeind te komen, maar zakte weer terug op de kruk.

'Shit, wat ben ik moe', mopperde ze in het Engels. 'Alsof het niet genoeg is dat je je benen uit je gat loopt voor de gasten, moet je deze vleeshomp ook nog bemoederen.'

'Hij vindt dat je dankbaar moet zijn dat je werk hebt', zei Manuel.

Tessie staarde hem aan.

'Dankbaar? Moet ik dankbaar zijn? Heb je iets geslikt, of zo?'

Verbluft en verbitterd verliet ze de keuken. Slobodan keek op.

'Ze moeten mij hebben', stootte hij uit, voordat het krachtige lichaam schokte en het braaksel uit zijn mond spoot. Met de slappe gelaatsuitdrukking van een dronkeman staarde hij verbaasd naar de vloer.

Manuel liep naar de bar en gebaarde aan Feo dat hij moest komen. De Portugees glimlachte naar hem, gleed van de barkruk en liep om de bar heen.

'Wat is er gebeurd?'

'Die dikke', zei Manuel.

De stank was onbeschrijflijk. Slobodan was met zijn hoofd tegen de muur in slaap gevallen. Samen ruimden ze de boel op. Feo spoelde water over de vloer terwijl Manuel de zaak opdweilde.

'Ik heb hem nog nooit zo dronken gezien', zei Feo en voor één keer keek hij bezorgd.

'Hij had het erover dat iemand hem op de hielen zit', zei Manuel.

'Ik heb er wat van opgevangen', zei Feo. Hij deed de kraan dicht en keek naar de slapende man. 'Hij meent dat degene die Armas heeft vermoord het nu op hem heeft gemunt.'

'Wie zou hen allebei willen vermoorden?'

Manuel ervoer de spanning als een kramp in zijn maag.

'Nu had Armas hier moeten zijn', zei Feo, alsof hij de vraag niet had gehoord. 'Hij zou Slobodan onder zijn arm hebben genomen en hem naar huis hebben gedragen. Zou je mij kunnen helpen? Hij kan hier niet blijven zitten.'

Een uur later sjouwden ze Slobodan zijn flat binnen. De eerste taxi had de rit geweigerd en ze hadden een grotere taxi moeten bellen, die Slobodan in de bagageruimte kon vervoeren.

Manuel en Feo sleepten vervolgens de half bewusteloze restauranthouder naar boven en kieperden hem in bed.

Samen stonden ze een tijdje naar het vormeloze lichaam te kijken, dat af en toe samentrok als in een kramp. Zijn ademhaling was diep en rochelend, en hij mompelde iets in zijn slaap.

'Kun jij nog even blijven?' vroeg Feo.

Manuel knikte en keek in de slaapkamer om zich heen.

Nadat Feo het appartement had verlaten, liep Manuel verbaasd van kamer naar kamer. Het was de grootste woning die hij ooit had bezocht. Vijf kamers en een keuken voor één persoon. Alles was zo licht; meubels, textiel, behang en de gelazuurde houten vloeren lichtten de donkere augustusnacht letterlijk op.

'Maria', mompelde hij terwijl hij met zijn hand over het

mooie houten blad van de eettafel streek.

Hij nam een blikje bier uit de koelkast, maar dronk slechts één slok voordat hij het wegzette. Hij maakte kastdeurtje na kastdeurtje open en aanschouwde een veelvoud aan glazen en borden. Wie kan dat betalen? dacht hij. En wie kan dat allemaal gebruiken? In de keukenladen lagen messen en glimmend keukengerei waarvan hij niet wist waarvoor het moest worden gebruikt. Hij pakte een mes waarvan het extreem smalle lemmet elk zinnig gebruik onmogelijk leek te maken, en woog het in zijn hand, maar gooide het terug en duwde de la met een klap dicht.

Hij keerde terug naar de slaapkamer. Slobodans ene hand hing buiten het bed en Manuel tilde hem op en legde hem op zijn buik. Slobodan mompelde iets in zijn slaap.

Het gevoel een indringer te zijn, werd steeds sterker. Wat deed hij in die flat? Hij keek naar de man, die nu tot rust leek te zijn gekomen en uitvoerig lag te snurken.

Buiten reed een goederentrein langs en Manuel liep naar het raam. De koppeling van het treinstel schokte en knarste, en het milde gebonk tegen de rails kalmeerde hem. Hij telde de wagons, container na container, tank na tank, en er leek geen eind aan te komen.

Hij had ooit een boek gelezen over een man die op een goederentrein door de vs reisde. Soms nam hij tijdelijk een baantje op een farm of bij een benzinepomp, maar meestal reisde hij rusteloos van staat naar staat, zoekend naar een vrouw die hij ooit had gekend en liefgehad. Manuel kon zich niet herinneren hoe het boek eindigde, of de man zijn doel ook vond, maar hij werd gegrepen door iets van het gevoel van onrust en buitengeslotenheid van de man.

Het gepingel hield op, de spoorbomen bij de overgang een stukje verderop gingen langzaam omhoog en Manuel staarde naar de verdwijnende achterlichten van de laatste wagon tot ze helemaal waren verdwenen.

Slobodan snikte plotseling. Het zware lichaam vertrok weer als in een kramp en hij huilde. Er liep een straaltje braaksel over zijn wang. Slobodan veegde in zijn slaap met zijn arm langs zijn mond en mompelde iets.

Manuel bedacht opeens dat hij gemakkelijk een eind aan Slobodans leven kon maken. Dat gevoel had al op de loer gelegen vanaf het moment dat Feo hem met de dikke alleen had gelaten. Dat zou de zaak enorm vereenvoudigen. Armas en Slobodan allebei weg. Hun schuld vereffend. Maar met welk nut? Zou Angel weer uit de dood herrijzen of zou Patricio uit de gevangenis komen als Slobodan dood was?

Hij draaide zijn hoofd om en keek naar de man in het bed. De dikke was gekomen als een bhni guí'a, een man uit de bergen, vol beloften en groene bankbiljetten, luidruchtig en machtig. Nu lag hij daar als een hulpeloze kolos. Manuel zou hem zonder veel moeite kunnen smoren met een kussen en dan voorgoed kunnen verdwijnen. Niemand zou aan moord denken, iedereen zou denken dat Slobodan de gewelddadige, maar natuurlijke dood van een dronkeman was gestorven.

Hij herinnerde zich het verhaal over Ehud. Toen Manuel en zijn broers klein waren, las hun vader hun 's avonds hardop voor uit de Bijbel. Hij was gekomen tot het boek Daniël, tot zijn verslechterde gezichtsvermogen een eind had gemaakt aan al het voorlezen.

Misschien kwam het door het feit dat Ehud, net als Manuel, linkshandig was, dat hij het verhaal had onthouden. Ehud had in het geheim een koning vermoord. Manuel probeerde zich tevergeefs zijn naam te herinneren. De koning van het land Moab was enorm dik. Ehud had opdracht gekregen de koning te vermoorden en hij stootte zijn zwaard in diens buik. Het zwaard verdween helemaal tot aan het gevest in de dikke buik van de koning. Ehud vluchtte en wist te ontkomen. Het volk kwam in opstand en ontdeed zich van zijn onderdrukkers.

Ben ik Ehud? vroeg hij aan zichzelf. Is het juist om iemand te vermoorden?

Manuel woog Slobodans leven af. Hij voerde in stilte een dialoog met de dood of – liever gezegd – met zichzelf, die uren in de in duister gehulde flat van Slobodan Andersson. Het was alsof hij met een innerlijke stem redeneerde die hem toesprak, adviseerde en vermaande. Soms twistziek en enigszins superieur.

Maar meestal zakelijk en rustig, kalmerend, als een goede vriend, de enige eigenlijke vriend die hem trouw door zijn leven volgde.

Als de stem zweeg, zweeg Manuel ook en daarom onderhield hij de dialoog, hoewel deze steeds onsamenhangender werd vanwege de vermoeidheid en het gemis van een leven ver van armoede en dood.

Hij ging in een fauteuil zitten, staarde in het donker en liet zijn gedachten de vrije loop. Misschien doezelde hij weg, droomde hij over het dorp en zijn moeder Maria, zijn vrienden en de geur van regen. Soms snikte Slobodan, zwaaide hij met zijn ledematen en riep hij iets met zo'n vertwijfeling in zijn stem, dat hij korte tijd menselijk leek.

Zoals hij daar lag, was hij een vormeloze massa vlees en botten, een schaduwfiguur die de ruimte vulde met zijn gesnurk en andere geluiden. Het stonk naar zweet en braaksel, maar dat deerde Manuel niet. Wat hem daarentegen beïnvloedde, waren de menselijke geluiden. Misschien lagen er ergens in zijn onderbewustzijn herinneringen aan een andere tijd die hem achterdochtig maakten en vervulden van weemoed? Kwam het door de herinnering aan zijn vader, wanneer die zich omdraaide in zijn slaap en iets onverstaanbaars mompelde? Misschien waren het de herinneringen aan de barak op McArthurs farm in Idaho, waar hij een zomer had gewerkt met het plaatsen van afrasteringen en met rooien? Daar moesten zeven mannen het op een paar vierkante meter met elkaar zien uit te houden. Hun lichamen dampten en het was warm en krap. In die nachtelijke onrust had Manuel de barak verlaten en was hij op de veranda gaan slapen, waar de regen hem weliswaar niet kon raken, maar waar de muggen uit de moerasgebieden in het zuiden rondzwermden. Hij kon daar buiten, als hij dicht bij de sterren lag en het bloedzuigende ongedierte om zijn hoofd suisde, de geluiden van de mannen die hij liefhad én haatte zelfs nog horen.

Hij is een mens, dacht Manuel, en hij voelde een soort wanhopige verwarring. Hij wilde bij voorkeur geen menselijke trekjes bij Slobodan Andersson zien, de man uit de bergen die zieltjes kocht en verkocht. Een man wiens enige doel was om zichzelf te verrijken, koste wat het kost. Het had Angel zijn leven en Patricio zijn vrijheid gekost.

Maar als? En toen was Manuel weer terug bij het begin: de eigen verantwoordelijkheid van zijn broers.

'Als', zei hij hardop.

Als. Als ze de lokroep van bhni guí'a niet hadden gevolgd? Als ze echte mannen waren geweest? Ware Mexicanen?

Hij stond op, liep naar het bed en boog zich over de slapende. 'Ben jij een mens?'

De bleke wangen in het vlezige gezicht drilden toen Slobodan zich omdraaide. Zijn oogleden trilden en hij jankte als een hond.

Door de vermoeidheid keerde Manuel terug naar de fauteuil. Het begon buiten al licht te worden en de schaduwen in de kamer gingen over van zwart in grijs. Manuel sloot zijn ogen en viel onmiddellijk in slaap.

Hij droomde dat hij een gelukkig mens was. De vrouw die hij liefhad en aan wie hij had beloofd zo snel mogelijk terug te keren, liep naast hem. Soms wisselde het beeld en lagen ze samen ergens in de vrije natuur, maar niet veel verder dan dat ze het geblaf van de honden hoorden en soms geroep van de dorpsbewoners. Manuel voelde een ongebruikelijke kracht, het was alsof zijn lichaamssappen waren versterkt en hij wist dat ze elkaar spoedig zouden zien. Het vervulde hem met een vertrouwen dat hij lang niet had ervaren.

Hij strekte zich uit naar Gabriëlla en toen ze in zijn armen kroop, werd hij met een schok wakker, ging overeind zitten en wist eerst niet waar hij was.

'Wie ben jij, verdomme?'

De stem van Slobodan Andersson bevatte niets van de waardigheid of scherpte die hem gevreesd en verafschuwd maakte. Integendeel, hij leek bang en verward.

Manuel, die niet had begrepen wat hij had gezegd, kwam overeind.

'Hoe voel je je nu?' vroeg hij in het Engels.

Slobodan staarde Manuel aan, keek vervolgens in de kamer om zich heen voordat hij de Mexicaan wederom niet-begrijpend aankeek. Toen leek hij zich iets van de dag ervoor en de nachtelijke gebeurtenissen te herinneren.

'Jij bent de afwasser', constateerde hij.

'Ik ben de afwasser.'

'Heb je koffiegezet?'

Manuel schudde zijn hoofd.

'Doe dat. Ik moet nuchter worden.'

Slobodan Andersson zwaaide met zijn benen over de rand van het bed, trok een grimas en wreef met zijn handen over zijn schedel. Hij mompelde iets en haalde zijn neus op.

Manuel ging weer zitten. Hij had een idee gekregen dat al sinds het bezoek aan het zomerhuisje onuitgesproken had liggen rijpen.

'Ik kom met een boodschap', zei hij.

Slobodan keek op.

'Ik kom met een boodschap van mijn broer.'

'Waar heb je het over? Welke broer?'

'Angel.'

Door de verbijstering zag Slobodan er eventjes menselijk uit, voordat hij inzag wie Manuel was.

'Jij bent de broer die niet enthousiast was, is dat zo, degene die wij nooit hebben ontmoet? Wat is dat dan voor boodschap?'

'Dat wat Angel niet kon leveren', zei Manuel, en hij stond weer op. De afstand tot Slobodan was vijf meter.

'Hebben die Duitse smerissen dat dan niet ingepikt?'

Manuel schudde zijn hoofd, er niet zeker van of Slobodan zijn leugen zou geloven. Hij wist immers niet wat er in de kranten had gestaan en of Slobodan wist waar de drugs waren gebleven.

'Maar dat kost geld', vervolgde hij.

'Ik heb nog nooit iets gratis gekregen in mijn leven', zei Slobodan glimlachend.

Hij leek onaangedaan. De kater die hij redelijkerwijs moest hebben gehad toen hij wakker werd, leek nu verdwenen.

'Maar ik koop niets wat al van mij is', vervolgde hij.

'Dan niet,' zei Manuel, 'er zijn vast andere kopers.'

'Heb je het eerst met Armas geprobeerd?'

'Ik weet niet wie dat is', zei Manuel en Slobodan keek hem

lange tijd aan voordat hij wat zei.

'Hoe gaat het met Patricio? Gaat het goed met hem?'

'Ik ga morgen bij hem op bezoek.'

Manuel vond de situatie niet prettig. Achter Slobodan Andersssons vragen lag een onuitgesproken dreiging, dezelfde tactiek die Armas had gebruikt om Manuel door elkaar te schudden.

'Hoelang ben je al in Zweden?'

'Niet lang.'

'Ik kan de gemaakte kosten vergoeden.'

'Vijftigduizend dollar', zei Manuel en hij probeerde standvastig te klinken.

Slobodan Andersson moest lachen. Manuel keek hem zonder een spier te vertrekken aan en hoopte dat de dikke niet zou begrijpen hoe zenuwachtig hij was. Toen hij het bedrag had opgeworpen, was dat een gok geweest, maar hij zag aan Slobodans reactie dat vijftigduizend dollar niet onredelijk was.

De gedachte om Slobodan aan te bieden zijn eigen drugs terug te kopen was een ingeving geweest, maar het leek nu een geniaal idee. Hij zag het vervolg al voor zich; nu kon zijn broer een aangenamer verblijf in de gevangenis krijgen.

Slobodan keek Manuel een paar seconden nadenkend aan, voordat hij opstond en de kamer uit liep. Manuel hoorde het klateren in het toilet en hoorde hoe de dikke met water spatte, proestte en luidruchtig in zichzelf praatte. Uiteindelijk kwam de spoeling. Slobodan lachte kort.

Toen de restauranthouder weer terugkwam, zag hij er aanzienlijk patenter uit. Zijn dunne haar was met een natte kam achterover gekamd en op zijn wangen glommen enkele waterdruppels.

Hij keek even snel naar het tweepersoonsbed; het beddengoed lag gekreukt tegen het voeteneind getrapt, toen schudde hij zijn hoofd en ging in de andere fauteuil zitten.

'Goed, *let's do business*', zei hij met een brede lach.

Manuel verlangde naar zijn tent bij de rivier. Hij was moe en stijf, en vreesde wat er komen zou. Had hij kracht genoeg om Slobodan Andersson te weerstaan?

'Vijftigduizend', zei hij, en hij wist op dat moment hoe hij het zou aanpakken. Patricio zou geld krijgen en Slobodan zou worden gestraft zonder dat Manuel zich hoefde in te spannen.

'Waarom zou ik jou vertrouwen?'

'Je hebt mijn broers ook vertrouwd.'

'Hoeveel heb je?'

Manuel mat met zijn handen.

'Misschien twee kilo, misschien meer, ik weet het niet.'

'Als het Angels partij is, is het iets meer dan twee kilo,' zei Slobodan, 'en jij eist vijftigduizend dollar. Begrijp je wat dat betekent?'

Manuel schudde zijn hoofd.

'Het is misschien een miljoen Zweedse kronen waard. Ik kan vijfhonderd kronen per gram krijgen. Tot nu toe heb ik honderdduizend dollar aan kosten gemaakt en met die vijftigduizend van jou erbij, is dat meer dan een miljoen Zweedse kronen. Ik krijg het geld terug en dat is goed, maar ik moet ook wat verdienen', vervolgde hij op verzoenende toon. 'Ik kan mogelijk vijfentwintigduizend ophoesten. Voor jou is dat een vermogen.'

Manuel zat koortsachtig te rekenen, maar het waren te veel cijfers.

'Mijn familie heeft veel geleden', zei hij zachtjes.

Zo zaten ze nog een tijdje te onderhandelen. Uiteindelijk spraken ze af dat Manuel veertigduizend dollar zou krijgen. Manuel zat te zweten terwijl Slobodan het naar zijn zin leek te hebben. Hij kwam moeizaam overeind, liep naar Manuel toe en stak zijn hand uit als teken dat ze het eens waren. Manuel aarzelde een seconde voordat hij de man uit de bergen de hand schudde.

Heb ik nu mijn ziel verkocht? vroeg hij zich af.

Toen Manuel op straat kwam, stond hij te zwaaien op zijn benen alsof hij een klap had gekregen. Hij zocht steun tegen de muur en sloeg zijn handen voor zijn gezicht. Een vrouw die langs kwam, staarde hem met onverholen nieuwsgierigheid en afschuw aan.

'Schorem', siste ze.

Het was even na negenen. Manuel liep naar Dakar waar zijn auto stond, totaal uitgeput en helemaal leeg van binnen.

45

Inspecteur van politie Erik Schönell kon geen Amerikaanse actie-
film meer zien. Gelukkig hoefde hij van elke film maar een paar
seconden van de inleiding te zien, om vervolgens door te spoelen
en een paar stukjes verderop te bekijken, voordat hij de videoband
uit de recorder kon halen. Het probleem was dat hij honderd-
tweeëntwintig films in Armas' videotheek had aangetroffen.

Nu was het klaar en hij had niets geks aangetroffen. Er was zeker
geen Mexicaans verband, als je de moord op een Mexicaanse familie in een van de films niet meerekende.

De pornofilm die op Armas' tv was aangetroffen, was de enige
die afweek van het patroon. Schönell had er al eerder een paar
minuten naar gekeken en meende dat hij zich afspeelde ergens
rond de Middellandse Zee, misschien in Spanje. Het verhaal was
verbluffend eenvoudig; een gezelschap bestaande uit vier atletisch
gebouwde golfers die plotseling bedachten dat ze homoseksueel
waren en een paar dagen besteedden aan traditioneel swingen en
putten, en elkaar daartussendoor wild namen in zandbunkers en
op de fairways. De dialoog was er een van weinig woorden en was
magertjes. De seksscènes waren mechanisch en zonder finesse. Het
was met andere woorden een traditionele pornofilm.

'Hole in one', mompelde Schönell, die zelf golfte. Hij stopte de
film in de recorder.

Hij leunde achterover op zijn stoel, maar kwam onmiddellijk
overeind en deed de deur dicht, zette het geluid harder en ging
weer zitten. Hij had de eerste keer iets gezien wat op de een of
andere vage manier zijn aandacht had getrokken. Er was iets in die
film wat hem verontrustte, maar dat hij onmogelijk onder woorden kon brengen. Als Lindell nu meende dat die films enige
betekenis konden hebben voor het onderzoek – ze had die interesse voor Mexico verder niet uitgelegd – dan wilde Schönell
graag goed werk verrichten. Niemand zou achteraf kunnen zeggen
dat hij er zich met een jantje-van-leiden vanaf had gemaakt. En hij

wilde al helemáál niet dat die Lindell bij Geweld hem wat zou kunnen maken.

De film ging maar door. Schönell keek op zijn horloge en wenste dat hij koffie en iets lekkers had gehaald. Toen een van de golfers de grip van een golfclub in het achterste van zijn medespeler stak, moest Schönell diep zuchten.

De camera richtte zich op de gepenetreerde man. Het zweet stroomde van zijn gezicht en er plakten een paar grindkorreltjes tegen zijn voorhoofd. Hij sloeg zijn ogen ten hemel en deed alsof hij gelukkig was met het bestaan, want geen enkel normaal denkend mens kon toch menen dat een ijzeren vijf van achteren lekker was, dacht Schönell. Toen verstijfde hij, frunnikte wat met de afstandsbediening, spoelde terug, speelde het stukje telkens opnieuw en bevroor het beeld op het moment dat de man in de bunker zijn bovenlichaam draaide, zich omkeerde en naar zijn partner keek.

Schönell pakte zijn telefoon en toetste het nummer van Ann Lindell, die beloofde meteen te komen. Erik Schönell floot content. Ik had haar moeten vragen een kop koffie mee te nemen, dacht hij en hij keek weer naar het beeld op het scherm.

Na een paar minuten werd er geklopt. Schönell deed open en wees zonder iets te zeggen op de tv. De voldoening toen hij Lindells mond zag openvallen en haar hand naar het bevroren beeld wees, was al het gekoekeloer naar slechte films met Bruce Willis en Sandra Bullock meer dan waard.

'Jezus!' riep Lindell.

'Ja, hè?' zei Schönell.

'Goed werk!'

Dat was precies wat Schönell wilde horen.

'Het heeft even geduurd,' zei hij, 'maar ik voelde gewoon dat er wat was.'

Opeens liet hij zijn onverschillige, ontspannen houding varen en werd hij enthousiast, hij vertelde hoeveel uur hij naar films had gekeken en hoe hij in die pornofilm iets had gezien wat hem had gestoord, hoe hij hem telkens weer had bekeken om uiteindelijk de overeenkomst te zien.

Lindell lachte en gaf hem ook nog een schouderklopje voor zijn volharding.

'Nu bellen we Otto. Heb je hier koffie?'

'Ga ik regelen', zei Schönell en hij stoof de gang op.

Het werd al snel krap op Schönells kamer. Of het het vooruitzicht was om iets spannends te zien of dat het kwam door Lindells enthousiasme, voor Schönell maakte het niets uit. Hij koesterde zich in zijn eigen glorie. Mensen kwamen en gingen en er werd wild gespeculeerd.

'Ik durf er wat om te verwedden dat het afpersing is', zei Fredriksson, en dat leek de theorie die de meeste aanhangers had.

Lindell zei niet zo veel, maar bestudeerde het beeld des te zorgvuldiger, ze zag in de ogen van de man een wil om van dienst te zijn, maar ook het tegenovergestelde, een soort trots. Ze schatte zijn leeftijd tussen de twintig en vijfentwintig. Hij had bruine ogen en een breed voorhoofd. Maar wat doorslaggevend was, waren de kleine mond en de wrede trek om de smalle lippen.

De man was een jongere uitvoering van Armas. Lindell durfde er wat om te verwedden dat hij de zoon van de vermoorde man was. Er werd al gesproken over de vraag in welke richting de vondst op de pornovideo het onderzoek zou leiden, hoewel de identiteit van de man nog niet eens was vastgesteld.

'Die film heeft misschien niets met die moord te maken', wierp Sammy Nilsson op.

Ottosson schudde zijn hoofd.

'Hij houdt verband met Armas en daardoor met het onderzoek', zei hij. 'Hij heeft op de een of andere manier met de moord te maken. Goed zo, Schönell!' voegde hij eraan toe, wierp een laatste blik op de tv en verliet de kamer.

Voordat Lindell naar haar kamer terugkeerde, verdeelde ze de taken die de nieuwe vondst met zich had meegebracht. Ze vroeg Schönell een aantal foto's van de golfer te kopiëren. Beatrice Andersson, die het beeld een paar seconden met afgrijzen had bekeken om zich vervolgens af te wenden, kreeg als taak te proberen het bedrijf op te sporen dat de video had opgenomen, en uit te zoeken of ze überhaupt bereid waren tot samenwerking.

Bea bekeek de hoes en las de informatie in de kleine lettertjes.

'Hij is gemaakt in Californië, daar wil ik best heen', zei ze.

Ann Lindell had geen rust om terug te keren naar waar ze eerder mee bezig was geweest. Ze bleef voor het raam staan en probeerde het beeld compleet te krijgen. Als de man op de video de zoon van Armas was, betekende dat een complicatie. Maar het kon het onderzoek ook verder helpen. Was het afpersing? Had iemand ontdekt dat de zoon van Armas pornoster was en geprobeerd dat te gebruiken om Armas af te persen? Wat wist Slobodan? Hij had ontkend dat Armas familie had. Was het een leugen of wist hij gewoon niet dat Armas een zoon had?

Rustig aan, dacht ze, de man is nog niet geïdentificeerd. Maar dat was een aansporing zonder grotere praktische waarde. Ze had besloten dat het de zoon van Armas was. De vingerafdruk die ze op de film hadden veiliggesteld, waren van de afperser, besloot ze eveneens.

Ze liep naar de telefoon, zocht het nummer van Slobodan Andersson en belde hem op. De restauranthouder klonk voor het eerst ontspannen, hij stelde zelfs voor langs te komen op het bureau als dat Lindell beter uitkwam.

'Waar gaat het om?'

'Ik heb een paar overwegingen die ik graag op u wil uittesten', zei Lindell, en ze probeerde zijn vriendelijkheid te beantwoorden, hoewel ze een zekere berekening in zijn ongebruikelijk milde stem vermoedde.

Ze besloten dat Slobodan zich over een uur in de foyer van het hoofdbureau zou melden. In die tijd wilde Lindell de samenvatting over Quetzalcóatl doorlezen die Fryklund, een aspirant, had opgesteld.

Het bleek dat ze in een beschrijving belandde van indiaanse mythologie, die ze moeilijk kon volgen. Er waren te veel onuitspreekbare namen en bovendien werd de informatie verdrongen door het stilgezette beeld op de video. Maar ze begreep wel dat Quetzalcóatl een belangrijke god in de Azteekse cultuur was. De aspirant had ook een zestal illustraties bijgevoegd, die alle een figuur toonden met een angstaanjagend gezicht en veren op zijn lichaam. Op één foto stond een dansende figuur.

Hij had tevens een lijst van tatoeëerders opgesteld, die hadden aangegeven dat die god een van hun populairdere motieven was. De eerste naam op de lijst was een Sammy Ramírez uit Guadalajara in Mexico, compleet met adres en telefoonnummer, die precies het beeld gebruikte dat Armas op zijn bovenarm had laten zetten.

Lindell rekte zich uit naar haar telefoon om het nummer te toetsen, toen ze bedacht dat het tijdsverschil tussen Mexico en Zweden aanzienlijk moest zijn. Hoe laat zou het in Guadalajara zijn? Ze had geen idee en probeerde de gok te wagen.

'Sammy', nam een man met een slaapdronken stem op, gevolgd door iets in het Spaans wat Lindell niet verstond.

Lindell stelde zich voor en verontschuldigde zich voor het feit dat ze vast op een ongelegen tijdstip belde. Sammy kreunde, maar hing niet op, wat Lindell aanmoedigde om in haar gebrekkige Engels door te gaan.

De tatoeëerder hoorde haar verhaal zwijgend aan, dat het om een ernstig geweldsdelict ging en dat ze naar een blanke man zochten die eventueel van Sammy's diensten gebruik had gemaakt. Ze probeerde Armas zo goed mogelijk te beschrijven. Terwijl ze sprak, bedacht Lindell dat ze zochten naar een speld in een hooiberg, en ze beëindigde haar monoloog dan ook met die vergelijking.

'I'm the needle', zei Sammy Ramírez, en Lindell hoorde een geamuseerd, stil lachje. Sammy vertelde dat hij zich de grote man uit Zweden goed kon herinneren. Ze hadden twee, drie jaar geleden contact gehad. Armas was zijn atelier binnengekomen en had in de mappen met de verschillende motieven gebladerd. Hij was uiteindelijk gevallen voor Quetzalcóatl. Waarom het juist dát motief was geworden, kon Sammy zich niet herinneren, misschien omdat hij zelf veel van mythologische symbolen hield en wellicht een warm pleidooi had gehouden voor de Azteekse god.

'Heeft hij iets gezegd over waarom hij in Mexico was?'

'Niet dat ik weet. De reden dat ik me hem zo goed kan herinneren, is dat hij juist niet zo veel zei.'

'Had hij gezelschap?'

'Ja, een dikke man die naar zweet stonk. Hij is een paar keer komen kijken, maar leek met name geïrriteerd.'

'Waar ligt Guadalajara?'

'In het westen van Mexico. Ongeveer ter hoogte van Mexico-Stad, maar meer naar het westen, richting Stille Oceaan.'

'Wat doet men daar?'

Sammy Ramírez moest lachen.

'Wat doen jullie in Zweden?'

'Nou, ik bedoel, waarom was hij daar?'

'Ik denk dat hij op doorreis was, hij kwam uit het noorden, misschien uit de States, op weg naar het zuiden. Ik heb geen idee. Zoals gezegd, hij was niet zo spraakzaam.'

'Was hij kleinzerig? Het doet toch pijn?'

'Nee, het doet niet veel pijn en wat ik me kan herinneren, heeft hij niet geklaagd.'

'Zei hij dat hij uit Zweden kwam?'

'Daar ga ik van uit, u belt immers uit Zweden.'

'Hebt u een fax? Dan kunt u misschien naar een foto kijken en zeggen of dat de man is die u hebt getatoeëerd.'

Ramírez gaf een faxnummer op en ze braken het gesprek af.

Ann Lindell had hartkloppingen. Het laatste uur had een doorbraak opgeleverd. Eerst de video en nu dit. De vraag was natuurlijk hoe ver ze daarmee kwamen, maar ze had het gevoel dat het mysterie Armas bezig was aan zijn ontknoping, de barsten werden steeds duidelijker en breder.

Ze belde Fryklund en roemde zijn verhaal over de Mexicaanse goden.

'Het was gewoon leuk om te doen', zei hij, zeer verbaasd over Lindells uitvoerige complimenten, en ze wenste in stilte dat meer mensen dat over hun werk konden zeggen.

Daarna faxte ze een foto van Armas naar Guadalajara. Drie

minuten later kwam het antwoord van Sammy Ramírez: de man op de foto was dezelfde als degene die hij had getatoeëerd.

Net toen Ann Lindell aan eten begon te denken, belden ze van de receptie dat ze bezoek had. Lindell keek hoe laat het was. Hij was stipt, ze had exact een uur geleden met Slobodan Andersson gesproken.

Op weg naar beneden kwam ze de hoofdcommissaris tegen. Ze knikte nauwelijks merkbaar en haastte zich naar de lift voordat hij met een of andere populaire opmerking zou komen. Ze was niet blij met hem, zeker niet nu de geruchten de ronde deden dat Liselotte Rask van pr andere taken zou krijgen.

Sammy Nilsson had een grapje gemaakt en beweerd dat Rask verantwoordelijk zou worden voor de meditatieruimte in de kelder. Een ruimte die door weinigen, zo niet door niemand werd bezocht en die een bron was van voortdurend commentaar. Iemand had voorgesteld dat de hoofdcommissaris daar emancipatiecursussen en ontspanningsoefeningen kon gaan doen.

Slobodan Andersson stond de vissen in het kleine aquarium in de foyer te aanschouwen. Lindell hield haar pas in en bleef even naar hem staan kijken. Was hij afgevallen? Hij zag er slanker uit, als je dat begrip tenminste kon gebruiken voor een man die misschien wel honderddertig kilo woog.

Ze liep naar hem toe. Er was niets van zijn eerdere irritatie merkbaar. Lindell bracht hem in snel tempo en zonder wat te zeggen naar haar kamer. Hij keek nieuwsgierig om zich heen. Hij haalde moeizaam adem.

Welkom', zei Lindell, en ze bood hem de bezoekersstoel aan, die krakend protesteerde toen hij ging zitten.

Ze ging gelijk in de aanval, sloeg alle beleefdheidsfrasen en het gepraat over koetjes en kalfjes over.

'Ik wil dat u vertelt over Armas' zoon', gokte ze.

Slobodan keek haar verbaasd aan.

'Welke zoon?'

'Kom nou, u hebt elkaar zo lang gekend.'

Hij ontkende alle kennis over een zoon. Lindell geloofde hem spontaan. Niet alleen omwille van zijn schaapachtige gezicht, maar meer om zijn getergde gelaatsuitdrukking. Het was duidelijk merkbaar hoe onaangenaam hij het vond, niet omdat hij iets moest verbergen, maar omdat Armas iets voor hem verborgen had gehouden en niet had verteld dat hij een zoon had.

Lindell ging even twijfelen, de man op de video was misschien helemaal geen zoon, het kon best een oomzegger of ander familielid zijn, maar nu kon ze niet meer terug.

'We laten dat even voor wat het is', zei ze losjes. 'We kunnen het in plaats daarvan over Mexico hebben.'

Slobodan schrok op. Zijn omvangrijke lichaam schudde heen en weer en hij probeerde te glimlachen, maar dat mislukte jammerlijk. Zijn blik vloog van haar naar de deur en weer terug, alsof hij overwoog te vluchten.

'Waarom?'

'Die tatoeage op Armas bovenarm betekent iets, nietwaar? U was er toch bij in Guadalajara? En dat ligt in Mexico.'

Lindell moest zich inspannen om de naam goed uit te spreken. Slobodan zei niets, en ze ging door.

'Daarom gaan we over Mexico praten. Waarom het een Mexicaanse god werd en wat dat kan betekenen voor degene die Armas heeft vermoord.'

'Daar heb ik geen idee van. Hoe zou ik ...'

'Concentratie', onderbrak Lindell. 'Wat hadden jullie voor binding met Mexico?'

'Goed, we zijn daar geweest,' zei Slobodan toegeeflijk, 'maar dat betekent niets. Het is mogelijk dat Armas zich heeft laten tatoeëren, dat weet ik niet meer zo precies. We hebben veel gefeest en ik was niet altijd even ...'

Hij zweeg. Lindell bestudeerde de bezwete man voor zich alsof hij een nieuwe openbaring was, iemand die haar kamer was binnengeglipt en wiens identiteit ze probeerde te achterhalen.

'Wat deed u in Mexico?' doorbrak ze de stilte die voor Slobodan, vermoedde Lindell, moest zijn ervaren als een decennium.

Hij raakte plotseling bevlogen en leunde voorover.

'We hadden wat financiële probleempjes, dat hebben jullie vast wel in kaart gebracht. We hielden ons afzijdig, moet ik toegeven, maar we hebben onze schulden betaald! De deurwaarder heeft zijn deel gekregen, toch? En als je geen nagels hebt om je kont te krabben, probeer je goedkoop te leven, en Mexico is niet duur. Je kunt daar een hotel vinden voor tien dollar per nacht. Geen luxe, maar het is te doen.'

'En toen bent u teruggekomen?'

Slobodan knikte. Zijn ademhaling was geforceerd na de lange monoloog.

'En hebt uw schulden voldaan. Maar de vraag is waar dat geld vandaan kwam? Had u in Mexico een hoop dollars gevonden?'

'Ik hoor wel dat u niet precies weet hoe het werkt. Ik ben een ervaren restauranthouder en er bestaat zoiets als investeerders. Ik heb goede vrienden die er geld in staken.'

'In Mexico?'

'Nee, in Denemarken en Malmö. En we hebben gewonnen bij het casino in Acapulco. Armas heeft er ook veel eigen geld in gestoken. Ik geloof dat hij een erfenis had gekregen, of iets dergelijks.'

'Oké, jullie kregen plotseling geld en kwamen terug, daar houden we het even op. Kan er in Mexico iets zijn voorgevallen wat tot de dood van Armas heeft geleid? Hebt u iemand ontmoet die sindsdien aanleiding had om boos te zijn op Armas?'

'Wie zou dat moeten zijn?'

'Dat was ook mijn vraag', zei Lindell.

Slobodan schudde zijn hoofd.

'Wordt u bedreigd?'

Hij keek op alsof hij tot een nieuw inzicht was gekomen.

Slobodan Andersson liet een zweetlucht achter. Lindell stond op en deed het raam open, en hielp tegelijkertijd een hommel naar de vrijheid. Hoe die was binnengekomen, begreep ze niet. De hommel draaide een paar rondjes voor het raam voor hij wegschoot en verdween. Naar het oosten, constateerde Lindell.

Ze bleef voor het raam staan. Ze had nog steeds niet alle details gezien die het nieuwe uitzicht uit haar kamer haar bood. Ze volgde mensen en auto's op straat, ontdekte gevels en daken, keek uit over de stad en herinnerde zich met zekere weemoed het uitzicht vanuit haar werkkamer in het oude hoofdbureau aan Salagatan. Niet omdat dat mooier was, integendeel, het bestond voornamelijk uit beton, maar ze bracht het uitzicht in verband met oude onderzoeken en misschien ook wel met Edvard op Gräsö. Daar hadden ze elkaar ontmoet, niet de eerste keer, want dat was op de plaats van een moord geweest waarbij Edvard degene was die de dode had gevonden, maar later. Ze herinnerde zich zijn eerste bezoek en de indruk die hij had gemaakt, zo anders dan de mannen die ze eerder had ontmoet.

Ze wiste hem weer uit en liet haar blik over de daken van Uppsala glijden. Andere mensen maakten dingen, daken en gevels bijvoorbeeld, zelf verzamelde ze gegevens en getuigenverklaringen, en piekerde ze over motieven voor de frustratie en het geweld dat ze in haar werk tegenkwam. Er waren geen eenvoudige antwoorden, dat was de enige conclusie die ze kon trekken.

Soms had ze het idee dat ze te veel liep te piekeren, dat ze het zichzelf extra moeilijk maakte. Konden haar gedachten een effectief onderzoek in de weg staan? Nee, dat niet, besloot ze. Juist niet, wij denken te beperkt. Ze hoorde dikwijls andere mensen zich uiten, op het kinderdagverblijf of op de radio, en dacht dan: dat zouden we bij ons werk kunnen gebruiken, die kennis hebben we nodig.

Ontoereikendheid en tijdgebrek waren hun grootste probleem. Een strop die Lindell en haar collega's steeds meer verstikte. Met voldoende mensen, en dat hoefden niet per se politiemensen te zijn, zouden ze de meeste misdrijven kunnen oplossen en vooral kunnen voorkomen dat ze überhaupt werden gepleegd.

Het zou zo anders kunnen zijn. Iedereen wist het, maar slechts weinigen spraken erover en er was bijna niemand die ervoor streed. Ze waren vervallen in sleur.

Ze liep weg bij het raam, ging aan haar bureau zitten en belde Ottosson om verslag te doen van het bezoek van Slobodan Andersson. Daarna belde ze Beatrice, die erin was geslaagd het bedrijf te bereiken dat de film had geproduceerd, maar nog niemand te pakken had gekregen die kon of wilde vertellen wie er aan de film hadden meegewerkt. Ze beloofde verder te gaan met haar naspeuringen.

'Mexico', mompelde Lindell, nadat ze had opgehangen.

Wat betekende die tatoeage en, vooral, het verwijderen ervan? Het motief moest in de persoonlijke sfeer liggen, stelde ze opnieuw vast. Wat had Armas, en wellicht ook Slobodan, in Mexico uitgespookt dat dergelijke gevoelens kon oproepen? Kon er liefde in het spel zijn? Ze bedacht dat Armas wellicht iemands vertrouwen had beschaamd, een vrouw zwanger had gemaakt en hem vervolgens was gesmeerd. De wraak kwam in de vorm van een verontwaardigd familielid dat hem opzocht om zijn gram te halen, om hem misschien te bewegen geld te betalen. In dat licht kon de bevederde slang een symbool vormen.

De vraag was of de moordenaar wist dat Armas was getatoeëerd of dat hij het toevallig had ontdekt? In het eerste geval moest Armas de moordenaar hebben gekend, of wellicht had de versmade vrouw over de tatoeage verteld om de identificatie van Armas te garanderen?

Ann Lindell wikte en woog de vragen. De conclusie was onder alle omstandigheden dat Slobodan Andersson meer wist dan hij toegaf. Ze was ervan overtuigd dat hij de geschiedenis van de tatoeage kende; waar, wanneer en in welk verband hij was ontstaan. Het bezwete gezicht en de duidelijke onrust van de restaurantbaas duidden daar ook op.

Maar waar was de link tussen de videoband en de tatoeage? De pornofilm was geproduceerd in Californië, maar was hij daar ook opgenomen? Misschien wel in Mexico? Schönell had gedacht aan de Middellandse Zee, maar de milieus die in de film voorkwamen, een golfbaan en zandstranden, bestonden in Mexico vast ook. Acapulco, waar Slobodan het over had gehad, was dat geen toeristenoord aan zee?

Áls het nu de zoon van Armas was die met een golfclub was gepenetreerd en Armas dat op zijn minst gênant had gevonden – wat op zich waarschijnlijk was vanwege zijn anti-homohouding, waarvan Slobodan en anderen hadden getuigd – wat had Mexico er dan nog méér mee te maken dan alleen een mogelijke plaats voor een filmset?

Was Armas zijn zoon in Acapulco tegengekomen?

Er waren te veel vragen. Lindell voelde de behoefte om er met iemand over te praten, maar wilde eerst alle informatie op zich laten inwerken voordat ze met haar collega's in conclaaf ging.

46

Sören Sköld was al elf jaar vrachtwagenchauffeur, waarvan de laatste vier jaar bij Enquist hout- en bouwmaterialen. De wagen die hij bestuurde, was een twee jaar oude Scania. Hij was content met de wagen en met zijn werk. Wilhelm Enquist zelf, die al tegen de tachtig liep maar nog steeds binnen het bedrijf werkzaam was, was degene die Sören informeerde over de ritten van die dag en goede adviezen gaf alsof het fantastische nieuwtjes waren.

Ik weet het, dacht de chauffeur meestal vermoeid, ik weet alles over de ritten van vandaag en morgen, maar hij liet Enquist doorkletsen. Hij gooide zijn tas in de cabine voordat hij een rondje om de wagen liep en de stroppen controleerde die het zeil op zijn plaats hielden.

'Rijden maar', zei Enquist.

Die oude wordt wat warrig, dacht Sören, wat niet erg aardig was omdat Enquist in het geheel geen ouderdomsverschijnselen vertoonde, behalve dat zijn gehoor wat achteruitging.

Zijn eerste rit was naar een bedrijfje ten zuiden van de stad waar hij een pallet met kant-en-klare schuttingdelen loste. Daarna leverde hij deuren en isolatiemateriaal af op de bouwplaats van een huizenproject en op hetzelfde terrein loste hij pleisterkalk, spijkers en spijkerplaten bij een bouwer die Sören nog kende van de basisschool in Hallstavik. De man wilde koffie aanbieden, maar Sören bedankte omdat hij vermoedde dat zijn klasgenoot jeugdherinneringen wilde ophalen. Hij zei dat hij achterliep met de leveringen en vertrok naar de gevangenis van Norrtälje.

Bij de toegangsweg naar Vätö stond een donkerblauwe Saab zo beroerd geparkeerd dat hij de hele kruising blokkeerde. Sören wachtte een paar seconden voor hij claxonneerde. Hij kon zien dat er twee mannen in de auto zaten. Een van hen stapte uit en naderde de vrachtwagen. Zijn gezicht was uitdrukkingsloos, geen irritatie of verontschuldigend glimlachje dat ze het verkeer ophielden. Sören zuchtte. Als ze maar geen hulp nodig hebben met die auto, dacht hij en hij draaide het raampje omlaag. Voordat Sören kon reageren, deed de man het portier van de vrachtwagen open en klom hij naar binnen. Zijn adem stonk naar knoflook.

'Nu nemen wij het over', zei hij.

Hij had niets dreigends, hij zag er zelfs ontspannen uit. Maar hij had een zwarte revolver in zijn hand.

Daarna herinnerde Sören Sköld zich slechts fragmentarisch wat er was gebeurd. De psycholoog met wie hij de dag erna sprak, zei dat dat een natuurlijke reactie was. Wat hij nog wist, was hoe hij plotseling aan de passagierskant zat en hoe de naar knoflook stinkende indringer de wagen in zijn versnelling had gezet en was weggereden. De Saab was verdwenen. De weg naar de gevangenis was vrij. Op dat moment ging Skölds mobiele telefoon.

'Niet opnemen', zei de nieuwe chauffeur, en toen begreep Sören de ernst van de nieuwe situatie pas goed. De wagen was gekaapt.

De Scania werd verwacht en werd zonder problemen binnengelaten. Sören Sköld was geïnstrueerd dat hij moest zeggen dat hij een vervanger bij zich had die werd ingewerkt, als iemand van het personeel zou vragen waarom ze met zijn tweeën in de cabine zaten.

De vrachtwagen reed naar de timmerwerkplaats. Daarna ging alles in sneltreinvaart. De deur naar de werkplaats ging open, Agne Salme kwam naar buiten en sprong in de heftruck om deze naar de achterkant van de vrachtwagen te rijden. Uit zijn ooghoek zag hij Sören Sköld, die hij goed kende, en een onbekende man die kwam aanlopen.

Agne Salme stapte uit de truck, stak zijn hand op als groet, maar verstijfde toen hij de revolver in de hand van de onbekende zag. Op hetzelfde moment kwamen drie mannen aanrennen van de midgetgolfbaan die direct naast het grote veld voor paviljoen twee en drie lag.

Agne kende Jussi Björnsson, Stefan Brügger en José Franco maar al te goed. Het waren alle drie langgestraften.

'Nu blijven we heel rustig', zei de man met de revolver. 'Maak het zeil los!'

Sören Sköld deed mechanisch wat hem werd opgedragen, zonder te protesteren en zonder iets te zeggen. Agne Salme volgde de instructies die golden voor gijzelingen en hield zich passief om de situatie niet onnodig te verergeren.

Toen het trio van de golfbaan Patricio Alavez passeerde, die langs de afrastering rond het sportveld onkruid aan het wieden was, bleef José Franco staan en riep iets naar Alavez. Salme zag hoe de Mexicaan naar de vrachtwagen staarde, aarzelend de mand met bladeren neerzette, Franco nakeek die doorrende en er vervolgens achteraan ging.

Jussi Björnsson kreeg onmiddellijk een revolver van zijn compagnon. Brügger, die het zenuwachtigst was, ging vlak bij Agne Salme staan.

'Nu peer ik hem, slavendrijver. Vat je dat? Nu mag je die verdomde kasten zelf in elkaar schroeven.'

Agne Salme knikte. Hij was te slim om met een opmerking te komen. De Duitser had vroeger in de timmerwerkplaats gewerkt en Salme kende de onberekenbare doodslagpleger uit Rostock maar al te goed.

'Fuck you', siste José Franco, die negen jaar moest zitten voor poging tot moord, brandstichting en gewelddadig verzet, en hij gaf Agne Salme een trap in zijn kruis.

'Kom op! Spring erin als je mee wilt!'

De autokaper keek naar Patricio, die volkomen passief stond.

'*Venga!*' riep Franco vanaf de laadvloer.

Patricio sprong in de vrachtwagen en daarna werd Agne Salme gedwongen erin te klimmen.

Het alarm was afgegaan toen men bij de centrale bewaking de drie midgetgolfers het sportveld had zien verlaten. Ruim een minuut later verliet de vrachtwagen het complex. De politie werd gealarmeerd, maar de situatie was allesbehalve positief. Bij de afrit naar Spillersboda had een verkeersongeval plaatsgevonden en daar was een patrouillewagen. In Gräddö was een huis in brand gestoken, wat de inzet van brandweer en politie vereiste. Een paar minuten later kwam een melding binnen van een schotenwisseling tussen Finsta en Rimbo. Een vrachtwagen en twee personenauto's waren vanuit het bos beschoten. Er waren geen gewonden, maar alle beschikbare patrouilles waren daarheen gedirigeerd.

De politiemannen Sune Bark en Kristian Andersson kregen het alarm over de schotenwisseling toen ze ten noorden van Norrtälje waren, op weg van Grisslehamn, waar ze een gepensioneerde hadden verhoord over een reeks inbraken in zomerhuisjes in de omgeving. Ze kregen de opdracht onmiddellijk naar Finsta te rijden.

Een kwartier later kwam een tegenorder: ze moesten ogenblikkelijk naar de gevangenis in Norrtälje.

Bark kwam net van de Politieacademie en het ernstigste dat hij tot nu toe had meegemaakt, was een gewelddadige dronkelap op de veerboot naar Blidö. Dat had in zijn vrije tijd plaatsgevonden, maar hij had zich genoodzaakt gevoeld in te grijpen en had dat dan ook met verve gedaan. Het tegen de grond werken van de dronkelap was vereenvoudigd doordat de man in kwestie zevenenzeventig was en in principe bewusteloos toen hij werd opgepakt. Bark had een compliment gekregen van zijn superieuren.

Andersson had, na twintig jaar dienst – waarvan de meeste tijd in de surveillancewagen – des te meer gezien en meegemaakt. Hij was uitgerukt voor diverse incidenten, ontsnappingspogingen en ook geslaagde ontsnappingen. Maar deze keer was het menens, begreep hij toen ze meer informatie van de centrale hadden gekregen, en dat prentte hij zijn collega keer op keer in.

'We hebben nu rekening te houden met gegijzelden,' zei hij, 'en het gaat om gewapende knullen die ongetwijfeld tot alles in staat zijn.'

Het volgende moment schold hij op een automobilist die blijkbaar het zwaailicht en de sirene niet had opgemerkt. Andersson scheurde er geroutineerd omheen en reed over de andere weghelft om er sneller langs te komen.

De Scania stond op een parkeerplaats circa een kilometer van de gevangenis. Kristian Andersson remde, zette de sirene uit, reed langzaam langs de vrachtwagen, maar kon niemand ontdekken.

Honderd meter verder maakte hij een U-bocht terwijl Bark contact zocht met de centrale.

Ze wisten dat een bevrijdingsactie van zware jongens altijd een opgejaagde stemming onder de gedetineerden met zich meebracht. Gedetineerden die tien jaar moeten zitten en kans zien om de bajes te verlaten, schuwen geen middelen en worden vaak wanhopig als ze in het nauw komen. Na twee, drie dagen op de vlucht, opgejaagd door de politie en met hun smoel op iedere voorpagina, hongerig, dorstig en onderkoeld, werden ze meestal inschikkelijker. De beginperiode van een ontsnapping was het meest kritiek.

Kristian Andersson instrueerde Bark om in de auto te blijven en contact te onderhouden met het crisisteam, dat in alle haast was opgericht. Hij stapte vervolgens uit de auto en trok zijn wapen.

Het zeil van de vrachtwagen flapperde. Een rode Amazone passeerde in rustig tempo. De bestuurder, een oudere man, staarde hem aan en reed een paar seconden in de richting van de sloot voordat hij de auto weer onder controle kreeg.

'Zorg dat de weg wordt afgezet!' riep Andersson, voordat hij voorzichtig de vrachtwagen naderde. Hij liep langs de rand van de weg, kwam bij een bushokje en bleef daar een paar seconden staan. Het was volkomen stil bij de vrachtwagen.

Hij sprong over een laag hekje een particuliere tuin in, liep door een veld met frambozenstruiken, waar nog een paar vruchten aan zaten, stapte over naar het volgende perceel en kwam zo steeds dichter bij de vrachtwagen.

Gedeeltelijk verborgen door een bosje staarde hij door een open portier in een lege cabine. Er lag een schoen op het asfalt. De vrachtwagen was verlaten. De gevangenen en hun bevrijder waren gevlucht. Kristian Andersson keek om zich heen en ontdekte twee gezichten voor een raam in het huis zo'n vijftien meter verderop in de woonwijk. In een reflex hief hij zijn wapen en ging hij op zijn hurken zitten.

Kristian Andersson vloekte. De doorns van een kruisbessenstruik haalden zijn handen open en even was hij terug in de tuin van het huis uit zijn jeugd aan de voet van Kinnekulle. Oogsttijd.

Aalbessen, kruisbessen en frambozen. Witte plastic bakken en emmers, ongedierte en doorns.

Het echtpaar voor het raam staarde hem onafgebroken aan, alsof ze verwachtten dat hij iets zou doen. Hij kon het grijze haar van de vrouw onderscheiden en het donkere brilmontuur waardoor ze net een uil leek. Vermoedelijk hadden zij niets met de bevrijdingsactie te maken. Ze waren gewoon bang.

Andersson stond op en rende gebukt naar de deur van het huis en voelde aan de klink. De deur was open. Hij ging naar binnen en riep dat ze rustig konden zijn en dat ze onmiddellijk bij het raam weg moesten gaan.

'Hebt u iets gezien?' riep hij, en hij liep de hal in. De vrouw keek om de hoek. Ze was aanzienlijk jonger dan hij eerst had gedacht, een jaar of vijfenveertig.

'Ze zijn in een auto gesprongen', zei ze.

'Wat voor soort auto?'

'Een bestelwagen', zei de man, die nu ook in de hal was gekomen.

'Kleur en merk?'

'Blauw,' zei de man, 'misschien zo'n Amerikaan. Wat is er gebeurd? Een roofoverval?'

Kristian Andersson liet de woning en de vragen van het paar voor wat ze waren en rende terug naar de politiewagen. Sune Bark sprak opgewonden in de communicatieradio. Andersson rukte de microfoon uit zijn hand.

47

De voortvluchtigen lieten de blauwe bestelauto in een bosschage even ten westen van Norrtälje achter. Daar stonden twee auto's te wachten: een Volvo die er behoorlijk toegetakeld uitzag en een nieuwere Audi. Björnsson en Brügger sprongen in de Audi terwijl José Franco in de Volvo plaatsnam. Alles ging razendsnel. De kaper verliet hen zonder iets te zeggen en verdween te voet het bos in. Sören Sköld en Agne Salme lagen vastgebonden in de bestelwagen, voorzien van een blinddoek en mondprop.

'Kom!' schreeuwde José tegen Patricio Alavez, die onthutst het snelle gebeuren op de open plek in het bos stond te aanschouwen. Hij had, net als de andere gedetineerden, zijn gevangeniskleren tijdens de rit uitgetrokken en had kunnen kiezen uit een grote doos vol broeken, T-shirts en overhemden. Patricio had een blauwe spijkerbroek en een wit T-shirt aangetrokken.

'Waar ga je heen?'

'Spring erin!'

De Audi was al verdwenen. Patricio maakte een gebaar in de richting van de bestelwagen en deed zijn mond open om iets te zeggen, toen José Franco de auto in zijn één zette en de Volvo begon te rijden. Patricio rende erachteraan, José remde af, leunde naar opzij en duwde het portier aan de passagierskant open.

Na een minuut reden ze op een grindweg. Patricio zei niets. Na een paar minuten begon José te lachen.

'Vrijheid', zei hij, en hij keek Patricio aan. 'Doe je gordel om.'

De rit ging over kleine weggetjes. José zweeg. Patricio was nog niet bekomen van de schrik. Het ene moment stond hij onkruid te wieden achter hoge muren en was hij erop ingesteld dat nog acht jaar te doen, en kort daarna reed hij in een mooie auto, kwam langs boerderijen, zag grazende koeien in de wei en voelde de wind door het open raam door zijn haren strijken.

Hij verbaasde zich erover dat er tijdens de bevrijdingsactie zo weinig was gezegd. Tijdens de snelle rit in de bestelwagen en tijdens het omkleden had Jussi Björnsson niets gezegd en had Stefan Brügger misschien tien woorden geuit. En nu zweeg José ook.

Patricio vond dat wel prettig. Het feit dat ze niet hadden lopen schreeuwen, elkaar op de rug hadden geslagen, overmoedig en nonchalant waren geworden, duidde erop dat de actie serieus was, dat deze goed was voorbereid. Dat bleek ook uit de snelle wisseling van auto's.

Hij begreep dat het weinig zin had om te vragen waar de kaper, die woordeloos het bos in was gerend, naartoe was of wie hij was. Misschien had hij een auto aan de andere kant van het bos staan? Waar Björnsson en Brügger in hun Audi heen wilden, kon Patricio zich niet eens indenken. Hij kende Zweden niet. Hij had tot nu toe alleen de douane, het huis van bewaring en de gevangenis gezien.

'Waar ga je heen?' vroeg José onverwacht.

'Geen idee', zei Patricio. 'Ik weet hier niets.'

'Ik rij naar het noorden', zei José.

Patricio had gehoord dat er in het noorden van het land bergen waren. Het was er vast mooi. Dat had de gevangenispredikant gezegd toen hij over Zweden had verteld.

'Uppsala, waar ligt dat?'

'Ga je naar Uppsala? Dat lijkt me geen goed idee', zei José. 'Het wemelt daar van de smerissen.'

'Waar ga jij naartoe?'

'Naar het noorden', zei José, en hoewel hij probeerde onverschillig over te komen, vermoedde Patricio een glimlachje in het magere gezicht, dat bijna uitgemergeld leek nu hij tijdens de korte rit in de bestelwagen ook zijn baard had weten af te scheren.

'Ik wil naar Uppsala', zei Patricio.

'Ken je daar dan iemand?'

'Misschien.'

'Ik zou je graag willen helpen, we zijn immers bijna landgenoten. Maar ik kan daar niet heen, dat begrijp je toch wel? Het wemelt daar van de politie. Maar ik kan vertellen wat je moet doen. Ik heb een hoop geld, kijk maar in het handschoenenkastje.'

Patricio was ontroerd over Josés zorgzaamheid, hij kreeg de indruk dat José eerlijk was toen hij zei dat hij hem wilde helpen. Hij deed het handschoenenkastje open en daar lag een bruine envelop.

'Maak open', zei José.

Patricio gehoorzaamde en in de envelop zat een stapel bank-biljetten.

'Het moet twintigduizend Zweedse kronen zijn', zei José. 'Neem er vijf.'

Patricio protesteerde maar accepteerde het uiteindelijk. Hij begreep dat het geld hem goed van pas zou komen.

José remde af en bleef staan op de parkeerplaats van een kerk, haalde een kaart uit het zijvak van de deur, vouwde hem open en liet Patricio zien waar ze zich bevonden en wees met zijn vinger de weg die ze door Uppland zouden volgen.

'Ik kan je in Tierp afzetten. Daarvandaan kun je de bus of de trein naar Uppsala nemen. Je spreekt toch een beetje Zweeds?'

José dacht na en legde vervolgens uit wat de Mexicaan moest doen: zo rustig mogelijk op de trein stappen, een kaartje kopen bij de conducteur, alleen maar 'Uppsala' zeggen en ja knikken als de conducteur iets vroeg. Dat zou vast gaan over de vraag of het een enkele reis moest zijn of niet.

In Uppsala moest hij uitstappen, een kaart kopen en zich vermengen met de mensen in het centrum, niet naar een hotel gaan, eten kopen in een grote supermarkt en daarna proberen een plek te vinden waar hij de nacht kon doorbrengen.

'Koop een deken of een slaapzak. Als iemand vraagt waar je vandaan komt, zeg je dat je een Spaanse toerist bent. Oké?'

Patricio knikte.

'Je kunt niet direct contact opnemen met je kennis, hoor. Misschien wordt je vriend wel bewaakt door de tuut.'

'Dat denk ik niet', zei Patricio, die pas nu aan zijn broer dacht, die had gezegd dat hij naar Uppsala zou gaan om die lange en die dikke op te zoeken. Waar was Manuel?

'Je hebt geen spijt?'

'Nee', zei Patricio, maar hij was er niet helemaal zeker van of hij er wel goed aan had gedaan om te vluchten.

'Als je vast komt te zitten, nooit vertellen hoe het gegaan is. Dat je met mij in deze auto hebt gezeten en waar ik je heb afgezet.'

'Ik hou mijn mond', zei Patricio.

José lachte. Patricio keek hem aan en glimlachte. Het was goed om een lach in vrijheid te horen en om een vriend te hebben.

'Wij gaan nog wel een tijdje mee', zei José.

Zwarte wolken trokken vanuit het zuiden Uppsala binnen toen Patricio op het Centraal Station uit de trein stapte. De regen kwam met bijna tropische kracht uit de hemel. Patricio stond even doodstil en liet zich door de krachtige, bonkende druppels raken voordat hij over het perron rende, de sporen passeerde en het stationsgebouw in spurtte.

Daarbinnen heerste een uitgelaten stemming. Er werd gelachen en er was een kakofonie van stemmen hoorbaar. Er steeg een vochtige warmte op uit de kleren van de reizigers en uit de luidsprekers klonk een metaalachtige stem. Mensen gleden soepel door het stationsgebouw, als lavastromen langs een berghelling, ze rondden groepen stilstaande mensen, liepen door de deuren naar buiten, die met tegenzin openschoven en de geur van regen en uitlaatgassen binnenlieten.

Patricio bleef een momentje staan, hij rilde even van het vocht dat door zijn T-shirt naar binnen was gedrongen, luisterde en verbaasde zich, ontsteld door dit veelvoud aan kleuren, stemmen en bewegingen. Toen volgde hij een van de stromen en kwam hij uit op de trap voor het stationsplein. Er stond een politieauto op straat geparkeerd.

'Manuel, waar ben je?' mompelde hij en hij keek om zich heen. Links was een parkeerplaats met daarachter een busstation. Rechts stond een ongeordend leger van duizenden fietsen. Dat was ook de kant die de meeste mensen op gingen en Patricio volgde de stroom naar het centrum. De regen was net zo snel opgehouden als hij was begonnen. De wolken scheurden in flarden en er kwam een bleek zonnetje tevoorschijn dat een warm, slepend licht over Uppsala verspreidde.

Patricio kwam geleidelijk over de schok heen dat hij uit de gevangenis was ontsnapt en nu niet meer werd tegengehouden door gesloten deuren en muren voorzien van prikkeldraad. Er was niets wat hem hinderde om welke kant dan ook op te gaan. Hij kon op een bankje in een park gaan zitten, daar een kwartier, een uur of een halve dag blijven zitten en daarna doorlopen in de windrichting die hij wilde.

Toch was het alsof alle anderen dezelfde weg als hij kozen. Hij werd tijdens zijn wandeling een onderdanig slachtoffer van de wil en de richting van anderen, en stond opeens voor een hamburger-restaurant. Hij stapte naar binnen en probeerde, na zijn honger en dorst te hebben gestild, zélf iets te bepalen.

Ergens in de stad was zijn broer, maar die had bij zijn bezoek aan de gevangenis niets gezegd over zijn plannen waar hij dacht te gaan logeren. Patricio kon hem zich maar moeilijk in een hotel voorstellen, maar hij moest toch érgens overnachten. Hij kon niet in de vrije natuur slapen, zoals ze in Mexico deden, rustend op een *petate*, gewikkeld in een deken.

En waar zou hij zelf heen gaan? Hij ging op een bankje zitten, plotseling totaal uitgeput. De geur van koffie op een terras herinnerde hem aan het dorp. Zou hij Gerardo thuis in het dorp bellen zodat hij met een boodschap naar zijn moeder kon gaan? Nee, ze zou alleen maar ontzettend ongerust worden. Hij zag Maria al voor zich, haar gekromde lichaam dat in de loop der jaren steeds meer gebogen was geworden, het volle haar in twee lange vlechten op haar rug en de altijd nijvere handen. Wat zou ze nu aan het doen zijn? Het verlangen naar Mexico en het dorp maakte hem verdrietig. Hij zat te snikken. Een jonge vrouw die langsliep, keek hem aan. Het kind dat ogenschijnlijk onwillig naast haar liep, een jongetje van misschien vijf, zes jaar, bleef staan en keek Patricio met grote ogen aan, maar de vrouw trok hem mee.

Patricio stond op. Het natte T-shirt koelde nog steeds. De broek die hij in de bestelauto had gekregen, was te kort en de grove gevangenisschoenen zagen er lomp uit. Hij keek om zich heen en ontdekte een kledingzaak een eindje verderop. Hij kon best wat van het geld dat hij van José had gekregen aan kleding besteden.

Hij kwam zestienhonderd kronen lichter weer op straat. Hij had niet begrepen hoe duur alles was, maar had bij de kassa niet willen protesteren of afdingen. Hij droeg nu opnieuw een blauwe spijkerbroek, een rood T-shirt en een kort jack. In een tas had hij een extra T-shirt, een onderbroek en drie paar sokken.

Hij zette de zonnebril en de pet die hij gekocht had op en voelde zich bijna meteen een stuk beter. Hij keek naar zijn schoenen, maar besloot dat hij het daar zolang maar mee moest doen.

De verkoper was vriendelijk geweest en had zich er niet erg over verbaasd dat Patricio slechts een paar woorden Zweeds sprak. Op straat zag hij veel donkere mensen en hij begreep dat de Zweden aan buitenlanders gewend waren.

Hij liep naar het centrale plein waar hij al eerder langs was gekomen. Dat was uit gewoonte. In het dorp, en ook in Oaxaca, was zócalon, het plein, de ontmoetingsplaats waar men rond-kuierde, op een bankje zat, bekenden tegenkwam en een paar woorden met mensen wisselde. Hij hoopte dat Manuel op de-zelfde manier zou redeneren en dat hij ook naar het plein zou komen. Wat zou hij anders in een vreemde stad moeten doen?

In een autovrije winkelstraat was muziek te horen en Patricio bleef staan. Een groep musici gaf een concert. Hij zag direct dat het Latijns-Amerikanen waren. Dergelijke groepen met voornamelijk Peruanen en Bolivianen had hij in Californië ook gezien. Hij gaf ze wat van het wisselgeld dat hij in de kledingzaak had gekregen en bleef even staan luisteren. Tijdens een onderbreking vatte hij moed en liep hij naar een van de mannen toe.

'Hallo, compañero, weet jij waar restaurant Dakar ligt?' vroeg hij in het Spaans.

De fluitist keek hem nieuwsgierig aan. Patricio had bijna spijt. Wat wist hij van Dakar, misschien was het wel een berucht hol voor louche figuren?

'Dat is niet ver hiervandaan', antwoordde de musicus, en hij wees met zijn fluit. 'De eerste straat rechts en dan zie je Dakar al na zo'n vijftig meter liggen.'

'Jullie spelen goed', zei Patricio.

De man knikte kort, alsof het compliment hem niet kon schelen.

'Waar kom je vandaan?'

'Californië', zei Patricio.

De man had niets onvriendelijks, maar had tegelijkertijd een wat bitse en afwijzende uitdrukking op zijn gezicht. Patricio kreeg het gevoel dat hij op zijn hoede was.

Hij liep in de richting die hem was gewezen. Het liefst had hij willen rennen van de spanning, maar hij hield zich in en probeerde in het ritme te komen dat op straat heerste en niet om te kijken.

Hij liep rechtsaf en zag het uithangbord van het restaurant bijna onmiddellijk. Dat bestond uit de naam en drie knipperende rode en groene sterren. Eindelijk, dacht hij, en hij kreeg het merkwaardige gevoel dat hij al eerder op hetzelfde trottoir naar het bord had staan kijken.

Zijn volgende gedachte was al net zo onaangenaam: als ik niet was ingegaan op dat praatje van die dikke over een onschuldige brief die naar Europa moest worden getransporteerd, of liever gezegd, als ik voor mezelf had erkend wat ik diep van binnen dacht over de inhoud van het pakket, waar zou ik dan nu zijn geweest? Wie zou ik dan zijn geweest? Wie ben ik nu?

Zijn leven was vergooid. Hij had zich tegen beter weten in laten bedotten, verleid door de macht van het geld en dromen over een beter leven. Wat hij en zijn familie hadden gekregen, was geen rijkdom maar schande. Waarom zou hij de klus niet afmaken, Dakar binnenlopen en die dikke en die lange om zeep helpen? Hij had hier niets meer te verliezen. Thuis in het dorp zouden ze hem niet veroordelen, ze zouden hem misschien zelfs huldigen. Ze zouden het als een rechtmatige straf voor een bhni guí'a beschouwen. Angel zou dubbel zijn gewroken en er zouden geen Zapoteken meer voor de gek worden gehouden, althans niet door die twee.

Als we al die bloedzuigers doodslaan die ons op de vuilnishoop gooien als ze ons niet meer nodig hebben, wordt de wereld er vast beter van. De Zapoteken zouden eraan verdienen. Niemand zou naar el norte hoeven afreizen, de dorpen zouden leven en er zou geen maïs op de markt in Talea worden gedumpt.

Patricio's gedachten waren niet nieuw, ze waren in de gevangenis tot wasdom gekomen, maar waren nu voor het eerst realiseerbaar. Hij kon voor het eerst iets doen voor zijn land en voor zijn dorp. Demonstreren in Oaxaca, waarbij ze op politiehonden, knuppels en waterkanonnen stuitten, leidde nergens toe.

De blanken wonnen altijd. Zij triomfeerden telkens weer. Ze trokken al vijfhonderd jaar aan het langste eind. Nu zou hij, Patricio Alavez, Zapoteek, simpelweg twee blanke mannen verslaan. Angel zou zijn gewroken en Miguel zou niet tevergeefs zijn gestorven.

Patricio groeide terwijl hij daar op het trottoir stond. Hij keek naar zijn nieuwe kleren en begreep dat dit zijn gevechtstenue was. Hij zou zich niet hoeven schamen. Ook een Zapoteek kon er netjes uitzien.

Na afloop mocht de politie hem oppakken, hem in de gevangenis gooien, hem misschien wel doden. Dat maakte hem niet uit. Hij zou niet langer onteerd zijn.

48

Het tentdoek fladderde in de wind. Thuis, dacht Manuel, en hij ging op zijn favoriete plekje tegen de dijk zitten met een steen als rugsteun. Daar vandaan had hij uitzicht over de rivier en de tegenoverliggende dijk, waar de weldoorvoede koeien graasden. Maar nu deed hij zijn ogen dicht en probeerde hij alles weg te denken wat met Zweden te maken had. Zo zat hij een paar minuten, voor hij opstond en uitkeek over het landschap. De zon stond in het zuidoosten en het licht reflecteerde in vluchtige glinsteringen in het water van de rivier. Manuel keek omhoog. Aan de hemel cirkelde een havik.

Met stijve ledematen liep hij de helling verder op, maar ook de wuivende velden en de kaarsrechte rijen aardbeienplanten boden hem geen rust. Hij voelde zich alleen maar verward dat er zo veel werkelijkheden bestonden. Over de hele wereld stonden mensen aan de rand van velden, bij woestijnen en meren, voor huizen en graven. Of rustten in bed of op een slaapmatje, alleen of met hun geliefde aan hun zijde. Velen waren onderweg; ongerust of verwachtingsvol.

Overal mensen met dromen en een hart dat klopte. Manuel keek naar zijn handen, alsof die hem het antwoord konden geven op de vraag wie hij was en wat zijn plaats was.

De dood van Miguel, de gewelddadige kracht van de kogels die in zijn lichaam werden geschoten, zijn kinderen voor het raam, Angels vlucht over het rangeerterrein in Frankfurt, de bedroefde ogen van zijn moeder en haar door levenslange inspanning versleten lichaam, de geur en schoonheid van de velden en de gewassen, de liefdeswoordjes die hij en Gabriëlla in het donker uitwisselden – dit alles werd vermengd tot een brandende angst.

Geef ons een land om in te leven, dacht hij, een land waar we in vrede mogen verbouwen en liefhebben. Waarom moeten jullie met je gemanipuleerde zaden komen, jullie bestrijdingsmiddelen die ons hijgende longen en gapende wonden geven, jullie contracten die niemand begrijpt voor het te laat is, agressieve politiehonden, gewapende schooiers in grote jeeps, jullie drugs en jullie kranten en radiostations die alleen maar liegen? Waarom mogen we niet gewoon de aarde in vrede verbouwen? Is dat te veel gevraagd?

Manuel begreep de wereld niet. Al dat gehaast, alsof het leven een kudde door wespen gestoken paarden was die er in een wilde galop vandoor ging.

'Patricio!' riep hij luid over het veld, overweldigd door angst.

Hij keek om zich heen om naar zijn broer te zoeken, maar de enige mens die hij zag, was een eenzame arbeider die met een rugspuit tussen de rijen door liep en de plantjes hun dosis gif gaf.

De man, die zijn roep misschien had gehoord, keek op en stak zijn vrije hand op als groet. Manuel zwaaide terug.

Een immens lawaai uit de lucht onderbrak zijn gedachten. Een gevechtsvliegtuig dook op uit het niets, vloog op lage hoogte verder, maakte een snelle manoeuvre naar opzij en verdween. Het was binnen een paar seconden voorbij. De man met de spuit en Manuel keken naar de horizon en daarna naar elkaar. Manuel meende te zien dat de man lachte en een gebaar maakte met zijn hand voordat hij doorging met zijn werk. Misschien is hij blij dat de monotonie wordt doorbroken, meende Manuel, ook al werd de verstrooiing veroorzaakt door een oorlogsmachine.

Hij liep struikelend omlaag naar de tent, pakte zijn tas met kleren, kleedde zich uit en stapte voorzichtig het water in. De vorige keer was hij uitgegleden over de glibberige klei en was hij pardoes in het riet gevallen en had daarbij zijn armen bezeerd. Het water was koel en de houterige, koude stelen van de waterlelies streken langs zijn ledematen.

Het water deed hem goed. Hij zwom een stukje, keerde zich op zijn rug, liet zijn hoofd zakken en zag de hemel boven het wateroppervlak als een caleidoscopische glinstering. Even kreeg hij de inval om zijn lichaam in de modderige bodem te laten zakken. Een plotselinge angst maakte dat hij uit het water omhoog schoot en snel naar de kant zwom.

Hij kamde zijn haar en schoor zich zorgvuldig, trok een schone broek aan en een T-shirt met een motief van José Guadalupe Posada op de borst: een ruiter die over een veld met grijnzende doodskoppen reed.

Vanuit zijn schuilplaats, onder een uitgebreid vertakte, lage jeneverbesstruik midden tussen de haagdoorns, trok hij de sporttas tevoorschijn die hij in het zomerhuisje had gestolen, maakte de rits open en controleerde of de cocaïne er nog in zat.

Bij de aanblik van de in plastic verpakte en van tape voorziene pakketjes voelde hij verdriet over de argeloze hebberigheid van zijn broers, maar ook triomf over het feit dat hij Slobodan Andersson voor de gek kon houden.

Toen hij de tent verliet, keek hij goed om zich heen, alsof het de laatste keer zou zijn dat hij bij de rivier kwam. Hij liet zijn blik heen en weer gaan. Een reiger vloog in een lage baan over het water, er spartelden een paar kleine visjes in het water; misschien werden ze wel achternagezeten door een grotere vis. Hij keek hoe de koeien aan de andere kant van de rivier traag graasden en met hun koppen schudden om van hun zoemende plaaggeesten af te komen. De koeien staarden Manuel sloom aan, voordat hun muilen weer begonnen te malen.

Weer kwam het beeld van de dood van Miguel op zijn netvlies. De gedachte aan de kinderen die vanuit het raam getuige waren van de executie van hun vader, deed hem het meest pijn. Een van hen zou ook voor haar leven getekend zijn, want ze was geraakt door een ricochet en had een lelijk litteken op haar wang opgelopen.

Hadden de dorpsbewoners überhaupt iets gedaan om hun buurman en vriend te beschermen? Ze hadden passief toegekeken hoe de moordenaars naar het dorp waren gekomen en de weg naar Miguel hadden gevraagd. Iedereen wist toch wat ze kwamen doen? De dorpsbewoners waren zwijgend door de stegen naar Miguels huis gelopen en kwamen precies op tijd om te zien hoe hij naar buiten werd gesleept. Miguel, die de vereniging had opgericht en die zich onbaatzuchtig had blootgesteld aan bedreigingen en pesterijen, werd nu voor hun ogen doodgeschoten, zonder dat iemand een vinger uitstak. Erger nog: ze vielen hem ook na zijn dood af door slechte dingen over hem te zeggen en uit de vereniging te stappen.

Waarom had niemand weerstand geboden? Waarom heb ik niets gedaan? Hun gemeenschappelijke besluiteloosheid en lafheid hadden hem al sinds de moord op Miguel gekweld, maar nu groeide de zelfverachting zo sterk dat hij helemaal begon te trillen.

Er was maar één remedie: het enige doen wat juist was. Hij sloeg een kruis voor het vreemde veld en beloofde zichzelf dat als hij naar het dorp zou terugkeren, hij de nagedachtenis aan Miguel in ere zou houden. Hoe, dat wist hij nog niet precies.

Manuel reed naar Uppsala om Slobodan Andersson te ontmoeten. Andersson had beschreven hoe hij moest rijden; linksaf bij de rotonde waar de snelweg naar Stockholm begon. Dat was dezelfde weg als toen hij Slobodan en 'de kleine' had achtervolgd. Na een paar honderd meter moest hij rechtsaf een parkeerplaats op rijden.

Hij was mooi op tijd, vond de rotonde zonder problemen, maar reed door zonder de parkeerplaats op te rijden. Na tweehonderd meter was er een inrit naar een golfbaan. Daar reed hij in en stapte uit. Hij wilde de afgesproken ontmoetingsplaats van de achterkant naderen, zodat Slobodan zijn auto niet zou zien en hem op die manier zou kunnen opsporen.

Hij ging achter een paar bosjes staan wachten. Nog twintig minuten.

Hij voelde een zeurend gevoel van onbehagen. Niet zozeer voor de transactie met de dikke – het was een open plek en Slobodan kon niets doen – maar omdat hij eraan twijfelde of zijn plan wel zo verstandig was.

Exact om twee uur draaide Slobodan Andersson de parkeerplaats op. Hij reed net als Armas in een BMW. Hij zette de motor uit maar kwam niet uit de auto. Hij keek om zich heen. Hij kreeg een gesprek op zijn mobiele telefoon binnen, dat hij onmiddellijk afrondde. Manuel wachtte achter de bosjes af. Slobodan draaide onrustig heen en weer en Manuel zag hoe hij in de richting van de stad speurde en met zijn blik alle auto's volgde die de rotonde in oostelijke richting verlieten.

Manuel kwam tevoorschijn. Slobodan keek op dat moment de andere kant op en zag hem niet aankomen. Manuel sloop naar de auto toe en tikte op het raam. Slobodan gooide het portier open.

'Jezus, wat laat je me schrikken!'

'Heb je het geld?' vroeg Manuel.

Slobodan keek hem woest aan.

'Waar heb je het spul?'

'Ik wil eerst het geld in handen hebben, dan krijg je …'

'Waar is je auto?'

'Ik ben komen lopen', zei Manuel. 'We moeten ons haasten.'

'Lopen? Kom op met dat spul dan.'

'Ik wil eerst het geld zien.'

Slobodan keek om zich heen, pakte een donker plastic tasje van de passagiersstoel en stak het hem toe. Manuel deed het tasje open en daar lagen de biljetten. Briefjes van honderd dollar. Vierhonderd stuks.

'Veertigduizend?'

'Uiteraard', snauwde Slobodan Andersson, wiens voorhoofd was doorweekt van het zweet.

Manuel liet het tasje liggen en ging de tas met de cocaïne halen. Toen hij terugkeerde naar de auto, zat Slobodan te bellen.

'Ophangen, nu!' riep Manuel.

Slobodan keek honend, maar brak het gesprek af. Manuel gaf hem de tas, Slobodan controleerde de inhoud en reikte hem de tas met het geld aan, deed het portier zonder iets te zeggen dicht en reed weg. Manuel rende terug, sprong in zijn auto en reed snel de provinciale weg op. Hij zag de auto van Slobodan Andersson op de E4. Toen Manuel bij de rotonde kwam, zag hij diens achterlichten oplichten. Andersson kwam voor het rode licht te staan. Manuel lachte voldaan.

Slobodan reed met hoge snelheid in noordelijke richting over de E4 tot hij plotseling naar het centrum afsloeg. Manuel was bang het contact te verliezen, maar wilde ook niet te dicht achter hem zitten. Het geluk was weer met hem en hij kon de kruising oversteken net voordat het licht op rood sprong.

De dikke doorkruiste het centrum en kwam uiteindelijk uit bij de rivier, waar hij parkeerde en uitstapte. Manuel, die voor een paar voetgangers moest stoppen, zag hem met de tas in zijn hand de straat oversteken. Manuel parkeerde op een vrije parkeerplaats.

Slobodan verdween in een steeg en Manuel haastte zich erachteraan. Wilde hij een kans hebben om de dikke te straffen, dan mocht hij hem nu niet uit het oog verliezen. Slobodan liep in eerste instantie in een rap tempo, maar dat verminderde al snel en Manuel vermoedde dat deze snelheid de restauranthouder gewoon te veel was.

Na een paar minuten liep hij een restaurant binnen. 'Alhambra' stond er op de gevel. Manuel herkende de naam als het restaurant waarover de Portugees Feo had gesproken.

Na tien minuten was Slobodan terug op straat, maar nu zonder tas. Hoe dom kan een gringo zijn, dacht hij, en hij zag Slobodan in de mensenmassa verdwijnen.

Manuel ademde uit. Hij voelde dat hij enorme trek had. De spanning van het overhandigen van de drugs en het achtervolgen van de dikke had tot nu toe elke behoefte onderdrukt.

Een stukje verderop in de winkelstraat stond een muziekgroep en Manuel liep erheen. Hij dacht aan de mannen met wie zijn broers en hij de grens waren overgestoken en hoe de mannen na de geslaagde oversteek naar de vs een paar liederen hadden gezongen en wat danspasjes uit hun streek hadden gemaakt. Het zou vast nog lang duren voor hij weer van een *huapango* zou kunnen genieten, meende hij, en hij liep bij de muzikanten weg om niet te worden overweldigd door verlangen naar zijn land.

Hij liep naar Dakar. Het was de ironie van het lot dat het enige vaste punt dat hij in Uppsala had, het eigendom van Slobodan Andersson was. Bij Dakar waren de Portugees en vooral Eva, de serveerster die zo nieuwsgierig was naar zijn land en zijn cultuur. Ze had geluisterd en een nooit aflatende stroom vragen gesteld, alles in een zeer typisch Engels, waarbij ze door haar gebrekkige woordenschat soms ontzettende omwegen moest maken met lange omschrijvingen voordat ze had gezegd wat ze wilde zeggen.

Ze had zich niet druk gemaakt om zijn leugen. Het kon haar niet schelen of hij nu uit Mexico of Venezuela kwam. Daardoor wilde hij nóg liever met haar praten. Ze bood hem een vrijheid om te zijn wie hij wilde zijn.

Bovendien was ze de eerste blanke vrouw die als een gelijke met hem had gesproken. Hij had veel gringa's in de vs ontmoet, maar die hadden hem beschouwd als een smerige *chicano* die ze konden uitbuiten met onderbetaald werk, maar die ze nooit menselijk zouden behandelen.

Knap is ze ook, dacht hij, niet zonder slecht geweten, want sinds de berichten over de dood van Angel en de gevangenschap van Patricio had hij het steeds moeilijker gevonden om Gabriëlla in het dorp aandacht te schenken. De liefde en zijn toekomstplannen verbleekten. Hij werd geïrriteerd en lusteloos. Hoe zou hij het over persoonlijk geluk kunnen hebben als zijn familie kapot werd gemaakt? Hield hij van haar? Hij wist het niet meer.

Hij ging naar Dakar met een eigenaardige mengeling van neerslachtigheid en blijdschap. Deze keer bonsde hij op de achterdeur. De kok, die in de spoelkeuken stond te roken en eruitzag als een buldog, deed open.

'Zo, kom je vandaag ook?' vroeg hij en hij keek hem aan met een glimlach die Manuel niet kon inschatten.

'Ik heb werk nodig', mompelde hij. 'Is er iets te doen?'

Hij nam onbewust het slaafse toontje aan dat hij in Californië had geleerd.

'Er is nu geen afwas, maar het is een tijd geleden dat de kleedruimte is schoongemaakt.'

Manuel werd voorzien van schoonmaakmiddelen, dweilen, een emmer en een mop. Hij besloot het zorgvuldig te doen. Niet om zo nodig van dienst te zijn, maar omdat hij iets uitgebreid moest doen, iets wat verschil maakte, ook om egoïstische redenen. Hij moest opgaan in zijn werk. De laatste week had hem behoorlijk aangegrepen. Hij zou nooit meer de Manuel Alavez worden die hij was geweest. Alles wat hij in de toekomst zou zeggen, zou een zekere leugen bevatten, zo ervoer hij het. Alleen het werk was echt.

Hij werkte hard, nam kledingkasten en banken af, schrobde fanatiek de vloeren en verwijderde de armaturen om alle dode vliegen uit de plafonnières te verwijderen.

Toen hij net klaar was en even op een bankje zat, kwam Eva de kleedkamer binnen.

'Wat een verschil!' riep ze. 'En wat ruikt het lekker fris.'

Manuel stond onmiddellijk op. Eva trok haar jas uit en hing hem in een kast. Hij kon het niet laten om even naar haar borsten te kijken. Haar geamuseerde lachje toonde dat hij was betrapt.

'Ik moet gaan', zei hij.

Haar glimlach werd nog breder en ze gaf hem een klopje op zijn verhitte wangen. Zijn verwarring ten aanzien van deze vrijmoedige vrouw werd steeds groter. Waarom lachte ze? Bood ze zich aan?

'Ben je getrouwd?'

Manuel schudde zijn hoofd. Eva trok haar zwarte rok uit de kast, verwijderde een paar stofkorreltjes en strekte zich uit naar het hangertje met de witte bloes. Manuel dwong zichzelf niet naar haar kleren te kijken.

'Hij zou …' begon ze, maar kon het juiste Engelse woord niet vinden en maakte een beweging met haar hand. Hij begreep dat ze bedoelde dat de bloes gekreukt was.

'Tot ziens', zei hij en hij verliet de kleedruimte. Hij wilde dat hij haar bloes zou kunnen strijken, dat hij hem alleen maar zou mogen aanraken. Hij wilde iets voor haar doen, iets meer dan alleen de kleedruimte schrobben. Hij wilde haar blij maken.

Hij ging naar de spoelkeuken. Een man met een witte muts zette er net een paar pannen, vormen en bestek neer, knikte naar Manuel maar zei niets. Hij vermoedde dat het Johnny was, die onlangs was begonnen, en over wie Feo had verteld. Manuel begon met de vaat, blij dat er iets te doen was.

Eva kwam in haar werkkleding de kleedruimte uit. Ze keek bij de spoelkeuken naar binnen, streek met haar hand over haar bloes en lachte voordat ze doorliep naar de eetzaal.

Hoer, dacht Manuel, maar hij had onmiddellijk spijt. Eva was geen hoer. Ze was een goede vrouw. Dat ze gescheiden was, kwam niet door haar, daarvan was hij overtuigd. Ze leefde voor haar kinderen en haar dromen, had hij begrepen. Achter haar interesse voor Mexico lag een verlangen, een wens om iets nieuws mee te maken, al was het alleen maar in gedachten. Hij bedacht opeens dat ze misschien wel in hem was geïnteresseerd. De dag ervoor had ze hem uitgevraagd over het dorp en het leven dat daar werd geleefd, en vandaag had ze gevraagd of hij was getrouwd. Waarom vraagt een vrouw dat?

Hij schraapte een rechthoekige vorm uit, maar zijn bewegingen gingen steeds trager en uiteindelijk vielen zijn handen stil. Hij keek nietsziend naar de tegelwand voor zich en probeerde zich Eva in Mexico voor te stellen. Dat lukte wel en niet. Een blanke vrouw veranderde als ze in Mexico en in zijn dorp kwam, net als een Zapoteek een ander werd als hij de bergen verliet en in een blanke maatschappij belandde. Ze zou daar vast nooit zo met hem praten als hier in Zweden. Zou ze haar lach en haar nieuwsgierigheid behouden of zou ze bang worden van alle armoede?

Pas toen hij Feo's stem uit de bar hoorde, pakte hij zijn werk weer op.

De Portugees was blijkbaar door de ingang vanaf de straat binnengekomen en Manuel begreep dat het na vijven moest zijn. Misschien dat Feo vandaag vrij was en dat hij alleen even langskwam? Net zoals hij ernaar had uitgekeken om Eva te ontmoeten, zou hij ook graag even met Feo praten.

De afwas was klaar en hij zette alle steelpannen op een rij op het aanrecht om ze te laten uitlekken, maar pakte vervolgens een theedoek en droogde ze af. Niemand zou kunnen zeggen dat hij zijn werk niet goed deed.

Ondanks het gerammel van de vaatwasser en het gekletter met de pannen was Feo's stem duidelijk hoorbaar. Manuel ging naar de keuken en deed de deur naar het restaurant open, dat hij tot nu toe alleen nog maar vaag had gezien.

Nu vatte hij moed en liep de eetzaal in. Die was aanzienlijk groter dan hij had gedacht. Eva was helemaal achterin bezig met tafels dekken. Ze glimlachte en zwaaide met een servet. Hij liep verder. Feo stond aan de lange toog. Hij sprak met iemand achter de bar, die Manuel niet kon zien.

Hij bedacht dat hij het naar zijn zin had bij Dakar. Stel … Tja, hij zou hier kunnen werken, goed bevriend kunnen raken met Feo, Eva beter leren kennen, haar misschien thuis kunnen opzoeken en haar twee kinderen ontmoeten. Ze zouden samen naar Mexico kunnen gaan en dan zou hij haar al het moois kunnen laten zien en haar nieuwsgierigheid kunnen bevredigen.

Maar dat was een droom, zag Manuel in op het moment dat er een paar gasten het restaurant binnenkwamen. Hij trok zich schielijk terug in de keuken.

Alles was een droom. Angel was dood, Patricio zat in de gevangenis en zelf had hij duizenden dollars begraven liggen bij een rivier, de dikke importeerde drugs en nieuwe broers zouden in de val lopen als Manuel niets zou doen.

Hij kon niet als afwasser bij Dakar aanblijven. Hij zou nooit bevriend raken met de anderen. Eva zou alleen een herinnering worden. Hij moest voor zijn broer zorgen en Slobodan Andersson straffen. De rest waren alleen dagdromen.

Manuel hoorde een bulderende lach uit de keuken. Hij keek over de stellingen en zag Feo, gekleed in een pak en met een stropdas, met een voldane maar tevens gegeneerde blik.

Degene die lachte, was Donald en de reden was, begreep Manuel onmiddellijk toen hij naar de keuken ging, dat kostuum. Feo draaide rond alsof hij op een catwalk liep.

'Waar ga je naartoe?' vroeg Manuel.

'Dineren met mijn vrouw en haar ouders', zei Feo, en nu keek hij alleen nog maar gegeneerd.

'Je ziet er keurig uit', zei Manuel.

Feo knikte, maar leek niet overtuigd. Donald kwam naar hem toe en kneep hem in zijn ene wang. Toen hij zijn hand weghaalde, zat er een rode plek.

Donald zei iets in het Zweeds, maar dat klonk niet superieur of gemeen, Manuel vermoedde eerder een liefdevolle toon en Feo kreeg iets van zijn zorgeloze blik terug.

'Hij ziet er echt uit als een gentleman, hè?' voegde Manuel eraan toe.

Donald keek Manuel snel aan.

'We zijn hier allemaal gentlemen', zei hij bits, en richtte vervolgens al zijn aandacht op het fornuis.

Feo glimlachte onzeker, Pirjo keek naar de vloer en Johnny staarde naar de brede rug van de chef-kok.

Daarna deed Pirjo iets wat iedereen in de keuken een niet te omschrijven gevoel gaf. Ze liep naar Donald toe, legde haar armen om zijn schouders, ging op haar tenen staan, leunde voorover en gaf hem een kus op zijn wang.

49

Lorenzo Wader bezat geen mobiele telefoon. Hij vond dat alleen amateurs voortdurend in hun telefoon kletsten. Hoeveel mensen zaten er niet vast doordat hun in- en uitgaande gesprekken door politie en justitie in kaart waren gebracht? Waarom zou hij dat uitlokken?

Dus toen Konrad Rosenberg zijn telefoonnummer wilde hebben, moest hij ontzettend lachen.

'Als je me wilt spreken, kom je me maar opzoeken', zei hij.

'Maar als Zero wil bellen?'

'Zero moet me niet bellen, en anderen evenmin.'

Konrad Rosenberg knikte.

'Maar als je geen telefoon hebt, kan …'

'Praat jij maar met Zero', onderbrak Lorenzo hem. 'Ik wil vanavond om half negen met hem spreken. Hij moet naar de Fyrisbioscooop op St. Olofsgatan komen, daar naar de affiches gaan staan kijken en dan de heuvel op lopen, het kerkhof op.'

'En dan?'

'Dat is alles wat hij hoeft te weten', besloot Lorenzo.

Hij begon een beetje genoeg te krijgen van die zenuwachtige Konrad. Hij was bovendien te nieuwsgierig. Maar hij was nog steeds bruikbaar. Lorenzo hanteerde de strategie dat hij niemand deelgenoot maakte van het geheel. Die tactiek gebruikte hij al jaren en hij had er goede ervaringen mee. Doordat hij zo voorzichtig was, was Lorenzo nog nooit door een rechtbank veroordeeld, hij was zelfs nog nooit aangeklaagd.

De taak van Konrad was om contact te leggen met nuttige idioten die konden worden gebruikt voor veldwerk. Lorenzo had *street-runners* nodig en hij had er geen enkele moeite mee om een gedeelte van Slobodan Anderssons 'personeel' over te nemen.

Konrad had Lorenzo's theorie dat Slobodan achter de moord op Armas zat verworpen, maar Lorenzo meende dat het niet onmogelijk was. Armas was een harde noot die niet te kraken was geweest, ondanks zijn duidelijke angst dat de omgeving achter de voorliefde en de activiteiten van zijn onbekende zoon zou komen. Via gemeenschappelijke kennissen had Lorenzo Armas benaderd, maar toen er geen reactie kwam, had Lorenzo zonder omhaal rechtstreeks contact met Armas opgenomen met een voorstel tot samenwerken, iets wat Armas eerst leek te overwegen, maar toch had afgewezen.

De dag daarna had hij Gonzo een pakje laten overhandigen met een videoband. Er was geen begeleidend schrijven, geen groet of iets wat kon worden herleid naar de eigenlijke afzender, maar Lorenzo was ervan overtuigd dat Armas slim genoeg was om het voorstel tot samenwerking te koppelen aan de indirecte dreiging die de videoband inhield.

Gonzo had geen idee wat hij had afgeleverd, maar had de klap moeten opvangen. Armas had onmiddellijk en hard gereageerd door de ober te ontslaan.

Lorenzo voelde daar geen gewetenswroeging over, maar hij begreep dat hij de wraaklust van de ober moest gebruiken. Hij was een direct contact met Slobodan en Armas kwijtgeraakt, maar had aan de andere kant een informant en voetsoldaat gewonnen die niet werd gehinderd door enige valse loyaliteit.

50

De politie had onmiddellijk na de moord op Armas het publiek aangespoord uit te kijken naar een blauwe BMW. Aangezien het een relatief exclusief merk was en een model dat niet zo veel voorkwam, was Lindell verbaasd dat niemand wat van zich had laten horen.

Maar na een week belde de gepensioneerde ijzerhandelaar Algot Andersson en hij werd doorverbonden met Ann Lindell.

Hij was de hele zomer bezig geweest met het renoveren van een oude zeezeiler die bij de rivier stond en had een waarneming gedaan die 'de politie redelijkerwijs zou moeten interesseren'.

Op een stukje van de plek waar zijn boot op de stellage stond, was plotseling iets gekomen wat zijn aandacht had getrokken. Een blauw zeil over iets wat hij eerst voor een boot had gehouden. Hij kende de mensen die die plaats huurden, wist dat ze op een lange zeiltocht waren en pas eind september terug zouden komen.

Dat zeil had daarom vanaf het eerste moment zijn nieuwsgierigheid gewekt en hij had zich afgevraagd wat de Gardenståhls op hun plek hadden laten neerzetten.

Toen er een week was verstreken, won zijn nieuwsgierigheid het van het vervelende gevoel in andermans zaakjes te snuffelen. Hij had onder het zeil gekeken en daar een auto aangetroffen

'Dat is niet pluis,' zei Algot Andersson, 'dus daarom bel ik u.'

'Dat is heel goed', zei Lindell, ervan overtuigd dat de auto van Armas nu was gevonden.

Andersson had het kenteken niet genoteerd, maar de kleur en het merk klopten.

De bootclub lag aan de Fyriså, in de buurt van het zuidelijke industrieterrein en stroomopwaarts van de plek waar Armas in het riet had rondgedobberd.

'Ik ben nog bij de boot, dus ik kan het kenteken wel even checken', bood Algot Andersson aan. 'Blijf even hangen.'

Lindell hoorde een hoop geruis in de telefoon en zag al helemaal voor zich hoe de man met energieke stappen de auto onder het zeil naderde. Ze stelde zich hem voor als een oudere Berglund.

'Hallo', hoorde ze vervolgens en hij dreunde snel het kenteken op.

'U bent een parel', zei ze.

Ze belde Ryde bij de technische recherche, maar Charles Morgansson nam op.

'Eskil is naar een begrafenis vandaag', legde Morgansson uit.

Lindell vertelde over de vondst van de auto en de technisch rechercheur beloofde er onmiddellijk heen te gaan. Lindell, die van plan was geweest om zelf naar de rivier te gaan, maar absoluut geen zin had om haar voormalige minnaar daar tegen het lijf te lopen, vertelde dat hij dan zou samenwerken met Ola Haver.

'Hoe is het verder?' vroeg Morgansson.

Ze begreep dat hij niet doelde op het werk, maar vertelde toch over de stand van zaken van het onderzoek. De technicus begreep de hint en stelde geen verdere vragen.

Lindell belde Haver, die blij was dat hij een reden had om het pand te verlaten. Daarna las ze Beatrices samenvatting van het leven van Armas. Die lag al een paar dagen op haar bureau, maar ze ging er nu even voor zitten om het korte rapport door te nemen.

Armas' achtergrond was op zijn zachtst gezegd duister. Hij was vermoedelijk geboren in Parijs uit Armeense ouders, maar er waren ook gegevens dat hij in Triëst, Italië, het levenslicht had gezien.

Hij had opgegeven dat hij in 1951 was geboren. Achttien jaar later was hij naar Zweden gekomen en had onmiddellijk werk gevonden bij Kockums in Malmö. Hij was blijkbaar in Frankrijk opgeleid tot lasser. Na een half jaar op de werf was hij uit Zweden verdwenen, maar in 1970 was hij teruggekeerd en kwam hij in dienst bij club Malibu in Helsingborg.

Beatrice had veel moeite gedaan om zijn carrière te volgen, maar er waren veel hiaten en vraagtekens. Halverwege de jaren zeventig werd hij schuldig bevonden aan mishandeling en veroordeeld tot acht maanden gevangenisstraf. Het betrof een vechtpartij bij een nachtclub. Dat was de enige keer dat hij echt in aanraking was geweest met justitie.

Nadat hij zijn straf had uitgezeten, was hij weer uit het zicht verdwenen, om jaren later naar Uppsala te verhuizen, gelijktijdig met Slobodan Andersson.

Zijn inkomen van de laatste jaren was gelijkmatig, maar niet overdreven hoog. In de laatste gegevens ging het om een belastbaar inkomen van nog geen tweehonderdduizend kronen. Hij kwam dertien keer voor in het register van de dienst beslagleggingen, maar het ging daarbij telkens om kleine bedragen. Er waren ook veertien parkeerboetes en een boete voor te hard rijden geregistreerd.

Lindell zuchtte. Ondanks Bea's inspanningen was er niets om op af te gaan. Geen woord over een zoon. Geen informatie die op dit moment bruikbaar was. Niets.

Chagrijnig gooide ze het rapport terzijde, pakte haar blok en bladerde door de aantekeningen van de laatste dagen, maar ze kreeg geen nieuwe ideeën. En ze wist wel waarom, haar gedachten waren bij de rivier en de auto van Armas. Ze zou daar moeten zijn.

Bij gebrek aan beter belde ze Barbro Liljendahl, die al bij het eerste signaal opnam.

'Mooi! Ik had jou al willen bellen. Ik heb Rosenberg gecheckt. Hij komt vaak bij Dakar.'

Dat was geen nieuwtje voor Lindell, die hem daar samen met Lorenzo Wader had gezien.

'Hoe ben je daar achter gekomen?'

'Ik heb met Måns Fredriksson gesproken. Hij werkt achter de bar en is de zoon van de buurvrouw van mijn zus. Ik was bij mijn zus op de koffie. Ze heeft een terras en op het terras ernaast zaten de buurvrouw en haar zoon. We raakten aan de praat en ik weet niet meer hoe we erop kwamen, maar op een gegeven moment ging het over de moord op Armas en toen vertelde Måns dat hij bij Dakar werkt.'

Lindell schoot in de lach. Zo gaat dat, dacht ze, het toeval regeert.

'Måns zei dat Rosenberg en Slobodan Andersson elkaar kennen. Rosenberg hangt altijd aan de bar en vertelt dan een hoop onzin. Måns mag hem niet, dat begreep ik direct.'

'Maar hoe heb je het gesprek op Rosenberg gebracht?'

'Dat was niet zo moeilijk', zei Liljendahl, maar ze vertelde niet hoe ze dat voor elkaar had gekregen.

'Hoe is die Rosenberg? Waar heeft hij het over?'

'Zaken. Hij wil het doen voorkomen of hij een succesvol zakenman is. Een beetje een patser. Geeft altijd veel fooi, maar wel op een manier dat iedereen het merkt.'

'Heeft die barman Rosenberg en Slobodan samen gezien?'

'Jazeker', zei Barbro Liljendahl met klem. 'Ze zijn niet alleen kennissen, ze zijn volgens Måns zelfs vrienden.'

'Vond hij je niet nieuwsgierig, ik bedoel, hoe heb je je belangstelling gemotiveerd?' vroeg Lindell, die het gevoel kreeg dat haar collega de moord op Armas – een onderzoek dat helemaal haar zaak niet was – misbruikte om Rosenberg te pakken. En misschien ook om te snoeven.

'Ik heb me zeer koest gehouden', zei Barbro Liljendahl, die de onuitgesproken kritiek ongetwijfeld hoorde.

Ja, ja, dacht Lindell, maar ze was toch blij met de gegevens. Dat Konrad Rosenberg geen brave Hendrik was, was duidelijk en een verband tussen hem en Slobodan en Armas was koren op haar molen.

'Kunnen er drugs in het spel zijn?'

'Waarom onderhoudt iemand als Slobodan een vriendschappelijke relatie met iemand als Rosenberg? Drugs is het enige wat hij kan', zei Liljendahl.

Lindell ervoer de woorden van haar collega als een bevrijding. Het onderzoek naar Armas was nooit goed op gang gekomen, er waren geen vanzelfsprekende motieven, het interne onderzoek liep stationair, er hadden zich geen doorslaggevende getuigen gemeld en de verhoren die waren afgenomen, hadden geen daadwerkelijke vooruitgang opgeleverd. Het enige wat interessant was, was het verwijderen van de tatoeage en de vondst van de videoband.

Nu gaven de woorden van Liljendahl een achtergrond waartegen ze konden werken. Drugs zouden een motief voor de moord kunnen zijn. De tatoeage was een puzzelstuk en de videoband mogelijk ook, maar Lindell begreep niet hoe de zaak samenhing.

Na het gesprek pakte Lindell haar blok weer op, trok nieuwe cirkels en pijlen, en probeerde een werkbare ontwikkelingslijn te schetsen.

De telefoon ging. Ze zag dat het Haver was en nam op.

'Brandschoon', zei hij meteen. 'Er was helemaal niets in de auto wat ons enig idee kan geven. We moeten maar even afwachten of de TR nog iets vindt. Het lijkt erop dat Armas klaar was voor vertrek naar Spanje. Er lagen twee kleine koffers en een schoudertas in de achterbak. Voorzover ik kan zien, is daar niemand aan geweest. Dus dan zou het geen roofmoord zijn.'

Lindell hoorde stemmen op de achtergrond.

'Ben je nog bij die boten?'

'Ja, maar ik ga weg zo gauw we het transport hebben geregeld. Die auto moet maar in de garage verder worden bekeken.'

'Geen sporen buiten de auto?'

'Morgansson ligt er momenteel in, maar het is grind, dus de kans is klein.'

Ze braken het gesprek af en Lindell ging door met het geklieder in haar blok. Waarom stond die auto zo ver van de plaats van de moord? Zou de moordenaar hem daarheen hebben gereden? Of hadden ze elkaar daar ontmoet en waren ze samen in de auto van de moordenaar naar Lugnet gereden? Nee, redeneerde ze met zichzelf, hij was overtrokken met een zeil. De moordenaar deed er alles aan om de moordplaats, waar hij blijkbaar had gekampeerd, niet in verband te brengen met de auto. Hij wilde dat het even zou duren voordat we die auto zouden vinden. Lindell besloot dat de moordenaar de auto er na de moord had heen gereden en vervolgens was teruggegaan naar zijn tent. Misschien had hij een helper gehad die hem had teruggebracht? Tot nu toe had alles gewezen op een moordenaar alleen, maar ze konden een helper niet uitsluiten.

Zouden ze Rosenberg ophalen? Hij zou vermoedelijk de zwakke schakel zijn. Hij ging om met Slobodan en kende die Lorenzo

Wader, die zowel voor de collega's uit Stockholm als Västerås interessant was.

Ze werd in haar gedachten gestoord door Ottosson. Hij klopte kort en stapte vervolgens haar kamer binnen.

'Ik heb slecht nieuws. Berglund is er niet best aan toe.'

Lindell zag zijn vertwijfeling. Ze wilde dat alles goed zou zijn met Berglund en wilde niets anders horen.

'Hij heeft een hersentumor.'

'Nee!' riep Lindell uit. 'Dat is niet waar!'

'Ze hebben zo'n röntgenonderzoek gedaan', vervolgde Ottosson, en hij deed omslachtig verslag van wat hij wist.

Hij sprak onsamenhangend door, want het alternatief was stilte. Lindell luisterde, de tranen liepen over haar wangen. Ze veegde ze mechanisch weg. Ottosson zweeg.

'En wat gebeurt er nu?'

'Hij wordt maandag geopereerd', zei Ottosson.

'Heb je met hem gesproken? Hoe neemt hij het op?'

Ottosson knikte.

'Je weet hoe hij is. Je moest de groeten hebben.'

De gedachten rond het onderzoek, die haar een paar minuten geleden nog hadden vervuld van optimisme en animo om wat te gaan doen, leken opeens zo zinloos. Berglund was haar favoriet, haar mentor en haar levende naslagwerk als het ging om politiewerk en kennis over Uppsala. Alles leek zinloos als Berglund niet bij Geweld was.

'Berglund', mompelde Lindell en de tranen begonnen weer te vloeien.

'We moeten er maar het beste van hopen', zei Ottosson.

Ze begreep dat hij iets troostends wilde zeggen, dat probeerde hij altijd, maar een hersentumor was iets van zo'n kaliber dat zelfs Ottosson geen opbeurende woorden kon vinden.

Toen Ottosson schoorvoetend de kamer had verlaten, zat ze in gedachten aan haar bureau, maar afgeschermd van alle politie-activiteiten. Ze zag Berglund voortdurend voor zich, zijn schalkse glimlach, zijn lach en het enthousiasme dat hij kon opbrengen als hij belangstelling en begrip bij zijn gesprekspartner bespeurde. Ze bedacht opeens dat ze aan hem zat te denken alsof hij al dood en begraven was.

Er verstreek een uur zonder dat er wat uit haar handen kwam. Ze belde Beatrice en vroeg of zij Konrad Rosenberg de volgende ochtend kon ophalen.

Even na drieën kwam Haver terug. Lindell had geen fut om hem te onderbreken en over Berglund te vertellen, en liet hem zijn gang gaan. Hij zou het binnenkort wel horen. Ze herinnerde zich nog de discussie in de koffiekamer van een paar dagen terug toen Berglund het had gehad over Sture met de hoed en Rosenberg. Toen had Haver een superieur, bijna honend toontje aangeslagen.

Hij vertrok uiteindelijk naar de garage om samen met de technische rechercheurs de auto van Armas door te spitten en Lindell was blij dat ze weer met rust werd gelaten.

Maar dat duurde niet lang. Sammy Nilsson kwam zonder te kloppen haar kamer binnen en ze stond op het punt iets van zijn slechte gewoonte te zeggen, maar zag meteen aan zijn gezicht dat hij iets belangrijks had.

'Ontsnapping uit de gevangenis van Norrtälje vanochtend', begon hij direct, op zijn gebruikelijke, kortaangebonden manier. 'Vier zware jongens ontsnapt onder bedreiging van vuurwapens en met een gijzeling.'

Lindell keek hem aan. Een ontsnapping in Norrtälje was alleen indirect iets voor de overheidsinstanties in Uppsala en was met name een zaak voor Orde en voor de criminele inlichtingendienst.

'Een van die knullen is interessant', vervolgde Nilsson. 'Dat is een Mexicaan.'

Lindell luisterde aandachtig.

'Hij heet Patricio Alavez en zat vast voor poging tot drugs-smokkel.'

'Cocaïne?'

'Yes', zei Sammy voldaan.

Wat een dag, dacht Lindell, een week lang helemaal windstil en dan worden we opeens overspoeld met informatie.

'Ik hoorde Johansson, je weet wel, die buffel uit Storvreta, er in het winkelcentrum over praten. En toen hij Mexico noemde, heb ik mijn oren gespitst.'

'Geen sporen? Zijn de gegijzelden ...'

'Als het ware opgeslokt door de aarde. Er is een gegeven over een auto, vermoedelijk een Audi, die met hoge snelheid langs Kårsta reed, maar dat heeft tot nu toe niets opgeleverd.'

'Mexico', zei Lindell. 'Nu moeten we het verdomde rustig aanpakken.'

Sammy Nilsson keek haar aan, eerst verbaasd, toen geamuseerd. Lindell vloekte maar uiterst zelden.

'Ik ben doodkalm', zei hij. 'Verdomde rustig.'

Net als Lindell voelde hij dat ze iets op het spoor waren. Ze vervolgde haar redenering, maar zonder zich eigenlijk tot Sammy Nilsson te richten. Het werd een monoloog waarin ze alle draadjes aan elkaar probeerde te knopen. Het verband tussen de steekpartij van Sidström in Sävja, de cocaïne en Rosenberg. De koppeling tussen deze gebeurtenissen en Slobodan Andersson en Dakar was Nilsson niet duidelijk, en hij onderbrak haar. Lindell keek verbaasd op, maar vertelde toen over het onderzoek en de overwegingen van Barbro Liljendahl.

'Een hoop pijltjes', zei hij.

Hij had haar opengeslagen notitieblok op het bureau zien liggen.

'Ik heb Bea gevraagd Rosenberg morgenochtend op te halen, maar de vraag is of we dat niet al vandaag moeten doen. En we moeten contact opnemen met Västerås en Stockholm.'

'Waarom?'

Lindell bedacht opeens dat ze niemand had verteld over haar bezoek aan Dakar en geneerde zich opeens, maar Sammy Nilsson wuifde haar verontschuldigingen weg en zei dat ze meer aan haar hoofd had.

'Ik neem Bea mee, dan gaan we naar Rosenberg', zei Sammy Nilsson. 'Jij neemt de collega's uit Stockholm voor je rekening die dat juweel onderzoeken, hoe heette hij ook alweer? Lorenzo? Otto moet maar in de gaten houden of er nieuws is over die ontsnapping. Ik keek net bij hem naar binnen, maar hij zat alleen maar als een zombie voor zich uit te staren.'

Lindell begreep wel waarom, maar wilde niets tegen Sammy Nilsson zeggen wat zijn enthousiasme kon temperen.

'Dat klinkt goed', zei ze alleen maar en rekte zich uit naar haar telefoon. 'Ik bel Bea.'

51

Zero koesterde een droom om terug te keren naar Koerdistan, het land dat zijn vader zo vaak had beschreven. Er waren mensen die zeiden dat Koerdistan een droom was. Dan moest Zero lachen. Toen hij in groep zeven zat, had de leraar gezegd dat dat land niet bestond. Daarop was Zero kwaad geworden. Dat gebeurde toen Zero zijn hand had opgestoken en had gevraagd wanneer ze over Koerdistan zouden leren. Ze leerden immers over alle andere landen, rivieren en bergketens.

'Hoe kan een land dat bestaat niet bestaan?' had hij de leraar gevraagd.

'Ik ben bang dat ik je vraag niet begrijp. We moeten immers ...'

Misschien was de leraar ervan overtuigd dat Zero, die anders nooit zijn hand opstak, hem voor de gek hield en een relletje wilde veroorzaken.

Zero was opgestaan en vertrokken. Zijn vader zat thuis te lezen. Zero had zijn vader gevraagd of het land bestond. Zijn vader had de krant laten zakken en hem aangekeken.

'Hier,' had hij gezegd en op zijn borst geklopt, 'hier zit Koerdistan. Als God het wil, verhuizen we daarnaartoe en bouwen we een thuis. Als we ons hart volgen, word ik buschauffeur in Koerdistan.'

In Zweden reed hij op de stadsbus, vaak op lijn 13.

'Dat is mijn rit', zei hij lachend.

Hij kon de Zweden niet begrijpen, dat bijgelovige en ouderwetse volk met hun angst om te praten. Hij was gek op bussen en reed graag op lijn 13.

Zero was bang. Hij was steeds vaker bang. Vooral dat zijn vader niet zou terugkomen uit Turkije. 's Nachts droomde hij ervan dat hij zijn vader uit de gevangenis bevrijdde. Dan reed hij met een bus tot vlak naast de gevangenismuur, waar zijn vader en diens vrienden al op geklommen waren, en dan sprongen ze en belandden ze op de zitplaatsen van de bus. En als hij vol zat, reed Zero de zestig Koerden naar de vrijheid. Zijn vader zat helemaal voorin en wees hoe hij moest rijden, dan weer rechts, dan weer links, maar raakte nooit geïrriteerd. Zijn vader glom van trots en hij keerde zich om naar zijn kameraden, wees op de bestuurder en vertelde dat dat zijn zoon was, weliswaar niet de oudste, maar wel de moedigste.

Toen Zero wakker werd, was hij eerst gelukkig, maar werd daarna bang.

De angst die hij voelde toen hij voor de Fyrisbioscoop stond, was heel anders. Al sinds zijn ruzie met die dealer bij de Sävjaschool had Zero zich zeer zorgvuldig bewogen. Hij was niet naar school geweest, had zich voor zijn broers verstopt en had zijn moeder alleen telefonisch gesproken. Met Patrik had hij gesproken bij de volkstuinen.

Dat de man met de Mercedes hem had gevonden, maakte hem bang. De auto was aan komen rijden, was gestopt en had op Zero gewacht, die net op weg was naar de buurtsuper om boodschappen te doen.

Hij begreep dat ze veel macht moesten hebben. Zelfs zijn familie wist niet waar hij zich schuilhield. Zou Patrik hebben gekletst? Zero meende van niet. Roger zou zijn mond wel voorbij hebben gepraat. Hij dronk elke dag, slikte pillen en had altijd geld nodig. Zero mocht hem niet, maar hij mocht in zijn flat in Gottsunda logeren. Hij moest dan wat klusjes voor hem opknappen. Misschien had hij wel besloten om Zero te verkopen om meer drank en pillen te krijgen?

De man in de Mercedes had gezegd dat alles goed zou komen, dat de oude schulden waren vereffend en dat hij was vergeven. Het enige wat hij eiste, was dat Zero een belangrijk iemand zou ontmoeten en om excuus zou vragen.

Hij had de Fyrisbioscoop nooit bezocht, wist niet eens dat die bestond, en de films waar ze reclame voor maakten, zeiden hem niet veel.

Zoals afgesproken, stond Zero een paar minuten voor de bioscoop voordat hij de heuvel op liep. Op de achtergrond zag hij hoge bomen en hij nam aan dat dat het kerkhof was waar hij heen moest.

Hij aarzelde bij de muur. De begraafplaats lag aan zijn voeten, het was er aardedonker. Het waaide stevig, waardoor de bomen heen en weer zwiepten, bang voor wat er komen zou.

Hij glipte door een opening in de muur naar binnen. Het grind knarste onder zijn voeten. Hij hoorde opeens gekraak en stond stil, maar het was alleen een losgewaaide tak die door een boomkruin omlaag viel en op een graf landde.

Zero liep verder. Er was niets gezegd over wie hij zou ontmoeten of wat er zou gebeuren, maar hij was ervan overtuigd dat hij werd geobserveerd. Hij had spijt. Hij vond het niet prettig om tussen de doden te lopen. Opnieuw een krakend geluid boven hem, Zero was ervan overtuigd dat hij een tak op zijn hoofd zou krijgen of door een omvallende boom zou worden verpletterd.

Plotseling zag hij een gedaante, deels door een paar grafstenen aan het zicht onttrokken, naderbij komen. De man bleef op een paar meter afstand van Zero staan. Zero kon niet onderscheiden hoe hij eruitzag, behalve dat het een lange man was met een donkere jas en een hoed diep over zijn ogen getrokken.

'Zero?'

'Ja, dat ben ik.'

'Goed dat je bent gekomen.'

De zachte stem en de harde wind maakten dat Zero dichterbij wilde komen, maar de man stak zijn hand op, liep achteruit en ging achter een bosje staan.

'Dit is voldoende', zei hij. 'Zo kunnen we praten.'

'Wie ben jij?'

'Dat doet er niet toe. Ik wil je maar één ding vragen.'

Nee, dacht Zero, ik wil niet dat je me ergens om vraagt, maar hij kon niet protesteren, want de man ging verder. Hij had een andere stem dan Sidström, dieper en doortastender.

'Ik wil dat je naar de politie gaat en vertelt wat er is gebeurd.'

'Ben jij van de politie?'

De man lachte.

'Ik wil dat je naar de politie gaat en vertelt wie er drugs verkoopt in deze stad.'

'Dat ben ik zelf!'

'Wie erachter zit.'

'Dat weet ik niet.'

'Maar ik wel', zei de man, en Zero zag hoe zijn tanden glommen.

'Ze maken me dood.'

'Nee, dat doen ze niet. Je hoeft niet in de openbaarheid te treden.'

Zero begreep niet wat hij bedoelde.

'Niemand hoeft te weten dat jij dat vertelt', verduidelijkte de man.

Zero staarde in het donker en probeerde een beeld van de man te krijgen. Hij was geen neger, hij sprak als een Zweed, bijna zoals de leraren op school.

'Ik wil niet', zei hij.

'Jawel. Je wilt je toch niet langer verstoppen? Je wilt deze geschiedenis toch zo snel mogelijk uit de wereld helpen?'

Zero deed een poging om iets te zeggen, maar de man maakte een beweging met zijn hand en vervolgde: 'Ik weet wat je denkt. Je vraagt je af hoeveel je daarvoor krijgt. Laten we zeggen vijfduizend kronen. Cash. Nu.'

'Krijg ik vijfduizend kronen?'

'Ja, en nog eens vijfduizend als alles klaar is.'

Zero was met stomheid geslagen. Voor tienduizend kronen kon hij naar Turkije gaan om zijn vader op te zoeken. Misschien was dat bedrag wel toereikend om hem uit te kopen uit de gevangenis.

'Wat moet ik doen?'

'Dat is eenvoudig. Je gaat naar de politie en vraagt naar iemand die zich met drugs bezighoudt, snap je dat? Zeg dat je spijt hebt en dat je tegen je wil betrokken bent geraakt bij de drugshandel, maar dat je helemaal geen drugs wilt verkopen. Dat je werd bedreigd en dat je het nu wilt vertellen.'

De man zei wat Zero tegen de politie moest zeggen. Hij her-

325

haalde het een paar keer en vroeg Zero op zijn beurt het hele relaas te herhalen.

'Maar dan moet ik naar de gevangenis', bracht Zero ertegenin.

'Nee,' zei de man, 'je bent te jong. De politie zal je met rust laten. Ze willen de echte boeven pakken, begrijp je?'

Zero knikte. Het leek net een film, vond hij. De politie zou blij zijn en hem verder vergeten. En hij zou tienduizend kronen krijgen.

'Ik snap het', zei hij, en op datzelfde moment brak er een nieuwe tak af, die door de bomen omlaag viel.

52

'K. Rosenberg' stond er met ivoorwitte letters op het bord in de hal van de A-flat. Derde verdieping, constateerde Sammy Nilsson.

Hij keek Beatrice Andersson geamuseerd aan.

'Red je dat?'

Bea trok een grimas en liep de trap op. Jezus, wat zijn ze gevoelig, dacht hij, en hij ging achter haar aan.

Hun opdracht, iemand ophalen voor een verhoor, was voor beide politiemensen routine, maar toch steeg de spanning bij elke verdieping die ze afwerkten. Sammy Nilsson las mechanisch de namen op de deuren die ze passeerden: Andersson, Liiw, Uhlberg, Forsberg en Burman.

Bea bleef op de tweede verdieping staan en keerde zich om.

'Wordt hij lastig?'

'Dat geloof ik niet', zei Sammy Nilsson, maar hij voelde automatisch met zijn hand aan de holster van het wapen onder zijn colbert. 'Onze Konrad staat niet bekend als zijnde gewelddadig.'

Ze liepen verder, ademden een paar seconden uit voordat Bea aanbelde. Ze luisterden aan de deur, maar hoorden niets wat erop duidde dat Rosenberg thuis was. Bea belde nogmaals aan terwijl Sammy Nilsson door de brievenbus keek.

Een uur later, nadat Sammy Lindell en de officier van justitie had gebeld, stond de huismeester voor de deur. Hij bestudeerde de legitimaties van de politiemensen uitvoerig voordat hij de sleutel in het slot stak en de deur openmaakte.

Konrad Rosenberg zat in de enige fauteuil die er was, een donkerrode kolos met pluizige, versleten bekleding. Sammy Nilsson vond dat hij er tevreden uitzag, wellicht kwam dat door het trekje om zijn mond. Op de vloer onder zijn hangende arm lag een spuit.

'Shit', zei de huismeester, die achter de politiemensen aan naar binnen was geslopen.

'Wegwezen', snauwde Bea, en hij gehoorzaamde onmiddellijk.

Ann Lindell was op weg naar de crèche toen ze het bericht ontving dat Konrad Rosenberg dood was. Ze voelde geen verdriet, uiteraard niet, want ze kende Rosenberg niet. Wat ze over hem wist, was van horen zeggen. Toch pinkte ze een traantje weg, want ze moest onmiddellijk aan Berglund denken toen Sammy Nilsson belde en over de trieste aanblik in het shabby flatje in Tunabackar vertelde.

Rosenberg was op de een of andere manier aan haar collega gelinkt. Misschien kwam het gewoon door het feit dat Berglund pas nog over de voormalige junk – die zijn schaapjes op het droge had – had gesproken, misschien ging het dieper dan dat. Ze was die dag van plan geweest Berglund te bellen om te horen hoe hij zich voelde, maar had de moed niet kunnen opbrengen. Toen Sammy vervolgens belde met een overlijdensbericht werd ze overvallen door een groot verdriet, niet over Rosenberg, want hoe veel aan lager wal geraakte mensen in een trieste omgeving had ze niet gezien en hoe veel ellende en dood had ze al niet moeten incasseren? Nee, ze werd geraakt door de plotselinge dood, daar in haar auto op Vaksalagatan, op weg naar de crèche.

'Het zag eruit als een overdosis', had Sammy gezegd, maar hij had eraan toegevoegd dat niets zeker was. Daar was Lindell het mee eens. Niets was zeker in het leven, alleen de dood, en ze verhoogde haar snelheid, haalde op waanzinnige wijze in om maar sneller bij de crèche te zijn.

Het eerste wat ze zag toen ze aankwam, was Erik die zich op een driewieler voortbewoog. Er waren ook een paar andere kinderen bij hem in de buurt. Ann Lindell noemde zachtjes bij zichzelf hun namen op: Gustav, Lisen, Carlos en Benjamin.

Erik had alleen een T-shirt aan. Als hij maar niet verkouden wordt, dacht ze. Maar zo was hij nu eenmaal, alles wat je hem aantrok, jassen en truien, trok hij meestal net zo hard weer uit.

Ze liep naar hem toe, tilde het ventje van de driewieler en nam hem in haar armen.

'Nu gaan we naar huis', zei ze.

53

'Geen sporen van braak, geen andere narcotica dan een paar gram in een zakje dat in de woonkamer op tafel lag, geen verder letsel, vermoedelijk gestorven door een overdosis van naar wij aannemen cocaïne', vatte Sammy Nilsson samen.

Allan Fredriksson kneep in het puntje van zijn neus. Ottosson nam een koekje. Bea stond tegen de muur geleund. Barbro Liljendahl was de enige die er enigszins opgewekt uitzag. Het was even na achten 's avonds.

Jezus, wat smakt hij, dacht Sammy Nilsson, en hij zag hoe Ottosson nog een koekje in zijn mond stopte, gevolgd door een slok koffie.

'Nee', zei Ottosson, hij staarde verlangend naar de schaal met koekjes, maar zag duidelijk in dat drie koekjes meer dan genoeg was, en hij leunde met een zucht weer achterover. 'Hij was een oude junk,' vervolgde hij, 'en dat pleit zowel voor als tegen een overdosis. Hij zou toch beter moeten weten.'

Barbro Liljendahl kuchte.

'Ja,' zei Ottosson en hij knikte haar toe, 'jij hebt hem pas nog gesproken, wat zeg jij?'

'Ik geloof niet dat hij die spuit vrijwillig heeft genomen', zei Liljendahl.

Ze was gebeld door Ottosson en nam nu voor het eerst deel aan een briefing bij Geweld.

'Hij leek helemaal clean toen we elkaar ontmoetten. Hij had natuurlijk nog wel trekjes van een junk, maar als je het mij vraagt, was hij niet meer verslaafd. Dat is ook het beeld dat ik van hem kreeg toen ik een beetje rondvroeg. Iets wat interessant kan zijn, is dat Rosenberg vroeger nooit cocaïne heeft gebruikt. Hij hield het bij amfetamine. Dat kan op zich aanleiding zijn voor de overdosis. Hij kan gewoon geen ervaring hebben gehad met cocaïne.'

'Kan hij een terugval hebben gehad?' vroeg Sammy Nilsson en hij kreeg even iets energieks. 'Hij voelde zich onder druk staan en dan is het altijd gemakkelijk om iets te nemen, ongeveer zoals wij een cognacje inschenken.'

Bea zuchtte.

'Wat doe jij dan, een winterpeen eten of zo?'

'Schei uit!'

Ottosson nam het woord voordat Sammy iets kon terugzeggen. 'We weten dat Rosenberg contact heeft gehad met Slobodan. Daar is Barbro achter gekomen en Ann heeft overeenkomstige waarnemingen, onder andere dat onze Konrad te gast was bij Dakar. Het onderzoek van Barbro wijst tevens uit dat hij een kennis is van Sidström. Die wordt in drugsgerelateerd verband neergestoken met een mes. Waarom hebben we de dader niet, die jonge knul uit Sävja?'

'Hij is ondergedoken', zei Barbro Liljendahl. 'Er zijn gegevens dat hij in Gottsunda is gesignaleerd, maar dat is niet geverifieerd. Hij is duidelijk bang. Ik heb zijn vriend gehoord, Patrik Willman, en hij zegt dat Zero als de dood is voor zijn broers, misschien ook voor wraak van kennissen van Sidström. Het grappige in dit verband is dat moeder Willman als serveerster bij Dakar werkt.'

'Dat wist ik niet', zei Sammy Nilsson.

'Eva Willman lijkt een verstandige vrouw', vervolgde Liljendahl, 'en ik geloof niet dat zij iets met drugs van doen heeft. Ze is gewoon blij dat ze werk heeft.'

'Met andere woorden: toeval', zei Ottosson, maar hij keek weifelend.

'Wie zou Rosenberg dood willen hebben?'

Bea's vraag hing in de lucht. Ottosson stak zijn hand uit naar een volgend koekje. Sammy Nilsson krabde op zijn hoofd en gaapte. Barbro Liljendahl aarzelde, maar toen niemand anders wat zei, wierp ze haar theorie op dat de eigenaar van Dakar, Slobodan Andersson, zijn handlanger Rosenberg had laten vermoorden, dat hij eventueel was betrokken bij de moord op Armas en dat die overdosis wellicht een wraakactie was of een manier om een lastige getuige die met de drugsbusiness te maken had tot zwijgen te brengen.

'Jammer dat Ann er niet is', zei Ottosson toen Liljendahl zweeg.

Ze liep knalrood aan en mompelde iets over dat het een inval was.

'Het is in elk geval iets', zei Ottosson. 'Maar we moeten afwachten tot de TR klaar is met de flat en met Rosenbergs auto. Hoe is het met de familie? Is daar contact mee opgenomen?'

Bea knikte.

'Mooi,' zei Ottosson, 'we gaan morgenochtend vroeg verder, maar als je de mogelijkheid hebt, Barbro, wil ik graag dat Sammy en jij die Turkse jongen in Sävja gaan checken, bij voorkeur vanavond nog.'

'Wat houdt dat in?' vroeg Sammy, duidelijk niet blij dat hij nu nog langer moest overwerken.

'Zijn familie checken en eens kijken of je die gegevens dat hij in Gottsunda is gezien wat verder kunt ontrafelen.'

'Ik vind het prima', zei Barbro Liljendahl.

'Mooi zo', zei Ottosson met een brede glimlach.

'Ik moet naar huis bellen', zei Sammy en hij stond met een grimas op. Voordat hij de kamer verliet, ging Ottossons mobiele telefoon.

Ottosson nam op, luisterde een paar seconden en stak vervolgens zijn hand op om Sammy Nilsson tegen te houden.

'Okidoki', zei Ottosson en hij brak het gesprek af.

Iedereen keek de afdelingschef verwachtingsvol aan. Het was duidelijk dat hij van de situatie genoot.

'Kom op', zei Sammy Nilsson, maar hij moest lachen om Ottossons jongensachtige, voldane gezicht.

'Ze rollen als op bestelling binnen', zei hij.

'Wie?'

'Onze jongeman uit Sävja', zei Ottosson. 'Jullie hoeven niet buiten rondjes te gaan rijden in de buitenwijken. De buitenwijk komt naar ons toe. Barbro en Sammy nemen onze vriend onder handen. Hij staat beneden te trappelen.'

Sammy belde de moeder van Zero, die alleen het woord 'politie' opving en huilend de telefoon aan haar oudste zoon, Dogan, overhandigde.

Twintig minuten later stond hij voor de deur van het hoofdbureau, drukte op de nachtbel, werd binnengelaten en door een geüniformeerde agent naar de kamer gebracht waar beide politiemensen en Zero zaten te wachten.

Toen Dogan zijn broer in het vizier kreeg, barstte hij uit in een scheldkanonnade. Sammy Nilsson vermoedde in elk geval dat het dat was. Hij legde zijn hand op Dogans arm en verzocht hem te kalmeren. Hij trok een stoel onder de tafel vandaan en vroeg hem plaats te nemen.

'Fijn dat je bent gekomen, Dogan. Je broer wil ons helpen', zei Sammy Nilsson, 'en daar zijn we blij mee. Hij is hier vrijwillig naartoe gekomen. Je kunt trots zijn op Zero.'

'*Kar*', snauwde de grote broer, maar hij ging zitten.

'Ik heb overal spijt van', begon Zero. 'Ik wil alles vertellen.'

Sammy Nilsson zette de recorder aan en Zero sprak tien minuten onafgebroken. Toen hij klaar was, zwegen ze allemaal. Dogan staarde zijn broer aan. Barbro keek geschokt terwijl Sammy Nilsson zijn hand op Zero's schouder legde.

'Heel goed, knul', zei hij, voordat hij zich tot Dogan richtte. 'Als ik ook maar één woord hoor over dat jullie gemeen zijn tegen Zero, dan krijgen je broers en jij problemen, is dat duidelijk?'

Dogan, die tot dan toe Zero verbeten had zitten aanstaren, keek Sammy Nilsson aan en knikte.

'Heb je Slobodan Andersson persoonlijk ontmoet?' vroeg hij Zero.

Zero leek totaal uitgeput en liet zijn hoofd hangen.

Sammy Nilsson richtte zich tot Liljendahl.

'Zou jij wat te drinken kunnen regelen?'

Ze knikte en verliet de kamer.

'Oké, Zero, Slobodan Andersson, in hem zijn we geïnteresseerd.'

'Ik weet het niet', zei Zero zachtjes. 'Ik heb hem nooit ontmoet. Maar hij is degene die overal achter zit.'

'Wie heeft er over Slobodan gesproken?'

Zero schudde zijn hoofd.

'Maar hoe ken je zijn naam dan?'

'Gehoord.'

'Wat heb je gehoord?'

'Gewoon ... ik heb zijn naam gehoord.'

'Verdomme, Zero!' riep zijn broer.

'Ik weet het niet,' herhaalde Zero, 'maar die vent ...'

Liljendahl kwam terug met een paar blikjes Fanta. Sammy Nilsson maakte er twee open en gaf Zero en Dogan ieder een blikje.

'Wie heeft er gekletst?' hernam Sammy Nilsson zijn ondervraging. 'De man die je bij de school met een mes hebt gestoken?'

Zero schudde zijn hoofd.

'Als je wilt dat we je geloven, moet je vertellen wie het is.'

Zero knikte.

'Ben je bang?'

'Ik wil niet naar de gevangenis!'

'We kunnen het zo regelen dat niemand hoeft te weten dat jij ons hebt getipt,' zei Sammy Nilsson en hij keek Liljendahl aan, 'maar aan die steekpartij kun je niet ontkomen. Je bent minderjarig. Je bent nog niet zo oud', verduidelijkte hij, 'en komt niet in de gevangenis. Dat beloof ik.'

'Konrad', zei Zero plotseling.

'Konrad Rosenberg?'

'Ja', mompelde Zero.

'Waar heb je hem ontmoet?'

'In de stad.'

'Waarom sprak Konrad met jou over Slobodan Andersson?'

Zero keek Sammy Nilsson niet-begrijpend aan.

'Waarom vertelde hij dat Slobodan de baas was', verduidelijkte de politieman.

'Hij wilde vast stoer doen,' zei Zero, 'opscheppen dat hij mensen kende met geld.'

Hoewel Sammy Nilsson meer informatie probeerde te achterhalen, kon of wilde Zero niet concreter worden. Na een tijdje wisselde Barbro Liljendahl van tactiek.

'Ik wil iets vragen', zei ze. 'Waarom ben je cocaïne gaan verkopen?'

'Ik wil mijn vader bevrijden.'

'Idioot', zei Dogan kwaad, maar in zijn ogen zag Sammy Nilsson iets anders dan uitsluitend woede. Hij zag verdriet en wanhoop.

'Zit hij in de gevangenis?'

Zero knikte.

'Wat doe jij, Dogan? Heb je werk?'

'Ik volg een opleiding tot buschauffeur', zei hij.

'Goed zo', zei Sammy Nilsson.

'Papa is buschauffeur', zei Zero.

Het verhoor werd even na tienen 's avonds afgerond. Voordat de jongens het hoofdbureau van politie mochten verlaten, nam Sammy Nilsson de oudste broer even apart.

'Dogan, je weet wat ik heb gezegd, hè? Zero is een gevoelige jongen. Hij houdt van zijn vader en ook van jou. Wees een broer voor hem. Help hem! Jullie vader is verdwenen. Jij moet nu de verantwoordelijkheid nemen. Zeg niets tegen hem vanavond. Scheld hem niet uit, zet alleen een kop thee voor hem, of wat jullie thuis drinken. Drink thee met hem als jullie thuiskomen. Jullie samen.'

Dogan zei niets, maar knikte. Zijn donkere ogen glommen.

'Mijn moeder zet altijd thee', zei hij na een moment van compacte stilte.

Sammy Nilsson glimlachte.

'Doe nou maar wat ik zeg', zei hij en stak zijn hand uit.

'Bedankt voor de Fanta', zei Dogan, maar hij gaf de politieman geen hand.

'Zeg,' zei Sammy Nilsson, 'wat betekent "kar"? Wat je tegen je broer zei.'

'Ezel', antwoordde de Koerd en voor het eerst kon er een lachje af.

54

Het werd vroeg avond, de schemering viel over Uppsala. Duizenden zwarte vogels cirkelden boven de daken. De straten begonnen ontvolkt te raken.

Buiten Dakar was er nog steeds leven en beweging. Patricio Alavez stond al uren achter een boom. Hij had het restaurant eerder die dag in de gaten gehouden, maar geen mens gezien. Toen had hij moed gevat, was naar de hoofdingang gelopen en had gezien dat het restaurant pas om vijf uur openging. Hij zag in dat een Mexicaan, ook al was hij netjes gekleed en nuchter, op den duur de aandacht zou trekken als hij urenlang op dezelfde plek bleef staan gluren. Dus in plaats van voor het restaurant te blijven hangen, had hij een park gezocht, waar hij had geprobeerd wat te slapen. Maar de opwinding over zijn ontsnapping was nog niet gezakt en hij had moeite gehad zich te ontspannen.

Nu had hij trek en was hij moe en ongerust. Hij had de moed opgegeven dat de dikke of de lange zou opduiken. Hij kon natuurlijk naar binnen gaan om het te vragen, maar hij was bang te worden herkend. Maar wat zouden ze kunnen doen? De politie bellen?

Hij had op de een of andere manier spijt dat hij was ontsnapt, maar alles was zo snel gegaan dat hij niet had kunnen nadenken. De gevangenisroutines waren veilig. Nu was hij een opgejaagd iemand zonder vrienden, met Zweeds geld op zak, maar zonder paspoort en met weinig mogelijkheden om zich op lange termijn schuil te houden. Hij zou vast een lange straf voor zijn ontsnapping krijgen, maar dat kon hem niet deren. Acht of vijftien jaar in de gevangenis maakte niet zo veel uit.

Het was alsof het leven was geëindigd toen hij het dorp en Oaxaca had verlaten om naar Europa te vliegen. Hij had zichzelf dikwijls vervloekt om zijn goedgelovigheid. Hoe had hij zichzelf kunnen wijsmaken dat een gringo eraan zou meewerken een Mexicaan rijk te maken? Manuel zei altijd dat de aarde het belangrijkst was, het verlaten van de aarde was hetzelfde als je familie en je oorsprong verlaten.

Wat betekende het om rijk te zijn? vroeg hij zich af terwijl hij iedereen die bij Dakar naar binnen en naar buiten ging in zich opnam, maar hij moest het antwoord schuldig blijven. Hij wist wat rijkdom níét was. Wat voor soort leven zou hij krijgen als hij in een dorp bleef waar bijna iedereen steeds armer werd? Waarom vertrokken de jongeren naar Oaxaca, Mexico-Stad en de vs?

Zelfs Manuel was nogal stil geweest. Na de moord op Miguel was hij wekenlang als verlamd geweest, maar hij was daarna hectisch aan de slag gegaan om nieuwe grond voor koffiestruiken te ontginnen, en dat nog wel op een berghelling die zo steil was dat niemand ooit eerder op het idee was gekomen.

Manuel ging er elke morgen heen en kwam 's avonds laat afgepeigerd terug. Er was in zijn ogen niets te zien van de vreugde die ze normaliter kenden als ze nieuwe grond ontgonnen. Hij zat onder de schaafwonden van de doornen, met kapotte handen en dampend van het zweet. Zo zat hij altijd eerst een tijdje op het dak voordat hij zich ging afspoelen onder de kraan op het erf.

Hij werd steeds magerder en kreeg na een tijd een hoestje dat niet wilde wijken. Meende hij dat ze zo'n leven moesten leiden? Zich helemaal kapotwerken voor een project dat ten dode was opgeschreven? Als ze er al in slaagden om honderd struiken te planten op een milpa die niemand wilde verbouwen, wat bewees dat dan? En dan nog, als de opkopers de prijzen van de bonen verlaagden of er ergens anders vandaan koffie binnenstroomde? Want zo ging het altijd, elke vooruitgang werd overtroffen door tegenslagen. Er kwamen altijd nieuwe bepalingen van de regering of de gouverneur. Telkens nieuwe overeenkomsten die nauwelijks aan de dorpsbewoners werden uitgelegd, maar die hén gegarandeerd armer maakten en het leven lastiger.

Patricio verliet zijn uitkijkpost, liet zijn voorzichtigheid varen en drentelde onrustig over de stoep heen en weer. Steeds meer gasten verlieten Dakar en hij vermoedde dat het restaurant spoedig zou sluiten. Hij zag door het raam een bar en daar stonden nog steeds een heleboel mensen omheen. Hij verlangde zelf naar een glas mescal, om de brandende warmte in zijn mond en keel te voelen. Om zich niet verder te laten verleiden, keerde hij terug naar de beschutting van de bomen en struiken.

Plotseling kreeg hij een bekend profiel in het vizier. Patricio deed een stap uit de schaduw om het beter te kunnen zien. Ja, daar kwam de dikke over het trottoir aanwaggelen. Naast hem liep een andere man. Hij zei iets wat Slobodan Andersson aan het lachen maakte. Kon het die lange zijn? Nee, de man aan Slobodans zijde was te jong.

Hij lacht, dacht Patricio verbitterd. De woede schoot als brandend maagzuur omhoog en hij moest zichzelf inhouden om zijn schuilplaats niet te verlaten en de straat op te rennen. Hij zou de dikke met zijn blote handen kunnen doden. Hij had geen wapen nodig, zijn woede was voldoende. Hij zou hem als een overreden straathond op straat achterlaten en dan zou Angel eindelijk zijn gewroken.

De mannen kwamen bij Dakar aan, bleven even staan en spraken ergens over. Slobodan leek nog dikker dan toen Patricio hem in Mexico had ontmoet. Hij heeft poen zat om zich vol te vreten, dacht de Mexicaan vol afschuw.

Het plotselinge inzicht dat het de wil van God was dat hij uit de gevangenis zou ontsnappen, maakte Patricio vrolijk, zelfs even gelukkig. Door die ontsnapping kreeg hij de kans Angel te wreken.

Slobodan deed de deur van Dakar open en wisselde nog een paar woorden met zijn metgezel voordat hij naar binnen ging. Patricio deed een paar passen naar achteren toen de andere man aan de overkant van de straat langs liep.

Deze kans was verloren gegaan, maar de volgende keer was Slobodan wellicht alleen. Hij moest gewoon geduld hebben en zijn kans afwachten.

Slobodan Andersson knikte naar Måns, keek in de eetzaal om zich heen, groette een paar bekenden en moest opeens, ongewild, aan Lorenzo Wader denken. Nu maar hopen dat hij niet langskomt, dacht Slobodan, en hij vroeg zich af of hij de barkeeper zou vragen of hij de onaangename gangster had gezien, want dat hij een gangster was, daarvan was Slobodan overtuigd. Maar hij zei er niets over tegen Måns, die een grappa inschonk en die voor hem neerzette.

'Hoe gaat het met de juffrouw van de posterijen?'

'Goed', zei Måns. 'Ze doet het prima. Volgens mij is Tessie tevreden. Het is in elk geval een hele verbetering vergeleken met Gonzo.'

'Praat me er niet van', smeekte Slobodan en hij bracht het glas naar zijn mond.

Denkend aan gisteren zou hij niet moeten drinken, maar de macht der gewoonte was sterk. Eén glaasje mocht toch wel?

'Die afwasser is een parel', zei Måns. 'Het loopt nu allemaal veel beter.'

'Wat? Is die er nog?'

Måns keek Slobodan verrast aan.

'Ja, natuurlijk', zei Måns, verbaasd over de reactie van de restauranthouder.

'Die klootzak moet eruit', siste Slobodan en hij kwam onverwacht snel overeind, liep om de bar heen en gooide de deur naar de keuken open.

'Is die Mexicaan er nog?'

Donald schonk hem een vuile blik.

'Venezuela', zei hij.

'Hè? Die afwasser, is die er nog?'

Donald maakte zuchtend een hoofdbeweging richting spoelkeuken.

Slobodan liep met maar één gedachte in zijn hoofd naar de spoelkeuken: om die afperser bij zijn nekvel te pakken en hem eruit te gooien, maar hij werd ontvangen door een lachende Manuel.

'*Hola*', zei deze.

Hij stond helemaal achterin. In zijn ene hand hield hij een mes. Slobodan remde af en moest met zijn hand steun zoeken op de vaatwasser.

'Wat doe jij hier, verdomme?' riep hij in het Engels. 'Eruit!'

'Rustig aan', zei Manuel, wiens glimlach nog breder werd. 'Wij hebben veel gemeen. Ben je dat vergeten? Ik heb het hier prima naar mijn zin. Ik doe nuttig werk.'

Slobodan staarde de Mexicaan aan. Die brutale aap stond daar doodleuk te grijnzen! Hij herinnerde zich de afrekening van jaren terug in Malmö. Die keer was hij degene geweest die met een mes in zijn hand had gestaan.

'Verdwijn!' schreeuwde hij.

'Ik werk nog een paar dagen,' zei Manuel kalm, 'dan vertrek ik. Maar dan ben jij misschien ook al verdwenen.'

Slobodan staarde de afwasser verbluft aan. Er was geen spoor van de schuchterheid van de voorgaande dag merkbaar. Kwam dat door dat mes? Was die Mexicaan zo verdomde brutaal dat hij hem gewoon bedreigde?

'Hoe bedoel je? Hoe zo, verdwenen?'

'Jij zit op een vermogen en dan is het vast aantrekkelijk om andere plaatsen te zien', zei Manuel lachend.

Slobodan keerde zich spoorslags om, duwde de deur naar het restaurant open en verdween. Hij liep rechtstreeks naar de bar en gebood Måns een groot glas Bowmore in te schenken.

'Heb je hem ontslagen?' vroeg Måns en Slobodan vermoedde achter de onschuldige vraag een vorm van kritiek.

'Dat is verdomme jouw zaak niet!'

Måns trok een grimas, stak zijn hand uit naar de whiskyfles en schonk een glas in.

'Met andere woorden: hij is er nog', zei Måns grijnzend.

Toen het glas halfleeg was, was Slobodan iets gekalmeerd. Waar maakte hij zich eigenlijk druk om? Die Mexicaan had de behoefte om zich te laten gelden en zich voor de verandering een hele piet te voelen. Slobodan besloot verder geen aandacht aan hem te besteden. Hij zei dat hij over een paar dagen zou verdwijnen. Hij zou nooit meer van die tortillaknakkers in de arm nemen. In het vervolg zouden ze het op Spanjaarden houden.

De aanleiding voor zijn onverwachte edelmoedigheid – en dat erkende hij bereidwillig voor zichzelf – was dat de onverwachte levering van de cocaïne veel problemen had opgelost, niet alleen de feitelijke dreiging die Manuel vormde. Na de noodlottige brand in het huisje van Konrad had hij plotseling met lege handen gestaan. Hij kon niet distribueren wat hij had toegezegd en dat was funest. Zijn klanten konden er genoeg van krijgen en nieuwe kanalen gaan zoeken.

Dus hij mocht best een of twee glaasjes drinken om het te vieren. Hij zat erover te piekeren hoe Manuel erin was geslaagd die drugs in Duitsland te bemachtigen. Hij was vast niet zo onschuldig als hij zich voordeed. Hij was vermoedelijk samen met Angel op reis door Europa geweest en had, toen zijn broer de pijp uitging, de zaak gewoon overgenomen. Ze zijn allemaal hetzelfde, dacht Slobodan voldaan, je lokt ze met een paar dollar en dan komen ze allemaal aanzetten.

Hij zwaaide met zijn mollige hand en Måns schonk een biertje in.

'Ga je op herhaling?' vroeg hij dubbelzinnig, maar Slobodan kon geen antwoord geven, want de barkeeper had hem al de rug toegekeerd.

In de keuken waren Johnny en Donald aan het opruimen. Ze spoelden de vloer schoon en reinigden de fornuizen. In de eetzaal ruimden Tessie en Eva af terwijl ze wel bleven opletten of de resterende gasten nog wat wilden hebben. Een gezelschap van zes personen dat zich door het voorgerecht, hoofdgerecht en dessert heen had gewerkt, had koffie en cognac besteld en Eva vermoedde dat ze nog wel een tijdje zouden blijven zitten. Verder werd het steeds leger. Een jong stel dat door Eva was bediend, betaalde en vertrok. Ze hadden honderd kronen fooi gegeven. Honderd kronen, dacht ze, dan ben ik vast niet zo slecht. Met een zekere trots zette ze het dienblaadje met het geld op de balie. Måns sloeg het geld aan op de kassa, stopte het briefje in een grote bierpul waar de fooien in belandden, keerde zich naar haar om en grijnsde.

'Zag je dat ze smoorverliefd waren?'

Eva knikte. Ze had zich oud gevoeld toen ze naar het stelletje had gekeken, hoewel er misschien maar tien jaar tussen haar en het koppel zat. Een beetje jaloers had ze gezien hoe hij zijn hand op die van zijn partner had gelegd, hoe ze grapjes hadden gemaakt en met elkaar hadden geflirt en soms fluisterend lieve woordjes hadden uitgewisseld – dat vermoedde Eva althans.

Tessie riep en ze werd uit haar overpeinzingen gewekt. Samen verplaatsten ze een paar tafels en legden er schone tafellakens op.

Het was een goede avond geweest. De ergste nervositeit was verdwenen en ze voelde zich niet langer zo bezwaard om Tessie wat te vragen.

Eva maakte een paar glazen schoon. Ze merkte dat Slobodan naar haar zat te kijken. Hij zat aan de bar met een glas voor zich. Eva was door Tessie geïnformeerd over de consternatie van de dag ervoor, dat Slobodan dronken was geworden, de hele keuken had ondergekotst en hoe Feo en Manuel hem naar huis hadden geholpen.

Op zich vond Eva dat wel goed. Hij had een zwakke plek laten zien. Misschien was de gewelddadige dronkenschap een uitdrukking voor zijn verdriet over de dood van Armas. Eva gluurde vanuit haar ooghoek naar de dikke man aan de bar. Hij keek echt bezorgd en ze hoopte dat hij genoeg verstand zou hebben om op tijd te stoppen met drinken.

Op een van de tafels lagen een paar kranten. Ze begon ze op te vouwen toen haar blik op een kop viel. 'Extra' stond er met grote letters, 'Nieuwe ontsnapping – gegijzelden' en onder de kop stonden foto's van vier mannen. Ze las ontsteld de korte tekst, bladerde naar pagina vijf, waar een wat uitvoeriger reportage stond, maar toch ook weer niet zo veel als je bij een dramatische ontsnapping met gijzeling zou verwachten. Ze begreep dat het een vroege editie van de krant was en dat ze alleen het belangrijkste hadden kunnen opnemen.

Ze bladerde weer terug naar de foto's. De gelijkenis was treffend. En de achternaam dezelfde. Dat kon geen toeval zijn. Ze vouwde de krant zorgvuldig dubbel en nam hem mee, liep de keuken in, knikte naar Johnny, propte de krant in de vuilnisbak, aarzelde een paar seconden om te achterhalen of ze bang was, voordat ze de spoelkeuken in liep.

Manuel deed net de klep van de vaatwasser dicht. Hij draaide zijn hoofd om en Eva bekeek zijn gezicht op een nieuwe manier, maar zag geen angst of aarzeling bij de Mexicaan.

'Eva', zei hij, en hij lachte alsof ze een leuke en onverwachte grimas had gemaakt.

'Manuel', zei ze, en ze zocht naar de juiste Engelse woorden voor ze verderging. Ze wilde precies zijn.

'Heb je tegen me gelogen over de reden waarom je hier bent? Je zei dat je wilde werken en geld wilde verdienen.'

Hij bleef staan en de blik die hij haar schonk, bevestigde haar vermoedens.

'Heb jij een familielid dat in de gevangenis zit?'

Manuel zocht steun bij het aanrecht, wierp een ongeruste blik op de deur naar de eetzaal voordat hij zich langzaam langs het aanrecht bewoog en op een kruk plofte.

'Heb je met Slobodan gesproken?'

'Nee, maar klopt het?'

Manuel knikte.

'Mijn broer Patricio zit in de gevangenis', fluisterde hij. 'Hoe weet je dat?'

Dat kalmeerde Eva enigszins. Manuel wist blijkbaar niets van de ontsnapping.

'Waarom zit hij in de gevangenis?'

Manuel zweeg geruime tijd, alsof hij met zichzelf overlegde. Toen vertelde hij het verhaal hoe zijn broers waren overgehaald om drugskoeriers te worden, hoe de ene in Duitsland was gestorven en de andere bij de Zweedse douane tegen de lamp was gelopen.

Eva voelde onmiddellijk dat ze nergens bij betrokken wilde raken. Ze had genoeg aan de problemen met Patrik. Ze zag de koksmuts van Johnny en hoorde Donald iets zeggen dat verdween in het geluid van de ruisende vaatwasser. Ze wilde niets meer horen. Ze dacht aan haar zonen en haar angst sloeg om in woede.

'Drugs', zei ze nijdig, met zo'n minachting in haar stem dat Manuel zijn hoofd optilde en haar verdrietig aankeek.

'Je bent mijn vriendin', zei hij.

'Nooit!'

'Laat me het uitleggen', zei Manuel, alsof het een kwestie van leven of dood was. 'Ik wil niet tegen je liegen. Ik ben naar Zweden gekomen om mijn broer op te zoeken en hem te helpen. Ik moet niets hebben van drugs. Dat kost ons ons leven.'

Hij bezwoer zijn onschuld. Werd geestdriftig en breedsprakig. Ik wil dit niet, dacht Eva, ik wil gewoon werken en een normaal leven leiden. Ze wilde helemaal geen bijeenkomst over drugs en jeugdproblematiek. Ze had geen zin in Helens klaagzang en gezeur, ze wilde niets met drugs te maken hebben en ze wilde Manuels verdrietige ogen niet zien.

'Ga nu', zei ze, en ze keerde hem de rug toe.

'Ik heb gedroomd dat je naar Mexico kwam', zei Manuel. 'Dat je mijn land wilde zien …'

Eva bleef even staan, maar duwde vervolgens tegen de draaideur naar de eetzaal en verdween.

Manuel stond als versteend. Eva, zijn vriendin, had tegen hem gezegd dat hij moest gaan. Toen Slobodan had gezegd dat hij Dakar voorgoed moest verlaten, had hij zich daar niet druk om gemaakt. Hij was teruggekeerd omwille van Eva. Hij hoefde niet meer af te wassen, hij hoefde geen geld meer te verdienen en hij had er geen behoefte aan die dikke nog vaker te zien. Morgen zou die dikke uit het restaurant verdwijnen, misschien wel voorgoed.

Hij waste af bij Dakar omdat hij Eva graag mocht en haar wilde zien. Hij deed zijn schort af en legde het als een doodskleed over de vaatwasser. In de kleedruimte werd hij onzeker. Zou hij weggaan zonder de anderen gedag te zeggen? Tja, het moest maar, het was beter om gewoon te gaan.

Hij schopte de lompe schoenen uit die hij had mogen lenen, trok zijn sandalen en zijn jack aan en verdween in het duister. Hij hoorde geritsel bij de containers. Dat bracht hem opmerkelijk genoeg in een beter humeur. Aan ratten, daaraan ontkomen ze in elk geval toch niet, dacht hij, maar hij kreeg onmiddellijk een slecht geweten. Feo, Tessie en Eva gooiden het vuil weg. Slobodan liep niet het risico te worden gebeten.

Hij liep langzaam over het erf. Nu krijgt de dikke toch zijn zin, dacht hij, en hij liep de steeg uit naar de straat waar de hoofdingang van Dakar was. Plotseling zag hij een beweging in de bosjes. Hij bleef staan en probeerde erachter te komen waardoor de takken heen en weer zwiepten.

Zijn oude angst uit Oaxaca kwam weer terug. De politie, was zijn eerste gedachte, maar die wees hij even snel weer af. Waarom zouden die in de struiken op de loer liggen?

Hij kwam op straat en keek naar de ingang van het etablissement. Daar stond de dikke. Manuel meende dat hij stond te zwalken. Tegelijkertijd zag hij uit zijn ooghoek hoe een schaduw zich uit de bosjes aan de overkant van de straat losmaakte. In een reflex kroop Manuel achter een geparkeerde auto ineen. De schim bleef langs de huizenkant, nam een paar gehurkte stappen en Manuel meende iets bekends te zien in die figuur. Hij wierp nogmaals een blik op Dakar en zag hoe Slobodan langzaam de straat uit liep. Er passeerde een taxi en de restauranthouder draaide zijn hoofd om en stak zijn hand in een onhandige beweging op, alsof hij overwoog de taxi aan te houden. Hij is weer dronken, dacht Manuel.

De schaduw aan de overkant had zijn tempo nu verhoogd en toen hij langs een etalage liep, kreeg Manuel de schok van zijn leven. Patricio! Dat was Patricio! Manuel geloofde zijn ogen niet, het kon Patricio niet zijn. Zijn kleren waren onbekend, zijn pet was ver over zijn ogen getrokken waardoor zijn gezicht niet goed zichtbaar was, maar het was de houding van zijn broer, de lange stappen en de pendelende bewegingen met zijn armen. Zo bewoog Patricio zich altijd in de bergen voort, half rennend, alles achter zich latend. Maar dat kon niet. Patricio zat in de gevangenis. Zijn fantasie ging met hem op de loop.

Slobodan was nu blijven staan en probeerde tevergeefs te knielen om zijn veters vast te maken. Hij vloekte en liep door.

De schim aan de overkant van de straat was nu nog maar zo'n twintig meter van Slobodan verwijderd. Manuel was ervan overtuigd dat de schaduw de dikke achtervolgde.

'*Hermanito*', riep hij, maar niet te hard, bang dat de dikke het zou horen.

De man aan de overkant verstarde in zijn beweging.

'Hier', riep Manuel, er nu van overtuigd dat het Patricio was, en hij stak een hand boven het dak van de auto omhoog.

De man aan de overkant draaide zijn hoofd om en Manuel wankelde toen hij recht in het gezicht van zijn broer keek.

Patricio keek al net zo geschokt. Hij staarde een paar seconden naar Manuel voordat hij de straat over rende en ze elkaar in de armen vielen.

Patricio maakte zich los uit Manuels omhelzing.

'Die dikke loopt daar verderop', zei hij wijzend.

'Dat weet ik.'

'Ik ga hem vermoorden', zei Patricio.

'Nee, dat is niet goed', zei Manuel heftig en hij veegde tegelijkertijd de tranen van zijn wangen. 'Daar krijgen we Angel niet mee terug.'

'Bemoei je er niet mee!'

Manuel legde zijn arm om Patricio's schouders.

'Ben je uit de gevangenis ontsnapt?'

Patricio knikte terwijl zijn blik de dikke volgde, die nu bijna aan het eind van de straat was en uiteindelijk om de hoek verdween.

'Hij is weg', zei Manuel.

Patricio's hele houding veranderde toen Slobodan Andersson was verdwenen. Hij zakte in elkaar en begon te snotteren.

'Patricio', zei Manuel met zo veel liefde in zijn stem dat de stad om hen heen niet meer bestond. De vreugde die de broers ervoeren, werd niet gehinderd door cocaïne, gevangenismuren, dood en verwijten.

Deze toestand van volledige eensgezindheid duurde tot Manuel de vraag stelde.

'Waarom?'

Patricio keek naar de grond.

'Het gebeurde gewoon', zei hij. 'Een paar anderen …'

'Altijd een paar anderen', snauwde Manuel, maar de haastig opgekomen woede gleed van hem af toen hij het gebroken gezicht van zijn broer zag.

'We kunnen hier niet blijven staan', zei hij en hij trok Patricio met zich mee in de schaduw.

Patricio wilde iets zeggen, maar Manuel stak zijn hand op en maande hem te zwijgen. Wat moeten we doen? dacht hij. Al zijn plannen waren verstoord. Nu was het zaak Patricio van de straat te krijgen, hem te verstoppen en een manier te vinden om … ja, wat eigenlijk?

'Wacht hier,' zei hij tegen zijn broer, 'nergens heen gaan. Ik kom met de auto.'

'Welke auto?'

'Ik heb een auto gehuurd.'

Hij verdween en liep half rennend over straat. Er kwam een politieauto aanrijden. Manuel dook over een laag hekje en belandde in een heg. De politieauto reed voorbij. Eva heeft de politie gebeld, dacht hij, hij stond op en rende naar de auto, die hij in het volgende blok langs de straat had geparkeerd.

Hij was een keer eerder opgejaagd door de politie. Dat was toen hij en een tiental andere indianenactivisten het lokaal van de CIPO, de anarchistische boerenorganisatie, hadden verlaten om de bus te nemen en zich aan te sluiten bij de demonstraties op het plein in het centrum van Oaxaca. De politie had hen achter de school bij Carretera Nacionál staan opwachten en zich op de groep geworpen. Manuel was erin geslaagd over de muur van de school te springen en was over het schoolplein gerend om naar de andere kant van de wijk te komen. Op de achtergrond waren sirenes en het geblaf van de politiehonden hoorbaar. Manuel rende voor zijn leven. Hij werd achternagezeten door twee agenten, de een gaf het na een paar honderd meter op en Manuel slaagde erin de ander bij de voetbalvelden van zich af te schudden door onder een schuur te kruipen. Manuel hoorde de hijgende ademhaling van de politieman en hij had aan zijn kapmes gevoeld. Als de honden kwamen, had hij dat in elk geval.

Manuel had daar de hele nacht gelegen voordat hij zijn schuilplaats had durven verlaten. Toen hij de volgende ochtend op het plein kwam, was de demonstratie beëindigd en herinnerde slechts een stukgescheurd spandoek aan het maandenlange protest van de keuterboeren.

Nu waren er geen politieagenten en blaffende honden te bekennen. Hij reed vanaf de parkeerplaats de straat op en maakte een U-bocht. Toen hij langs Dakar kwam, kwamen er net een paar restaurantgasten naar buiten. Ze lachten luidkeels en slenterden vervolgens weg. Dat was een goed teken en Manuel werd rustig. Als de politie binnen was, waren de gasten vast nieuwsgierig blijven staan.

Hij reed zachtjes naar de plaats waar hij Patricio had achtergelaten.

55

Manuel werd wakker van het getjilp van de vogels, of liever gezegd, van een hevig gekras buiten de tent. Na een paar seconden, toen hij zich ervan bewust werd wat er de avond ervoor was gebeurd, gooide hij de deken van zich af en ging rechtop zitten. Patricio was verdwenen. Ze waren dicht tegen elkaar aan in slaap gevallen, net als vroeger toen ze in de bergen overnachtten, en Patricio had Manuel in het donker gevraagd te vertellen over het dorp.

Manuel kroop uit de tent en keek om zich heen, voordat hij de heuvel op krabbelde. Vanaf de top speurde hij ongerust langs de oever van de rivier. Hij was even bang dat Patricio weer was weggelopen, maar plotseling kreeg hij zijn broer in het vizier. Hij zat zo'n honderd meter stroomafwaarts, vlak bij de rivier, misschien zat hij zelfs wel met zijn voeten en benen in het water.

Manuel liep langzaam naar hem toe, hij volgde de oever, trok een paar grassprietjes los en probeerde uit te rekenen hoe laat het was. De zon stond nog laag aan de hemel.

Patricio keerde zich om toen Manuel half rennend naar beneden kwam. Ze glimlachten naar elkaar.

'Alleen dit moment was de ontsnapping al waard', zei Patricio. 'Nu zou ik weer terug kunnen gaan naar de gevangenis.'

Manuel ging naast zijn broer zitten.

'Je moet naar huis', zei hij.

'Hoe dan?' vroeg Patricio na een hele tijd.

Manuel vertelde hoe hij dat had gedacht. Patricio zat sprakeloos.

'Dat lukt me nooit', zei hij toen Manuel uiteindelijk zijn plan had verteld. 'De politie zal me oppakken.'

'Misschien,' zei Manuel, 'maar het is een poging waard.'

'Maar jij dan?'

'Ik red me wel', zei Manuel, maar hij klonk niet geheel overtuigd. 'Jij moet naar huis.'

'Maar dat kost geld.'

'Dat heb ik', zei Manuel. 'Ik heb veel geld.'

Patricio vroeg niet hoe zijn broer daaraan kwam. Misschien had de tijd in de gevangenis hem geleerd niet nieuwsgierig te zijn.

Terwijl de zon opkwam en zich langzaam over de hemel bewoog, namen ze alle details door en wat er zou kunnen misgaan. Manuel was verbaasd dat Patricio zo meegaand was, hij had geen bedenkingen, wat hij anders wel altijd had, maar luisterde en herhaalde wat Manuel zei.

'Zullen we gaan zwemmen?' vroeg Manuel.

'Het zit hier helemaal vol planten', zei Patricio.

'Ik weet een goede plek.'

Terwijl ze zich uitkleedden, maakte Manuel grapjes over Patricio's dikke buik. Hij lachte alleen maar, klopte op zijn buik en sprong het water in. Ze spartelden en speelden als kinderen, spatten elkaar onder en doken in het modderige water.

Was Angel er maar bij, dacht Manuel opeens, en hij werd overmand door de verdrietige gedachten die hij het laatste half jaar voornamelijk had gehad. Maar hij wilde de blijdschap van Patricio niet bederven en zei daarom niets.

Misschien was zijn plan om Patricio het land uit te krijgen gedoemd te mislukken. De weinige momenten van vrijheid die zijn broer nu had, waren hem van harte gegund. Hij wist dat hun nachtelijke gesprek in de tent en hun zwempartij in de vreemde rivier voor altijd tot de gelukkigste momenten van hun leven zouden behoren. Ze zouden, als ze in de toekomst samen mochten zijn, terugkomen op deze dag en als ze uit elkaar zouden gaan, zouden ze zich hem in dankbaarheid herinneren.

Niets mocht de korte, gemeenschappelijke vreugde vertroebelen.

Toen ze zich hadden aangekleed, haalde Manuel de tas uit de schuilplaats en liet hij Patricio het geld zien. Patricio zei niets, vroeg niets, maar Manuel voelde zich verplicht uit te leggen hoe hij aan zo'n vermogen was gekomen. Als Patricio al commentaar of kritiek had gehad op de handelwijze van zijn broer, dan zei hij dat

niet. Hij bladerde alleen wat verstrooid door de stapels bankbiljetten.

Manuel stopte het geld weer terug. Patricio verzonk in gedachten. Het was alsof de aanblik van al die dollars hem neerslachtig
maakte. Misschien deed het geld hem aan Angel denken?

Na een paar uur besloot Manuel naar het handwerkdorp te gaan
om iets te eten te kopen. Hij had gezien dat er een kleine cafetaria
was. Als ze maar wat brood konden krijgen, zouden ze zich wel
redden. Water konden ze uit de rivier halen.

Ze hadden afgesproken bij de rivier te blijven tot de politie-
inzet naar de ontsnapte gevangenen enigszins was afgenomen. De
wegen rond Uppsala waren vermoedelijk vol afzettingen.

Als Eva de politie had gebeld en over Manuel had verteld, werd
hij ook gezocht en dan verviel zijn plan. Maar hij geloofde niet dat
Eva iets had gezegd, al had ze nog zo hard en onverzoenlijk
gereageerd. Die reactie was zwaarder dan wanneer ze naar de
politie zou gaan. Maar Manuel zag in dat het zijn eigen schuld
was. Hij had tegen haar gelogen en daardoor voelde ze zich
uiteraard bedrogen. Hij probeerde niet aan haar te denken, maar
dat was moeilijk. Die vrouw had iets wat hem ontzettend be-
koorde. Kwam dat door haar vrijmoedigheid en openheid? Misschien was hij alleen maar gevleid door haar nieuwsgierige vragen
over zijn leven, of was het gewoon zo simpel dat hij werd betoverd
door haar borsten onder de strakke bloes, haar glimlach en haar
blonde haar?

Hij had in de tent gedroomd dat ze samen in de rivier zwom-
men. Nu moest hij ophouden met dromen. Eva was een herinnering.

Hij kocht broodjes en frisdrank in de cafetaria. Niemand besteedde aandacht aan hem. De parkeerplaats stond vol auto's en
tussen de huizen struinden groepjes toeristen en gezinnen met
kinderen. Een man stond iets te schilderen, Manuel meende dat
het een groot stuk speelgoed voor kinderen zou worden. Hij bleef
staan en zag hoe de handwerkman met langzame bewegingen gele
verf over de brede planken streek, en hij begreep dat het een huisje

zou worden. Hij verbaasde zich erover dat de man zo veel tijd besteedde aan een speelhuisje.

De schilder keek op en wierp Manuel een korte, maar vriendelijke blik toe. Manuel voelde irritatie en begreep dat jaloezie de oorzaak was. Alles zag er zo harmonieus uit, iedereen was zo weldoorvoed en goedgekleed. Er was geen enkele arme sloeber die prullaria aan de man probeerde te brengen en er waren geen bedelaars. De ambachtsman leek zo zorgeloos en tevreden met zijn werk. Alles was zo anders dan in Mexico.

In het dorp thuis speelden de kinderen met wat er over was. Als ze al tijd kregen om te spelen, verzonnen ze hun eigen speelgoed. Er was niemand die speciale huisjes voor hen timmerde.

Manuel liep verder, passeerde bomen die bijna bezweken onder de appels en gezinnen die plaids in het gras hadden uitgespreid. Ze zaten te eten en te drinken. Sommigen speelden een spel met houten stokjes die ze over de grond slingerden om de stokjes van de tegenstander omver te gooien.

Voor hem liep een jong stel. De man had zijn hand op de ene bil van de vrouw gelegd. Ze bleven staan en kusten elkaar. Manuel liep langs en probeerde niet te staren.

Toen hij terugkwam bij de tent lag Patricio te slapen. Manuel ging op het talud zitten. Hij dacht aan Gabriëlla in het dorp en van daar was de stap naar Eva niet groot. Zijn broer snurkte en keerde zich om. Een paar vogels stegen op uit het water.

De aanblik van de hand van de man op de bil van de vrouw had hem opgewonden. Hij dacht aan Eva. Het was alsof zijn gedachten automatisch bij haar terugkeerden.

Manuel strekte zich uit in het gras en was binnen een paar minuten in slaap.

56

De ochtend werd zeer vroeg ingeleid met een korte briefing. Ann Lindell had Erik naar Görel gebracht, die hem naar de crèche zou brengen. Görel had niets over hun mislukte restaurantbezoek gezegd, maar was ook niet bepaald spraakzaam geweest.

Terwijl de collega's zich verzamelden, sommigen vrolijk, anderen met tegenzin en met een ochtendhumeur, probeerde Lindell de zwijgzaamheid van haar vriendin te verdringen. Als het onderzoek ten einde was en Lindell haar gedachten op een rijtje kon zetten, zouden ze misschien hun onenigheid kunnen uitpraten. Altijd 'later' en 'als', zo ervoer ze haar leven. De fout lag bij haar, ze had werk gecombineerd met vrije tijd en het was duidelijk dat Görel zich op onhebbelijke wijze aan de kant gezet voelde. Lindell besloot haar te bellen en haar excuus aan te bieden.

Fredriksson, Sammy Nilsson, Beatrice, Barbro Liljendahl, Ottosson en een handvol andere politiemensen waren aanwezig, onder wie drie man van Narcotica en twee bevelhebbers van Orde. Het hoofd van de Recherche Inlichtingen Dienst, Morenius, in gezelschap van officier van justitie Fritzén kwam binnensloffen toen iedereen zat.

Ottosson begon en schetste in het kort een beeld van de situatie. De omstandigheden rond de plotselinge dood van Konrad Rosenberg vormden een voedingsbodem voor speculaties en Ottosson benadrukte met kracht dat ze niet in eerste instantie geïnteresseerd waren in Rosenberg, hoewel het daarbij om drugs en een onverwacht sterfgeval ging.

De focus lag op Slobodan Andersson, zijn eventuele betrokkenheid bij de cocaïnegolf die de stad had overspoeld en de vraag of de moord op Armas daarmee in verband kon worden gebracht.

'Mexico', zei Lindell, toen de presentatie klaar was.

'Ik heb de zaak nagetrokken', zei Sammy Nilsson. 'Ze zijn allemaal nog op vrije voeten. De gegijzelden verkeren zoals jullie vast wel hebben gehoord in goede gezondheid. Ze zijn gisteravond rond elven vastgebonden aangetroffen in een auto. Een knul met een bosbouwmachine had wat diesel naar het bos gebracht toen hij opeens de verlaten, afgesloten bestelwagen zag staan. Die man zou dat gebied gaan rooien. Maar zoals gezegd, de vier zijn nog steeds voortvluchtig. Het lijkt zeer professioneel te zijn gepland en uitgevoerd.'

'Ik zag Bodström gisteravond op tv', zei Fredriksson. 'De minister kon zich amper verweren.'

Sammy Nilsson keek Fredriksson woest aan voor hij verderging; hij had er een hekel aan te worden onderbroken.

'Een van die vier is een Mexicaan. Hij heet Patricio Alavez en had acht jaar wegens drugssmokkel. Althans, een onhandige poging op Arlanda. Het lijkt erop of de drugs nu andere wegen zoeken om het land binnen te komen, nietwaar, Olsson?'

'Kleine vliegvelden en de brug over de Sont lijken nu populairder', antwoordde de man van de narcoticabrigade laconiek.

'Alavez is volgens Norrtälje een vreedzame knul', hernam Sammy Nilsson het woord. 'Hij was vermoedelijk niet betrokken bij de voorbereidingen. Hij schijnt toevallig te zijn meegekomen. Maar wat weten we ervan? Misschien was dat maar schijn. Tijdens het onderzoek en de rechtszaak weigerde hij te vertellen in wiens opdracht hij naar Zweden was gereisd. Volgens zijn ticket is hij naar Bilbao gevlogen en was hij twee dagen daarvoor rechtstreeks uit Mexico gekomen. Misschien heeft hij contacten buiten de gevangenis die bereid zijn hem te helpen, zeker omdat hij niemand heeft verlinkt.'

'Slobban en Armas waren twee jaar geleden in Mexico', onderbrak Lindell.

'Jij bedoelt dat ze die vreedzame Mexicaan toen hebben gerekruteerd?' vroeg Morenius.

'Dat zou heel goed kunnen', zei Lindell. 'We weten dat Slobban met geld terug is gekomen. De drugshandel is een even goede gok als een winst in de lotto.'

'We doen gelijktijdig een inval bij Dakar, Alhambra en in zijn woning', zei Ottosson, en hij keek naar de officier, die echter nog niet helemaal wakker leek en ook geen commentaar had.

'We denken dat Slobodan Andersson thuis is. Er brandde om half twaalf gisteravond licht. De jongens van Opsporing menen dat ze Andersson voor het raam hebben zien staan, maar we weten het niet zeker en we weten ook niet of hij alleen is. In elke geval heeft niemand de flat verlaten.'

Ann Lindell keek uit naar de actie. Alleen al het gezicht van de arrogante restauranthouder was veel waard. Ze hadden deze keer wat meer bewijs. Over Mexico, maar ook over Slobodans connecties met Rosenberg. Hij zou het een en ander mogen uitleggen en alleen al het feit dat ze op hetzelfde moment zijn woning en zijn twee restaurants uitkamden, zou hem extra nerveus maken. Want hij was een angsthaas, dat had Lindell al wel kunnen constateren. Achter zijn zelfverzekerde masker ging ongerustheid schuil.

Exact om acht uur nul nul, Sammy Nilsson las de tijd af op zijn dertig jaar oude Certina, werd het appartement van Slobodan Andersson doorboord door een signaal van de deurbel.

Vanuit de flat waren hoestgeluiden en het geluid van slepende stappen hoorbaar, die steeds dichter bij de buitendeur kwamen.

'Wie is daar?'

'Sammy Nilsson van de politie.'

Een nieuwe hoestaanval, daarna het gerammel van de veiligheidsketting en de deur ging een paar centimeter open.

'Goedemorgen', zei Sammy Nilsson, en hij keek Slobodan met een gemeen lachje aan.

'Wat wilt u? Het is verdomme nog nacht!'

'Als u opendoet, zal ik het uitleggen.'

Slobodan Andersson zuchtte, deed de deur open en deinsde achteruit voor de aanblik van de vijf politieagenten in het trappenhuis.

Een kwartier later verliet hij de flat in gezelschap van Sammy Nilsson en Barbro Liljendahl.

Het eerste wat Slobodan Andersson op het hoofdbureau mocht doen, was zijn vingerafdrukken afgeven. Dat deed hij zonder protest, maar vervolgens weigerde hij ook maar iets te zeggen zolang zijn advocaat er nog niet was.

Ondertussen werd begonnen met het doorzoeken van de woning van de restauranteigenaar en zijn twee etablissementen. Ze hadden de sleutels van Alhambra en Dakar opgehaald bij een slaapdronken Oscar Hammer, chef-kok bij Alhambra, die dit al een paar jaar had verwacht: dat de politie op een mooie dag voor de deur zou staan. Bij beide restaurants was een technisch rechercheur aanwezig. Het hoofd van de eenheid, parttime-pensionado Eskil Ryde, mocht de woning voor zijn rekening nemen.

Hondengeleider Sven Knorring maakte samen met labrador Jessica allereerst een rondje door de flat, maar vond niets verdachts. Geen enkele aanduiding dat daar narcotica zouden zijn.

Bij Dakar volgde een verwachtingsvolle Ann Lindell het gesnuffel van Jessica rond de stoelen en tafels, door de keuken, de koelruimtes en de personeelsruimte.

'Klinisch schoon', vatte Knorring het resultaat samen.

Het lag op het puntje van haar tong te vragen of die hond honderd procent betrouwbaar was, maar Lindell wist zich op het laatste moment in te houden. Ze besloten naar Alhambra te lopen. In het centrum gingen de winkels open, de straten vulden zich met mensen en degenen die Ann Lindell herkenden, en dat waren er vrij veel na het laatste moordonderzoek en de brandstichting die haar bijna het leven had gekost, volgden nieuwsgierig haar weg met de hond en de hondengeleider in haar kielzog.

Bij Alhambra brandde licht. Charles Morgansson kwam hen tegemoet en speelde de rol van eerste kelner.

'Hebt u gereserveerd?' vroeg hij beleefd terwijl hij gelijktijdig Jessica achter haar oor krabde, maar de hond nam geen notitie van de technisch rechercheur en trok aan de riem, ze wilde verder.

Lindell zag ook de verandering in de houding van de hondengeleider. Het was alsof de hond en hij één waren. Jessica piepte uitvoerig. Sven Knorring knikte naar Lindell en liet de hond los, die onmiddellijk op onderzoek uitging.

Knorring liep erachteraan. Morgansson en Lindell volgden hen met hun blik. De stilte was totaal. Het enige wat je hoorde, waren de poten en de nagels van de labrador op de gelakte houten vloer.

Advocate Simone Motander-Banks was een verschijning. Sammy Nilsson kon het niet nalaten de vrouw aan te staren die de verhoor-kamer binnenkwam alsof het een cocktailparty betrof. Ze was gekleed in een strak rokje, een licht colbert en pumps. Rond haar ene pols bungelde een brede gouden armband. Ze lachte even, negeerde de onnozel starende Sammy Nilsson en de verblufte Barbro Liljendahl, en richtte zich tot de restauranthouder.

'Ik geloof beslist dat je bent afgevallen', zei ze. 'Dat staat je goed.'

'Simone,' zei Slobodan Andersson, 'wat heerlijk om je te zien.'

Hij leek even zijn zelfverzekerdheid weer te hebben hervonden, stond op en gaf haar een kus op haar wang. Sammy Nilsson had het idee dat Slobodan Andersson even haar opmerkelijke oorbel-len stond te bestuderen. Hij sprak vervolgens op beleefde toon met de juriste terwijl hij de politiemensen totaal negeerde.

'Fijn dat u op zo'n korte termijn kon komen', zei Sammy Nilsson terwijl hij een pauze in het getjilp benutte.

De advocate bezat alle eigenschappen waar Sammy Nilsson grote moeite mee had: arrogantie en zelfverzekerdheid, gekop-peld aan een minachting voor politiemensen, alsof ze een lagere kaste handwerklieden vertegenwoordigden die vies werk deden en dat bovendien stuntelig en werktuiglijk uitvoerden. 'Knech-ten' had hij een van de bekende strafpleiters van de stad horen zeggen.

De juriste en Slobodan gingen zitten. Simone koel, met haar benen over elkaar en haar handen zedig gevouwen op haar schoot, de restauranthouder bezweet, zwaar en wat kortademig.

'Zo,' begon Sammy Nilsson toen hij de gegevens op de recorder had ingesproken, 'we hebben het een en ander te bespreken. Allereerst Mexico. Wat hebben Armas en u daar gedaan?'

'Vakantie', zei Slobodan snel.

'Geen kennissen daar? Niets speciaals? Zakenrelaties?'

'Nee.'

'U hebt hierover eerder gesproken met mijn collega Ann Lin-dell.'

'Inderdaad,' zei Slobodan Andersson, 'ik begrijp dat gezeur

over Mexico niet. Is het verboden om daarnaartoe te gaan?'

'Absoluut niet. Misschien heeft een van mijn collega's of ik binnenkort ook wel reden om erheen te gaan. We willen alleen maar duidelijkheid over de vraag waarom Armas zich daar heeft laten tatoeëren. We weten nu wáár het is gebeurd. We weten ook dat u erbij was. Tatoeëerder Sammy Ramírez kan zich u nog goed herinneren. Maar waarom speelde het motief dat Armas had getatoeëerd een rol bij zijn dood?'

'Ik begrijp niet wat u bedoelt.'

'Wij denken dat degene die uw compagnon om het leven heeft gebracht motieven had die met Mexico te maken hadden. Daarom speelt die tatoeage een zekere rol.'

Slobodan Andersson staarde de politieman ontzet aan.

'Quetzalcóatl', las Sammy Nilsson met enige moeite, nadat hij zijn aantekeningen had geraadpleegd, 'was blijkbaar belangrijk en dan niet alleen voor Armas.'

'Waar hebt u het over?' vroeg Andersson.

'De moordenaar heeft de tatoeage uit de bovenarm van Armas weggesneden. Hij heeft uw vriend gevild.'

Slobodan Anderssons mond viel letterlijk open en in zijn ogen waren alleen verwarring en ongeloof te zien.

'Gevild', mompelde hij schaapachtig.

'Daarom willen we dat u over Mexico vertelt.'

'Wil je iets drinken?' vroeg Simone Motander-Banks terwijl ze beide politiefunctionarissen een verbitterde blik toewierp.

Slobodan schudde zijn hoofd.

'Ik weet niets over die tatoeage', zei hij hees.

Barbro Liljendahl stond op, verliet de kamer en kwam al snel weer terug met een karaf water en enkele glazen.

Sammy Nilsson schonk een glas in en zette het voor de restauranthouder neer voor hij verderging.

'Vertel over Patricio Alavez. Hebben jullie hém ontmoet in Mexico?'

Slobodans hand, die net het glas had beetgepakt, trilde en hij knoeide water op tafel.

'Voorzichtig maar', zei Sammy Nilsson goedmoedig.

'Ik wil weten op grond waarvan u mijn cliënt blootstelt aan deze aanval', zei de advocate.

'Natuurlijk', zei Sammy Nilsson en hij leunde voorover in haar richting. 'Wij hebben goede redenen om aan te nemen dat uw cliënt cocaïne heeft gesmokkeld met een waarde van ten minste drie miljoen kronen. Is dat voldoende reden voor onze belangstelling?'

De verdedigingslinies van Slobodan Andersson verschoven steeds verder. Sammy Nilsson ging maar door en demonteerde systematisch Slobodans pogingen tot verklaringen en ontkenningen. Toen hem werd gevraagd naar zijn contacten met Konrad Rosenberg, ontkende hij eerst in alle toonaarden dat hij die persoon kende, maar later moest hij toch toegeven dat hij zich vaag een gast herinnerde die inderdaad Rosenberg heette.

'Uw vriend Konrad is ook dood', deelde Sammy Nilsson onbehouwen mee. 'Cocaïne is zijn dood geworden.'

Hier brak Simone Motander-Banks het verhoor af voor een consult met haar cliënt onder vier ogen. Beide politiemensen verlieten de kamer.

'Yes', zei Sammy Nilsson, en hij ging op een stoel in de kleine koffiekamer voor de verhoorkamer zitten, maar stond even snel weer op.

'Kunnen we hem ook voor de moord op Armas pakken?' vroeg Barbro Liljendahl.

'Onzeker,' zei Sammy Nilsson, 'daar heeft hij een goed alibi. Zeker twintig personen hebben verklaard dat hij die avond in Alhambra was.'

'Hij kan iemand hebben ingehuurd.'

'Dat is mogelijk, maar ik geloof niet dat hij Armas heeft vermoord. Ann gelooft dat al evenmin. Maar we pakken hem op drugs. Ik ben er bijna zeker van dat zijn afdrukken op die tas zitten.'

Het verhoor werd hervat. De politiemensen hadden een tegenaanval van de kant van de advocate verwacht, maar ze was verba-

zingwekkend passief toen Sammy Nilsson de recorder weer aan-
zette.

'Alhambra', begon hij. 'Is het niet een beetje dom om daar zo
veel cocaïne te bewaren? Op uw kantoor hebben we een tas
gevonden met …'

'Ik weet niets af van een tas!'

'We hebben een groot aantal vingerafdrukken kunnen veilig-
stellen en het is alleen een kwestie van tijd voordat we weten of die
van u erop zitten', zei Sammy Nilsson kalm.

'Ik ben erin geluisd', riep Slobodan Andersson. 'Het is een val.
Begrijpen jullie dat dan niet? Ik heb die tas gekregen van een …'

'Van wie?'

'Ik weet het niet', mompelde Slobodan Andersson.

'Dat weet u best', zei Barbro Liljendahl.

Hij tilde zijn hoofd op en staarde haar aan alsof ze een ruimte-
wezen was. Ze zag in zijn ogen het inzicht dat de aftocht niet
geregeld zou zijn, integendeel, alles wat hierna zou volgen, was
paniek, leugens en vernedering. De politie had alle troeven in
handen.

Het enorme lichaam van Slobodan Andersson leek de controle
volledig te hebben verloren en hij zakte op de bank in elkaar. Hij
mompelde iets wat geen van de aanwezigen verstond.

57

Eva Willman was om zes uur 's ochtends wakker geworden en ze had al sinds die tijd lopen piekeren of ze contact zou opnemen met de politie.

De ontsnapping uit de gevangenis van Norrtälje werd in de krant breed uitgemeten. Ze had elke regel met een toenemend gevoel van ongerustheid en besluiteloosheid gelezen. Ze staarde naar de foto van de broer van Manuel. Ze leken ontzettend op elkaar.

Waar zijn ze nu? dacht ze, en ze herinnerde zich Manuels onbekendheid met Zweden. Hij had werkelijk helemaal niets van het land en van Uppsala afgeweten.

Ze geloofde hem toen hij had bezworen dat hij niets van de ontsnapping van zijn broer afwist. Gisteravond misschien niet, toen was er alleen plaats voor ontsteltenis en bitterheid over zijn dubbelspel, maar nu ze zich achteraf zijn verzekering en vooral zijn gezicht herinnerde, was ze bereid hem te geloven.

Wat had hij gezegd toen ze de spoelkeuken had verlaten? Dat hij had gedacht dat ze zijn land had willen bezoeken? Ze schoof de krant opzij en plaatste zichzelf in gedachten in Mexico. Natuurlijk had ze met het idee gespeeld. En dat kwam niet alleen door haar nieuwsgierigheid naar een land of door het feit dat ze onlangs een artikel over het Caribisch gebied had gelezen. Het kwam ook door de man Manuel. Na de eerste indruk, waarin ze had gemeend dat hij op een gangster uit een film leek, had ze geleidelijk haar opvatting moeten herzien. Hij was dan misschien niet beeldschoon, maar hij had een kracht die haar aansprak. Ze had een zwak voor pezige, sterke mannen; ze moest niets hebben van die slappelingen met een buikje en een slechte houding, dat was gewoon zo.

Ze had gemerkt dat hij stiekem naar haar had gekeken. Dat was beslist niet onaangenaam geweest, niet zoals Johnny in de keuken, die haar met een mengeling van minachting en begeerte aanstaarde. Ze bedacht blozend hoe ze gisteren wat extra moeite had gedaan om er goed uit te zien, en de blik die Manuel haar in de kleedruimte had toegeworpen, had haar best wat in verwarring gebracht, maar ook vrolijk gestemd.

Ze was niet verliefd op deze zwartwerkende Mexicaanse leugenaar, maar het was of haar nieuwe werk ook een nieuwe houding ten aanzien van het leven en de toekomst met zich meebracht. Ze was niet statisch. Ze zou zich ontwikkelen. Ze zou geld verdienen en op reis kunnen gaan – daar had ze al zo lang van gedroomd. Ze zou een man ontmoeten om mee te flirten en misschien mee te vrijen. Op een nieuwe manier, niet zoals met Jörgen. Dakar hield een belofte in. Zelfs haar nieuwe, gewaagde kapsel, dat haar min of meer was opgedrongen maar dat ze meteen mooi had gevonden, was daar een bevestiging van.

In dat perspectief was Manuel bij Dakar binnengekomen als boodschapper dat de wereld groter was dan Uppsala. Hoe veel reportages ze ook las en hoe veel reisprogramma's ze ook zag op tv, iemand in levenden lijve was toch een doeltreffender katalysator voor haar dromen.

Eva had natuurlijk best eerder mensen uit vreemde landen ontmoet, je hoefde alleen maar een wandelingetje door Sävja te maken, maar Manuels verhalen over Mexico en het dorp waren doorspekt met een liefde en een verlangen die Eva met al haar zintuigen in zich had opgenomen. Ze kon het niet onder woorden brengen, maar hij had haar naar méér doen verlangen.

Nu was hij voorgoed verdwenen. Ze ervoer het als verraad, alsof ze aan het begin van een veelbelovende romance was bedrogen.

Hugo kwam slaapdronken de keuken binnensloffen. Eva stond op en dekte snel de tafel. Ze glimlachte om Patriks geklater op het toilet.

'Hoe is-ie?'

Hugo gromde wat en schreeuwde naar Patrik dat hij moest opschieten.

Toen het ontbijt was genuttigd, dat in vijf minuten gepiept was omdat beide jongens zich hadden verslapen, en ze gehaast naar school waren vertrokken, ging de telefoon. Eva keek op de klok aan de muur, het was even na negenen.

Ze nam op en hoorde Feo's opgewonden stem. Hij vertelde dat hij was gebeld door Donald, die op zijn beurt weer was gebeld door Oscar Hammer van Alhambra. Oscar had verteld over het politiebezoek en hij had gezegd dat hij alle sleutels had moeten afgeven. Dakar, Alhambra en de woning van Slobodan zouden worden doorzocht. De politie had niet willen vertellen waar het om ging, maar Hammer had gegokt op een inval van de FIOD-ECD.

Toen Donald vervolgens als een speer naar Dakar was gegaan, was hij tegengehouden door een politieman die als een uitsmijter bij de ingang had gestaan. Donald had een hond in het restaurant gezien.

'Het gaat vast om drugs', zei Feo. 'De belastingdienst werkt niet met honden.'

'Denken ze dat Manuel ...'

'Nee, waarom zouden ze zich voor hém interesseren? Een zwartwerker is geen reden voor een grootscheepse inval bij Alhambra en bij Slobban thuis. Het moet iets anders zijn. Shit!'

Eva begreep dat Feo aan zijn eigen werk dacht en ze bedacht opeens dat dat ook voor haar gold. Als de politie Dakar dichttimmerde, was ze weer werkloos.

'Heeft Donald verder niets gezegd?'

'Hij probeerde met de politie te praten, maar dat waren een stelletje koude kikkers, dus hij is weer naar huis gegaan. We moeten maar afwachten.'

'Ga jij erheen?'

'Ik moet vandaag werken', zei Feo gelaten.

Toen ze had opgehangen, bleef ze aan de keukentafel zitten. Dit was te veel. Eerst de onthulling over Manuel en zijn ontsnapte drugsbroer, en nu dit.

Eva stond met een zucht op, pakte de telefoongids uit een keukenla, zocht het juiste nummer van de politie, toetste de cijfers in en kreeg een bandje te horen waarbij ze uit verschillende opties kon kiezen. Na een paar seconden gooide ze de hoorn met een klap op tafel en verbrak ze het gesprek.

58

Manuel werd met een schok wakker. De zon stond hoog aan de felblauwe hemel. Een plotselinge schaduw op zijn gezicht had hem wakker gemaakt en toen hij zijn ogen opende, stond er een man over hem heen gebogen. Manuel schrok op, de man deinsde achteruit en riep iets waardoor Patricio ook ontwaakte en overeind ging zitten.

De man zei iets wat ze niet verstonden. Manuel ademde uit. Het was de visser, de man die altijd met een hengel over zijn schouder langsliep.

Manuel maakte een kalmerend gebaar naar Patricio.

'Not understand', zei Manuel.

De visser moest lachen, maar hij ging verder in het Zweeds. Daarna boog hij omlaag, deed alsof hij iets van de grond pakte en bracht zijn hand naar zijn mond terwijl hij met zijn hele gezicht lachte.

Manuel keek hem niet-begrijpend aan, maar toen hij omhoog wees naar het talud en naar het veld, begreep hij dat de visser aardbeien bedoelde. Manuel knikte uitvoerig.

De man streek met zijn hand over zijn voorhoofd, trok een grimas die pijnlijk moest lijken en greep naar zijn rug.

Patricio zat de kleine pantomime verbaasd te aanschouwen.

'Wat wil hij?' vroeg Patricio.

'Hij denkt dat wij aardbeienplukkers zijn.'

De man vermaakte de broers nog een paar minuten met zijn gebarenspel over hoe slecht het met de vis was gesteld en dat de zon zo lekker verwarmde.

Hij zei gedag en verdween stroomafwaarts. Manuel meende dat hij er gelukkig uitzag zoals hij daar liep.

'Hij gaat zeker vissen', zei Patricio, en hij keek naar het water, dat traag voortkabbelde.

Hij stond op en liep naar de waterkant. Manuel zag dat hij op zijn hurken ging zitten en zijn hand in het water stak, voordat hij zijn hoofd omdraaide en naar zijn broer keek.

'Weet je nog toen we bij de Rio Grande stonden?'

Manuel knikte. Hoe zou hij dat kunnen vergeten?

'Daar waren we ook vreemden. Zelfs de vriendelijke mensen konden we niet vertrouwen. Stel dat die visser gewoon een toneelstukje aan het opvoeren was?'

'Dat geloof ik niet', zei Manuel.

'Zoals Hamilton, die broccoliteler, die bier kocht en ons te eten gaf', vervolgde Patricio. 'We dachten dat hij het goed met ons voorhad, maar toen belde hij de politie en konden we fluiten naar ons geld.'

'Ik weet het,' zei Manuel, 'maar het heeft weinig zin om daar nu over te gaan piekeren.'

Hij begreep zijn broer maar was tegelijkertijd geïrriteerd over diens moedeloosheid.

'Je bent vrij!' riep Manuel uit en hij spreidde zijn armen, alsof hij met één gebaar alle wanhoop kon wegnemen.

'Is dat zo?'

Patricio keerde zich weer om naar de rivier en staarde in het water.

'We moeten hier een paar dagen blijven tot de zaak wat is geluwd,' zei Manuel, 'maar je moet wel vertrouwen hebben in de goede afloop.'

Patricio zei niets. Manuel moest aan Eva denken. Wat dacht ze over hem? Dat hij een leugenaar was natuurlijk, maar ze meende ook vast dat hij in de drugs zat. Hij wilde zo graag bevriend met haar zijn en het deed pijn dat ze slecht over hem dacht. Dat voelde oneerlijk en onnodig. Hij had haar moeten vertrouwen en moeten vertellen waarom hij naar Zweden was gekomen. Dan zouden ze misschien nog vrienden zijn geweest.

Hij had begrepen dat de gedachte aan een reis naar Mexico haar wel wat had geleken. Het was niet alleen een onschuldig grapje tussen hen geweest. Hij had een verlangen in haar ogen gezien en een gloed die was ontvlamd. Ze had de mogelijkheid overwogen, maar nu was alles voorbij.

Manuel verachtte zichzelf omdat hij haar had teleurgesteld en vroeg zich af of de schade nog te repareren viel.

Patricio onderbrak zijn gedachten door op te staan en een broodje en een blikje drinken te pakken. Hij at en dronk zwijgend.

'Is het te eten?' vroeg Manuel.

'Ik heb weleens slechter gegeten', antwoordde Patricio glimlachend.

Manuel lachte van opluchting en hij begreep dat zijn broer moeite deed om hun onenigheid en de slechte stemming te overbruggen.

'Ik neem ook wat', zei hij. Hij pakte de sandwiches en ging naast zijn broer zitten.

'Vanmiddag zal ik wat gegrilde kip regelen', vervolgde hij.

Op hetzelfde moment kwam er een helikopter laag overvliegen. Hij kwam vanuit het noorden en vloog boven de rivier op zo'n honderd meter van de plaats waar de broers zaten.

Ze werden totaal verrast en waren niet in staat te reageren voordat de helikopter uit hun gezichtsveld was verdwenen.

'De politie', fluisterde Patricio.

Manuel wist niet wat hij moest denken.

'Misschien militairen', zei hij en hij vertelde dat hij dacht dat er een vliegbasis aan de andere kant van de rivier lag.

'Ze zijn naar mij op zoek', zei Patricio, en hij kwam overeind.

'Ik kan naar de overkant zwemmen om te kijken', bood Manuel aan. 'Misschien is het gewoon routine en heeft het niets met ons te maken.'

Hij keek naar de bosjes waar hij het geld had verstopt. Patricio merkte zijn blik op.

'Als jij naar de overkant zwemt, breek ik de tent vast af. Ook al zouden ze niet naar ons op zoek zijn, dan nog zijn we vanuit de lucht goed zichtbaar.'

Manuel gaf hem gelijk. Hun tent moest vanuit de lucht oplichten als een fakkel. Hij kleedde zich uit, zwom de rivier over, klom aan de overkant omhoog en zag ver weg de helikopter staan, die was geland. Hij kon niet zien of het een politiehelikopter was, maar er was geen activiteit op het vliegveld zichtbaar.

Twintig minuten later waren ze op weg. Ze volgden de rivier in zuidwestelijke richting. Manuel had daar een bos gezien. Daar moesten ze een beter verborgen plek kunnen vinden. De auto hadden ze zolang bij het handwerkdorp laten staan.

Na een wandeling van een paar kilometer maakte de rivier een rechte bocht naar het zuiden, richting Uppsala. De broers klauterden de oever op en bespraken wat ze zouden doen. Voor hen lag een veld en daarachter een dicht bos.

Ze namen het risico en liepen over het veld, kwamen bij een provinciale weg die ze overstaken, meden een paar huizen, bereikten uiteindelijk het beschermende gordijn van bomen en volgden een vrij onzichtbare weg door het bos. Ze zagen bordeauxrode paddestoelen tussen de zware takken aan beide kanten van de weg.

'Het lijkt wel een kathedraal', zei Patricio en hij bleef staan, streek met zijn hand over de stekelige naalden. Wat zou het mooi zijn als we niet …'

'We lopen door!'

Manuel was geïrriteerd. Op zich was hij blij met de onderbreking, want ondanks de snelle mars vertoonde zijn broer geen enkel teken van vermoeidheid, terwijl hijzelf hijgend ademhaalde.

'Ze zijn naar ons op zoek', zei Patricio.

Alsof ik dat niet wist, dacht Manuel.

'Als we vrij zouden zijn, zou ik …'

'Wat dan?'

'Ik weet het niet', zei Patricio aarzelend. 'Ga jij naar de mis?'

'Waarom zou ik niet naar de mis gaan?' vroeg Manuel onthutst.

Hij vervolgde zijn wandeling dieper het bos in. Patricio sjokte erachteraan. Vlak daarna kwamen ze bij een huis.

'Het ziet er verlaten uit', zei Patricio.

Ze zagen geen beweging op het erf of voor het raam, en er kwam geen rook uit de schoorsteen. Een oude boom, nog steeds groen en vol appels, lag dwars over het grindpad dat van het hek naar het huis liep. Manuel raakte wat droevig bij de aanblik van de reus die in de vruchtbare periode was omgevallen. De kroon was door de val gedeeltelijk kapotgeslagen. Manuel liep erheen en bestudeerde de stekelige en opengescheurde wonden, waar dikke takken van de stam waren gescheiden. Het hout was licht maar had een vermolmde, bruine kern die Manuel gemakkelijk tussen zijn vingers kon verpulveren.

'Wie woont er hier in het bos?' vroeg hij terwijl hij om zich heen keek.

Achter een lage stenen muur lag een akkertje. Het lag braak en er staken boompjes omhoog tussen een warrige zee van hoge kruiden en grassen. De roodgeschilderde gevel van het huis scheen warm en verwelkomend in het middagzonnetje en bij de hoge stenen fundering wiegden gele bloemen, een soort die Manuel herkende uit zijn vaderland.

Hij liep naar de deur en voelde aan de klink. De deur zat op slot.

'Manuel, kom!'

Patricio stond op de drempel van een kleiner huisje en gebaarde zijn broer te komen.

'Hier kunnen we slapen', zei Patricio toen Manuel eraan kwam.

Het huis bestond uit een klein kamertje. Langs de ene muur lag hout opgestapeld tot aan het plafond. Aan de andere kant stond een oud ijzeren bed. Er lag een opgerolde matras op. Patricio maakte het touw los dat de matras bij elkaar hield en de matras rolde uit. Hij moest lachen.

'Opgemaakt', zei hij, en hij liet zich op het bed vallen.

Ze brachten hun weinige bezittingen naar binnen en installeerden zich. De tas met het geld verstopte Manuel achter het hout. Het was een beetje raar om een vreemd huis binnen te dringen, maar aan de andere kant was het huis open en ze maakten niets kapot. Het belangrijkste was dat ze vanuit de lucht niet zichtbaar waren wanneer er meer helikopters zouden komen.

Patricio lag uitgestrekt op het bed met zijn handen onder zijn hoofd. Manuel ging op een wiebelige houten stoel zitten.

'Stel dat we alles zouden vertellen', zei Patricio na een hele tijd.

Manuel keek hem vragend aan. Hij was te moe om te denken. De vermoeidheid in Zweden was een ander soort vermoeidheid dan thuis. In de bergen kon hij uren lopen, ook met bepakking, zonder moe te worden.

'Ik geloof niet dat de Zweden weten hoe het in Mexico is', vervolgde Patricio.

'Dat is toch ook niet zo gek? Hoeveel mensen in het dorp weten hoe het er hier aan toegaat? En hoe had je dat gedacht? Ga je optreden op tv?'

Patricio deed zijn ogen dicht. Er liep een spinnetje door zijn kortgeknipte haar. Manuel keek naar Patricio's gezicht. Hij moet weer naar huis komen, dacht hij. Hij boog zich voorover en streek het spinnetje weg. Patricio glimlachte maar deed zijn ogen niet open. Na een minuut was hij diep in slaap.

Als we alles zouden kunnen vertellen, dacht Manuel, waar zouden we dan moeten beginnen? Hoeveel mensen zouden er luisteren? Eva misschien, maar wie nog meer?

Hij stond op en ging zo zacht mogelijk weer naar buiten. Hij liep naar het huis, wrong zich tussen een paar struiken door naar het raam en keek naar binnen. Dat was een keuken. Er was een op hout gestookt fornuis met daarachter een witgepleisterde muur. De enige inrichting bestond uit een tafel met vier stoelen. Op tafel lagen een vergeelde krant en een bril.

Toen hij bij het raam wegging en door het bloemperk liep, rook hij een bekende geur. Hij snoof, keek omlaag en kreeg een schok toen hij begreep wat er zo aromatisch rook.

Hij had op rúít getrapt. Hij herkende de zachtgeel-groene bladeren maar al te goed.

Zal ik hier sterven? dacht hij, sloeg een kruis en liep langzaam naar achteren. Toen hij opkeek, meende hij de kinderen van Miguel voor het raam te zien staan. Hij wilde het huis verlaten en wegrennen, maar bedacht zich.

Hij bedacht opeens dat de arme mensen in dit land misschien ook wel ruit voor hun huis plantten omwille van de geneeskrachtige werking. De rijken namen een pilletje als ze pijn hadden terwijl de armen thee zetten van kruiden of een kompres van geneeskrachtige bladeren aanbrachten. Het was het huis van een arme waar ze ongenood waren binnengevallen. Dat voelde onmiddellijk beter. Een rijke zou buiten zinnen raken. Een arme zou het misschien begrijpen. Zo was het in het dorp. De armen waren veel royaler, maar hadden aan de andere kant ook niet zo veel te bieden.

Manuel bedacht dat ze de tuin wel wat konden opknappen. Hij meende in het kleine huisje een zaag te hebben gezien. Ze zouden de omgevallen boom in mootjes kunnen hakken. Dat zou in een handomdraai zijn gebeurd.

Hij ging weer naar binnen naar Patricio, die nog steeds sliep. Hij lag in foetushouding naar de muur gekeerd. Manuel pakte de deken uit de bepakking, kroop naast zijn broer en trok de deken stevig om hen heen.

59

Ann Lindell had zelden of nooit zo'n toestroom van informatie meegemaakt. Het begon met nieuwe gegevens van de politie van Norrtälje, waardoor de focus in het onderzoek naar Armas verschoof. Patricio Alavez, die was veroordeeld wegens poging tot drugssmokkel, had een paar dagen daarvoor bezoek gehad van zijn broer, Manuel Alavez. Lindell probeerde onmiddellijk wat meer informatie over deze nieuwe deelnemer in het spel te krijgen. De fax liep en via de mail kwamen gegevens binnen die haar steeds meer overtuigden: die broer was hoogst interessant.

Ze vroeg Fryklund, de aspirant die een parel was gebleken, uit te zoeken hoe en wanneer Manuel Alavez naar Zweden was gekomen. Na een half uur belde Fryklund al terug.

Hij was met een rechtstreekse vlucht van Mexico-Stad naar Arlanda gekomen en had daar een auto gehuurd, een bijna nieuwe Opel Zafira. De Mexicaan had de autohuur contant voldaan. De auto zou over vier dagen worden teruggebracht, dezelfde dag als die waarop zijn terugreis naar Mexico was geboekt.

Voordat ze het gesprek met Fryklund afrondde, kreeg hij een nieuwe opdracht: alle beschikbare informatie over de gebroeders Alavez bij de Mexicaanse overheidsinstanties lospeuteren. Een deel daarvan was al gedaan in verband met het onderzoek naar Patricio Alavez, maar nu was zijn broer erbij gekomen. Was hij in Mexico veroordeeld voor een misdrijf?

Daarna belde Lindell Morgansson bij de Technische Recherche, gaf hem het nummer van het bedrijf dat de Opel had verhuurd en vroeg hem te controleren of de bandensporen die ze bij Lugnet hadden gevonden van die huurauto zouden kunnen zijn.

'Het gaat erom welk bandenmerk ze gebruiken', zei Morgansson.

Een overbodige opmerking, dacht Lindell, die zich er steeds meer aan ging ergeren als collega's met vanzelfsprekendheden kwamen.

'Is er DNA van Lugnet?' vervolgde ze.

'Uiteraard', zei Morgansson.

'Check dat met dat van Patricio Alavez, die knul die uit Norr-tälje is ontsnapt.'

'*Ay ay, captain*', zei de technisch rechercheur.

Lindell had het idee dat ze een stafofficier was die zijn troepen met een veldtelefoon dirigeerde, maar vatte Morganssons antwoord niet op als kritiek. Ze wist dat hij het ook prettig vond als het een beetje opschoot.

'Het begint wat te worden', zei Lindell in een poging wat meer ontspannen over te komen. En misschien was het ook een manier om onbewust haar waardering voor het werk van haar collega te laten blijken.

'Ja, het ziet er goed uit,' vond ook Morgansson, 'als die broers Alavez nu bij elkaar blijven, krijgen we ze wel te pakken.'

'Weet je al wat meer over Rosenberg?'

'Nee, eigenlijk niet. Buiten die cocaïne op tafel waren er geen drugs in dat appartement. Het was er verbazingwekkend netjes. We hebben drie vingerafdrukken veiliggesteld buiten die van hemzelf.'

'Die van Slobban?'

'Nee, die zaten er niet bij.'

Ze rondden het gesprek af en Lindell voelde zich opgelucht. Het was voor het eerst dat ze gewoon met elkaar hadden kunnen praten zonder dat hun mislukte relatie op de achtergrond had gespookt.

'Dan krijgen we ze wel te pakken', herhaalde ze hardop bij zichzelf.

Ze probeerde zich twee opgejaagde mannen voor te stellen. Was er een helper die hen verborgen hield? De collega's van Norrtälje hadden de films van de bewakingscamera's van de gevangenis bekeken en hadden, net als het personeel van de gevangenis, de conclusie getrokken dat de ontsnapping van Patricio een spontane actie was geweest. De medewerkers hadden ook bevestigd dat de Mexicaan geen specifiek contact met de drie andere gedetineerden had gehad. Ze zaten op verschillende afdelingen en hadden nooit samen gewerkt.

Als het van de kant van Alavez een ongeplande ontsnapping was, was het niet waarschijnlijk dat hij op bescherming van vrienden buiten de muren kon rekenen. Maar niemand wist iets over zijn eventuele netwerk. Alavez had tijdens het hele proces gezwegen en geen enkel detail over zijn smokkelpoging onthuld. Hij was dan misschien niet welkom als hij onverwacht bij een compagnon buiten de muren op de stoep zou staan, maar zijn loyaliteit zou hem toch ook weer pluspunten moeten geven.

Was er überhaupt iets waarvoor de gebroeders Alavez zich in Uppsala zouden kunnen bevinden? Ja, bedacht Lindell, want als er een verband tussen de ontsnapte gevangene, Slobodan Andersson en Armas bestond, was het vrij natuurlijk dat Alavez naar de stad zou komen. En er wás een verband, daarvan was ze overtuigd. Die tatoeage, en vooral het verwijderen ervan, plus het feit dat cocaïne de business *area van zowel Alavez als Slobodan was, pleitten daarvoor.*

Sammy Nilsson kwam langs Lindells openstaande deur gerend. Ze riep hem en hij stak zijn hoofd naar binnen.

'Er moet een opsporingsbericht uit voor een Opel Zafira', zei ze en ze stak hem een papier toe. 'Zou jij dat kunnen regelen? En dan nog wat: waar zou jij heen gaan met een tent en een ontsnapte broer?'

Sammy Nilsson pakte de gegevens over de huurauto aan en ging vervolgens zitten.

'Heb je het gehoord van Berglund?' vroeg Sammy.

Lindell knikte.

'Ontzettend triest', vervolgde hij. 'Het wemelt van de rotte eieren, gezond en wel, en dan is iemand als Berglund de klos.'

'Ja, het is niet eerlijk', zei Lindell. 'Maar dat wisten we al.'

Ze wachtte een paar seconden voor ze haar redenering over de gebroeders Alavez weer oppakte.

'Waar zou jij een tent opzetten?'

Sammy keek haar een paar seconden aan voordat hij naar de aantekeningen keek. Lindell begreep dat hij verder wilde praten over hun collega met de hersentumor.

'Niet op een camping, dat is duidelijk', zei Sammy. 'Is het

een knul uit de stad of van het platteland?'

'Geen idee', zei Lindell. 'Hoe bedoel je?'

'Als het een crimineel van een stadsliga of een drugskartel is, gaat hij niet kamperen. Dat is te gewoon. Zo'n figuur neemt zijn intrek in een hotel.'

'Die moeten we dan natrekken', zei Lindell.

'Valse naam?'

'Zou kunnen, maar als broer Manuel nu degene was die bij Lugnet heeft gekampeerd, dan wijst dat toch wel op een bepaalde mentaliteit. De vraag is alleen waar hij na Lugnet heen is gegaan.'

'Redelijkerwijs in de buurt van de stad', zei Sammy Nilsson. Hij stond op en liep naar de kaart van de provincie Uppland, die aan de muur hing.

'Oké,' zei hij, 'als jij iemand ten zuiden van de stad hebt doodgeslagen, zet je je tent vast niet aan de overkant van de rivier op.'

'Maar hij kent de omgeving niet.'

'Wat zou jij zelf doen?' vroeg Sammy Nilsson.

'Een kaart kopen en een goed gebied uitzoeken.'

'Wat is goed?'

'Waar niet zo veel mensen wonen.'

'Maar toch niet te ver van een weg, hè?' zei Sammy Nilsson met zijn rug naar Lindell gekeerd terwijl hij de kaart bestudeerde.

Hij ging met zijn vinger van de zuidkant van de stad naar het noorden, volgde met zijn wijsvinger de E4.

'Månkarbo,' zei hij plotseling en hij keerde zich om, 'daar zou ik naar het noordwesten afbuigen.'

'Månkarbo?'

Sammy Nilsson knikte.

'Nu mag je zelf verder navigeren', zei hij met een grijns.

Toen hij de kamer had verlaten, liep Lindell naar de kaart en zocht het plaatsje op, zo'n vijfentwintig kilometer ten noorden van Uppsala.

Ze herinnerde zich Månkarbo als een dorp met een hinderlijk lang stuk waar een snelheidsbeperking gold, een paar winkels en een benzinepomp.

Ze liep bij Ottosson binnen.

'Cementgieterij', zei hij, 'en een gebouwtje van de missiekerk midden in het dorp. Waarom vraag je dat?'

'Nee, dat was een idee van Sammy, dat de gebroeders Alavez naar het noorden zouden zijn gegaan en toen noemde hij Månkarbo, of all places.'

'De gieterij is eeuwen geleden al opgeheven, maar die missionarissen zijn er nog. Je denkt dat ze kamperen?'

'Ja, of dat ze zich bij een drugscompagnon schuilhouden.'

'Denk je dat die broer betrokken was bij die bevrijdingsactie?'

'Volgens mij wel', zei Lindell. 'Zijn bezoek aan de gevangenis was misschien een laatste instructie hoe de actie in zijn werk zou gaan. Dat Patricio Alavez voor de camera toneelspeelt, is niet van belang. Misschien aarzelde hij omdat die vrijlating niet ging zoals hij zich had voorgesteld.'

'Door die gijzeling?'

'Volgens Norrtälje was hij een rustige knul en misschien vond hij dat geweld waarmee een gijzeling meestal gepaard gaat maar niets.'

'De collega's van Norrtälje menen dat ze zich hebben verspreid. Er zijn ten minste twee auto's vertrokken van die plek in het bos waar ze de bestelwagen hadden gedumpt. Maar waarom zou een van hen eigenlijk naar Uppsala willen? Als ze nu ...'

Zijn redenering werd onderbroken door de telefoon. Hij nam op en luisterde een minuut, bromde een paar keer, bedankte voor de informatie en hing op.

'Björnsson en Brügger zijn een uur geleden in Stockholm opgepakt. Die idioten probeerden een postkantoor te beroven. Hoe dom kun je zijn? De politie van Västerort laat wat van zich horen, mochten ze nuttige informatie loskrijgen.'

'Mooi', zei Lindell met nadruk. 'Dat zijn er twee minder.'

'Dan resteren alleen onze Mexicaanse vrienden nog en die Spanjaard', zei Ottosson goedmoedig.

Het verhoor met Slobodan Andersson werd na de lunch weer opgepakt. Lindell ging naar beneden om mee te luisteren. Ze herinnerde zich hun discussie over het eten in de gevangenis.

Nu mocht hij het zelf uitproberen en dat deed haar enorm veel deugd.

Sammy Nilsson en Barbro Liljendahl namen ook de verdere verhoren voor hun rekening. Lindell kwam de ruimte binnen op het moment dat Simone Motander-Banks net een college begon over inbreuk op de privacy. Iedereen, inclusief de verdachte, keek haar met uitdrukkingsloze ogen aan. Slobodan liet op geen enkele manier blijken dat hij Lindells komst had geregistreerd.

Toen de advocate zweeg, knikte Sammy Nilsson vriendelijk. Hij gaf geen commentaar op haar kritiek en zette de recorder met een sardonisch lachje aan en sprak de verhoorgegevens in.

Deze keer richtten ze zich op Slobodans kennissenkring. Ze begonnen met Konrad Rosenberg, waar de antwoorden hetzelfde waren als die ochtend: ze gingen niet met elkaar om, hij kende Rosenberg alleen als restaurantgast en hij had geen idee waarom of hoe Rosenberg was overleden.

Barbro Liljendahl liet dat thema los en Sammy nam het over. Hij probeerde nogmaals Slobodans Mexicaanse avontuur uit te diepen, maar ook daar kwam niets nieuws uit. Toen Sammy Nilsson op het onderwerp Lorenzo Wader kwam, rechtte Slobodan zijn rug. Voor Lindell was het duidelijk dat de verwachte antwoorden van Andersson een toenemende onrust en wellicht ook verwondering met zich mee zouden brengen. Het was alsof Slobodan Andersson geleidelijk aan ging inzien dat de politie over onverwachte informatie beschikte en dat hij zelf slechts een poppetje was in een spel dat hij meende te beheersen.

'Ik heb een keer of twee, drie met Wader gesproken. Hij komt weleens naar het restaurant voor een biertje en om een hapje te eten. Waarom vragen jullie naar hem? Ik weet niets.'

'We hebben gegevens dat hij met Konrad Rosenberg omging', zei Sammy Nilsson.

De restauranthouder staarde hem aan.

'Daar weet ik niks van', zei hij, en door de agressiviteit ging zijn stem fluiten.

'Olaf González dan?'

'Wat is er met hem?'

'Hij werkt toch bij …'

'Hij is gestopt!'

'Dat niet alleen, hij is ook verdwenen. Weet u waar hij heen is?'

Slobodan schudde zijn hoofd.

'Is dat een nee?'

'Nee!'

'Uw voormalige ober ging ook om met Lorenzo Wader', ging Sammy Nilsson door. 'Ze zijn samen gesignaleerd bij hotel Linné en bij Pub 19. Het is opmerkelijk hoe oplettend bedienend personeel is.'

'Die klootzak', liet Slobodan Andersson zich ontvallen.

'Waarom is hij ontslagen?' vroeg Sammy.

'Ruzie met Armas. Ik weet het niet precies. Ik kan niet alles in de gaten houden', zei Slobodan verbeten.

'Nee, dat is duidelijk', zei Sammy Nilsson.

Tijdens het verhoor hief Slobodan Andersson eenmaal zijn zware hoofd op en keek hij Lindell met een hatelijke blik aan. Ze glimlachte hem toe.

Slobodan Andersson maakte een snelle en bijna onzichtbare beweging met zijn vinger over zijn keel.

'Kunt u meer vertellen over de man die u de tas heeft gegeven?' vroeg Sammy Nilsson.

De kroegbaas schudde zijn hoofd.

'Ik geloof niet dat mijn cliënt wat op die vraag te zeggen heeft', zei de advocate.

Het verhoor werd afgerond en voordat Slobodan Andersson naar het huis van bewaring werd teruggebracht, vroeg Ann Lindell wat hij van het eten vond.

Sammy keek haar niet-begrijpend aan. Lindell trok haar zonnigste glimlach. Slobodan mompelde iets en slofte achter de bewaker aan.

60

Oscar Hammer van Alhambra, Donald van Dakar en Svante Winbladh van Ehrligs Accountants sloten hun in alle haast bijeengeroepen vergadering af met het besluit om vanaf de volgende dag de restaurants weer open te doen, ook al zat de eigenaar in hechtenis.

Het gegeven dat er cocaïne in het spel was, was ingeslagen als een bom. Geen van de drie had kunnen vermoeden dat hun chef en opdrachtgever zich bezighield met de smokkel en verkoop van drugs. Svante Winbladh was nog het meest geschokt.

'Het is hoogst ongelukkig', riep hij. 'Dat wij bij zoiets betrokken moeten worden. Dat is funest voor onze reputatie als een serieus ...'

'Rustig aan', onderbrak Oscar Hammer. 'Jij hebt toch schone handen?'

De accountant keek hem met een vijandige blik aan.

'Ik geloof niet dat je de consequenties begrijpt', zei hij, en hij stond op.

'Toch wel,' zei Oscar Hammer, 'het gaat om onze banen. Donald, bel jij jouw mensen bij Dakar?'

Donald knikte. Hij had tijdens de vergadering niet veel gezegd, alleen zijn verbittering uitgesproken over het feit dat er nu zeker nieuwe verhoren met alle medewerkers zouden komen.

Zijn eerste reactie was geweest om ontslag te nemen, maar hij had besloten te blijven en te kijken hoe de zaak zich zou ontwikkelen. Hij wist dat Hammer plannen had om Alhambra over te nemen en hij speelde zelf met de gedachte om Dakar uit te kopen en het restaurant in eigen beheer te gaan runnen.

Hammer en Donald verlieten het accountantskantoor en keerden terug naar hun respectievelijke restaurants. Ze hadden toestemming gekregen om de agenda's op te halen om de gasten te kunnen bellen die voor die avond hadden gereserveerd.

Bij Dakar ging het technisch onderzoek verder. Donald wisselde enkele woorden met een rechercheur die hij kende en kreeg te horen dat de cocaïne die ze bij Alhambra hadden gevonden een straatwaarde had van circa drie miljoen kronen.

'Maar wat hopen jullie hier te vinden?'

'Iets', zei de politieman. 'We weten niet altijd wát.'

'Maar toch geen drugs, hè?'

Donald zou het als een persoonlijke belediging opvatten als ze cocaïne bij 'zijn' restaurant zouden aantreffen.

'Daar kan ik niets over zeggen.'

Donald verliet het restaurant en liep het kleine stukje naar huis om iedereen te bellen. Dat was een klusje dat hij het liefst van alles wilde vermijden.

Hij begon met Feo, die op zijn beurt beloofde Eva te bellen. Daarna toetste Donald Johnny's nummer in.

Eva Willmans eerste gevoel was woede, daarna kwam de schaamte. Ze werkte voor een man die drugs verkocht. Dat was vreselijk. Wat zou ze tegen Helen moeten zeggen? Haar vriendin, die nu een groot deel van haar vrije tijd besteedde aan het overhalen van de buren om naar de discussieavond over narcotica in de buurt te komen. Eva zou zich daar niet kunnen vertonen. Ze zou zich de ogen uit haar hoofd schamen.

Haar opgetogenheid over het feit dat ze werk had, was als sneeuw voor de zon verdwenen. Feo had gezegd dat alles bij het oude zou blijven, maar dat was nog maar de vraag, bedacht Eva. Hoe zouden de gasten reageren? En wie wilde er eten bij een smokkelcentrale voor cocaïne?

En wat zouden Patrik en Hugo zeggen?

Ze zat als verdoofd aan de keukentafel en herinnerde zich hoe blij ze eerst was geweest; het fietsen naar de stad en terug, hoe ze al meende dat ze een betere conditie had gekregen, het gevoel dat ze had wanneer ze de zwarte rok en de nette bloes aantrok, haar nieuwe uiterlijk dat het kapsel en een meer doordachte make-up haar hadden gegeven, de waardering van de gasten, dat ze honderd kronen van het verliefde stelletje had gekregen, de gesprekken met de collega's, de ontluikende vriendschap met Tessie. Ja, alles wat er bij Dakar sinds de nerveuze start was gebeurd, had een belofte ingehouden voor een ander en beter leven.

En dan Manuel. Waarom was ze zo blij met hem geweest? Was het omdat hij haar – achter de beheerste begeerte – behandelde met waardering en met een zeker respect? Want uit zijn blikken en bewegingen sprak wel degelijk lust. Toen ze in de spoelkeuken hadden staan praten en lachen, had ze zichzelf betrapt op de gedachte: raak me aan! En het was alsof haar gedachten Manuel onbewust ook hadden beïnvloed. Hij was verlegen maar tegelijkertijd enthousiast geworden. Door de hitte van de vaatwasser was zijn donkere huid vuurrood aangelopen en ze had het zweet dat bij zijn haarwortels parelde graag willen wegvegen en zijn voorhoofd met een frisse hand willen verkoelen.

Foei, dacht ze. Ik wilde hem hebben. Alsof het niet genoeg is dat ik voor een drugsdealer werk, verlangde ik ook nog naar een leugenaar die misschien betrokken is bij drugssmokkel en die een bajesklant als broer heeft. Een broer die op alle voorpagina's van de kranten stond.

Eva stond op en ging naar de slaapkamer om haar bed op te maken, maar bleef met de sprei in haar hand staan. Nu was ze weer terug bij af, bij haar oude leventje met passiviteit en ongerustheid over de toekomst. De woorden van Feo, dat ze altijd een baan als serveerster zou kunnen krijgen mocht Dakar over de kop gaan, stelden haar niet gerust. Die korte tijd bij Dakar, wat was dat nu voor merite?

Er fladderde een vlinder voor het raam, maar hij verdween even snel als hij was gekomen. Eva liet de sprei los en liet zich op het bed zakken.

Jammer dat die droom zo snel voorbij is, dacht ze.

61

De gebroeders Alavez zaten nu drie dagen in het huisje. Ze hadden geen mens gezien. Soms hoorden ze het doffe gebrom van auto's en een knallend geluid. Ze meenden dat dat geknal afkomstig was van wapens, regelmatige salvo's in series, en ze namen aan dat het militairen waren die oefenden.

Op de avond van de eerste dag was Manuel teruggegaan naar het handwerkdorp. Hij had de parkeerplaats een paar uur in de gaten gehouden voordat hij naar de auto toe had durven lopen. Nu stond de Opel in een bouwvallige garage bij het huis.

Op de ochtend van de tweede dag had Manuel een ladder tegen het woonhuis gezet, hij was omhoog geklommen en erin geslaagd een raam open te maken. In de keuken hadden ze koekjes, een doos met conservenblikken en een pak rozijnen gevonden. Ze hadden met een emmer water uit de put gehaald en in een ondergrondse kelder buiten hadden ze een paar stoffige jampotten gevonden met het jaartal 1998 op het etiket.

Ze waren gewend aan schamele kost en hadden eigenlijk niets te klagen. Het nietsdoen was erger. Patricio werd onrustig en prikkelbaar. Manuel had een grapje gemaakt en gezegd dat hij toch wel gewend moest zijn om op een brits te liggen, maar Patricio had alleen wat gemompeld.

Manuel had erover liggen piekeren of hij over de dood van Armas zou vertellen. Pas de tweede dag, toen ze het over de dikke en de lange hadden gehad, had Manuel bedacht dat zijn broer van niets wist. Manuel had op de een of andere onbewuste manier verondersteld dat Patricio wist wat er bij de rivier was gebeurd. Hij besloot niets te zeggen.

Manuel had de appelboom in mootjes gehakt en het stookhout tegen de muur van het huisje gestapeld. Patricio had hem geholpen met het bijeenrapen van de twijgen die overal verspreid lagen, maar verder was het een passief wachten geweest.

Nu was er nog één dag over voordat Manuels vlucht naar Mexico zou vertrekken. Ze hadden doorgesproken hoe ze te werk zouden gaan en besloten samen naar Arlanda te gaan. Patricio zou Manuels paspoort en ticket gebruiken om het land te verlaten. Patricio had steeds meer twijfels gehad bij het plan en kwam met allerlei tegenwerpingen.

'Hoe kom jij dan naar huis?'

'Daar hebben we het toch over gehad', zei Manuel geïrriteerd. 'Ik word nergens voor gezocht. Ze kunnen mij niet straffen. Ik ga naar de Mexicaanse ambassade en krijg dan een nieuw paspoort. Ik kan zeggen dat ik dronken was en zowel mijn paspoort als mijn ticket ben kwijtgeraakt, en dat ik vergeten was om naar het vliegveld te gaan. Daar kunnen ze me niet voor straffen', herhaalde hij.

'Maar als ...'

'Schei uit! Wil je soms niet naar huis?'

Manuel had genoeg gekregen van het zeurderige pessimisme van zijn broer en stond op van het bankje voor het huis.

'Ik ga vanavond naar de stad', zei hij opeens.

Patricio keek op.

'Ben je daarom zo ongedurig?'

'Ik ben niet ongedurig', snauwde Manuel.

'Wat ga je daar doen? We hebben toch alles.'

'Ik moet ...'

Manuel liep weg in de richting van de bosrand zonder verder iets te zeggen, maar hij bleef halverwege staan, keerde terug naar het huisje en ging naar binnen. Patricio hoorde hem rommelen.

Even later kwam Manuel met een tas en een handdoek over zijn schouder naar buiten. Hij liep naar de waslijn waar zijn andere kleren hingen en trok er een broek en een T-shirt af.

Toen hij water begon op te hijsen en de wastobbe vulde, moest Patricio lachen.

'Je wilt netjes voor de dag komen', constateerde hij.

Manuel keek kwaad op, maar toen hij Patricio's gezicht zag, moest hij ook lachen.

Als het maar goed gaat, dacht hij. Ik wil hem vrolijk zien in Mexico. Hij kleedde zich uit en zeepte zijn hele lijf in. De zon verdween achter de bomen en hij huiverde. Patricio kwam naar hem toe, vulde een emmer met water en goot dat over Manuel heen.

'Nu kun je ermee door', zei hij.

Terwijl de gebroeders Alavez zich in het bos buiten Uppsala schuilhielden, ging de zoektocht van de politie naar hen en naar de andere ontsnapte gevangene uit Norrtälje, José Franco, die nog steeds voortvluchtig was, onverminderd door.

De verhoren met de mislukte overvallers Brügger en Björnsson hadden niets opgeleverd. Ze beweerden dat ze geen idee hadden waar de andere twee naartoe waren gegaan. Björnsson had gezegd dat de Mexicaan, van wie hij beweerde zich de naam niet eens te kunnen herinneren, niet bij de voorbereidingen voor de ontsnapping betrokken was geweest.

De politie van Norrtälje en de rijksrecherche, die onmiddellijk was ingeschakeld, werkten vanuit de theorie dat Franco en Alavez er samen vandoor waren gegaan en dat ze misschien nog wel samen waren. De kennissenkring van de Spanjaard en eerdere adressen en verblijfplaatsen werden gecheckt, maar zonder resultaat. José Franco was als het ware van de aardbodem verdwenen.

Een tip van een man uit Tierp, die beweerde dat hij Patricio Alavez op de trein naar Uppsala had zien stappen, werd minder geloofwaardig geacht. Deels omdat de getuige duidelijk beschonken was toen hij de tiplijn van de politie had gebeld en deels omdat hij 'hem een beetje om had', zoals hij het zelf uitdrukte, toen hij de Mexicaan op het perron in Tierp had zien staan.

Die tip heeft de politie in Uppsala nooit bereikt.

De verhoren met Slobodan Andersson stagneerden. Hij hield stug vol dat hij de tas had gekregen van een onbekende man die hem had gevraagd hem een dag te bewaren. De onbekende zou hem vervolgens bij Alhambra komen ophalen.

Lastiger werd het voor de restauranthouder toen men de vingerafdrukken van Konrad Rosenberg aantrof op het plastic dat om de partij cocaïne zat. Toen Slobodan Andersson werd gevraagd te verklaren hoe dat kwam, zweeg hij voorgoed.

Zelfs zijn keurige advocate zag er vermoeid uit. Sammy Nilsson noteerde vergenoegd hoe onhoudbaar de situatie voor Slobodan Andersson was en dat de advocate stukje bij beetje haar licht-familiaire houding ten aanzien van Andersson opgaf. Toen hij vervolgens tijdens de volgende verhoorpoging bleef zwijgen, toonde ze openlijk haar irritatie.

Uit Mexico kwamen onverwacht snel gegevens over de gebroeders Alavez. Ze waren geen van beiden bekend bij de narcoticapolitie. De oudste van de twee, Manuel, was ooit aangehouden voor 'het verstoren van de openbare orde', maar was na vijf dagen weer vrijgelaten. Wat dat concreet inhield, werd uit de mail van een comisario Adolfo Sanchez van de *policía criminal* in Oaxaca niet duidelijk.

Er was een groep opgericht met vertegenwoordigers van over-heidsinstanties uit Norrtälje en Uppsala. Uit Uppsala zaten daarin Inge Werner van de Recherche Inlichtingen Dienst, Sammy Nilsson van Geweld en Jan-Erik Rundgren van de narcoticabrigade.

Ze probeerden een verband te vinden tussen de moord op Armas, de inbeslagneming van cocaïne bij Alhambra en de ont-snapping uit de gevangenis van Norrtälje. Ze waren twee keer in Uppsala bijeengekomen, maar niet veel wijzer geworden. Nu werd het contact onderhouden per telefoon en via de mail.

Ann Lindell had met haar collega Lindman uit Västerås overlegd en had gezegd dat ze Lorenzo Wader graag zouden willen ophalen voor verhoor. Daar was aanleiding voor. Hij was met Konrad Rosenberg bij Dakar gezien en met Olaf Gonzáles bij Pub 19. Het bedienend personeel van zowel Dakar als Alhambra had ook gezien dat Slobodan Andersson bij meerdere gelegenheden had gesproken met iemand die ze kenden als 'Lorenzo'.

Maar Lindman had zijn twijfels en stribbelde tegen. Hij was bang dat Wader daardoor voorzichtig zou worden. Lindman meende dat Wader niet mocht worden gestoord en dat het on-derzoek waar hijzelf en de FIOD-ECD in Stockholm al een half jaar mee bezig waren, niet op het spel mocht worden gezet.

Ann Lindell besprak de zaak met Ottosson. Die meende dat Lorenzo Wader absoluut moest worden verhoord, maar toen Lindell en Ola Haver hem bij hotel Linné wilden ophalen, bleek hij de dag ervoor te hebben uitgecheckt.

Toen Lindell Lindman het resultaat van hun mislukte uitstapje telefonisch meedeelde, grinnikte hij.

'Hij is zo glad als een aal', zei een duidelijk voldane Lindman, wiens reactie Lindell dusdanig irriteerde dat ze onmiddellijk een opsporingsbevel voor Lorenzo Wader deed uitgaan waarin werd aangegeven dat hij werd gezocht in verband met een drugszaak en een moordonderzoek.

Lindell probeerde samen met Sammy Nilsson en Ola Haver de situatie van de drie in elkaar overlopende onderzoeken – Armas, Konrad en Slobodan – in te schatten om daarna te besluiten hoe ze verder zouden gaan.

De moord op Armas was nog altijd onopgelost, maar ze wisten met grote waarschijnlijkheid wie de dader was: Manuel Alavez. Of hij had gehandeld uit noodweer of niet, kon op dit moment echter niet worden vastgesteld.

Er was niets naar voren gekomen waaruit bleek dat Konrad Rosenberg niet op eigen houtje een overdosis zou hebben genomen. Zijn link naar de partij cocaïne en de bewering van Zero dat Rosenberg narcotica distribueerde, maakten hem uiteraard interessant, maar veel verder dan dat kwamen ze niet.

Sidström, die nu bij het Academisch Ziekenhuis was uitbehandeld voor de verwondingen in zijn buik, had de koppeling naar Rosenberg toegegeven en ook gezegd dat hij zelf 'wel wat cocaïne' had gekocht, met name voor eigen consumptie, maar dat hij 'wat over was, had verkocht'.

Slobodan Andersson zat vast. Hij zou worden vervolgd wegens drugsbezit en zou de komende jaren vermoedelijk niet in het uitgaansleven te zien zijn, daar waren de drie politiemensen van overtuigd. Ze hadden de tas met twee sets vingerafdrukken, die van Konrad en die van Slobodan. Het enige wat vreemd was, was dat ze in de tas een heleboel dorre bladeren hadden aangetroffen, die Allan Fredriksson identificeerde als haagdoorn.

Slobodans zwijgen en diens onwil om mee te werken maakten daarentegen dat het onderzoek bij de restauranthouder begon en eindigde. Konrad was dood en kon er niets aan toevoegen.

Er was niets waaruit bleek dat het personeel bij Dakar of Alhambra betrokken was of op de hoogte was van de hobby van hun werkgever. De enige onzekere kaart was González. Hij had zijn huurflat, een eenkamerwoning in Luthagen, ontruimd en was spoorloos verdwenen. Dat hoefde niets te betekenen. Hij was ontslagen en had de stad misschien voorgoed verlaten. Een van de koks bij Dakar had gezegd dat González het erover had gehad om terug te keren naar Noorwegen. Lindell had Fryklund erop gezet.

'We kunnen maar één ding hopen,' zei Lindell, 'en dat is dat Manuel Alavez morgen op die geboekte vlucht het land uit probeert te komen.'

'Hoe waarschijnlijk is dat?' vroeg Ola Haver. 'Dan moet hij wel ontzettend naïef zijn.'

'Laten we het hopen', zei Lindell met een schouderophalen.

'Hoe kunnen twee Mexicanen zich verdomme schuilhouden?' vroeg Sammy Nilsson. 'Ze moeten hulp hebben van buitenaf.'

'Ze drukken zich in Månkarbo', zei Lindell met een vermoeide grijns.

62

De binnenplaats was zelfs donkerder dan Manuel zich kon herinneren. Hij keek om zich heen. Op de verdieping boven Dakar brandde achter twee ramen licht, maar de binnenplaats was geheel in het duister gehuld, en hij begreep dat de lamp aan de muur, die eerder af en toe had geknipperd, nu ook definitief de geest had gegeven.

Het waaide hard en er dwarrelden papiertjes en andere rommel door de lucht.

Hij bewoog zich uiterst voorzichtig, bleef uit de buurt van het schijnsel dat de verlichte ramen op de binnenplaats afgaven, sloop naar de fietsenstalling en daarna naar de containers bij de personeelsingang. De stank was doordringend. Een combinatie van rottende vis en zure melk. Hij moest zijn neus dichtknijpen toen hij achter een van de bakken kroop.

Na een tijdje was hij aan de geur gewend en kon hij ontspannen. Hij leunde tegen de muur in een pose die herinnerde aan alle uren dat hij op werk had zitten wachten.

Plotseling doofde het licht in een van de ramen op de bovenverdieping en de verlichting in het portiek naast Dakar ging aan. Door de ramen in het trappenhuis zag Manuel een man de trap af lopen en naar buiten komen. Hij deed fluitend een fiets van het slot en verdween.

Het licht in het trappenhuis ging weer uit en Manuels hartslag ging langzaam weer terug naar normaal.

Hij probeerde niet aan de dikke te denken, hoewel het hem speet dat hij niet de gelegenheid had gehad hem in de val te laten lopen. Misschien dat hij de politie anoniem kon tippen? Tijdens de dagen in het huisje had hij verschillende alternatieven bedacht, maar ze ook allemaal weer verworpen. Hij mocht Patricio's vlucht uit Zweden niet in gevaar brengen door onnodige manoeuvres en contacten.

Misschien zat de dikke aan de andere kant van de deur, op

slechts een paar meter van hem vandaan, bereikbaar maar toch ook weer niet. Want Manuel had besloten nooit meer geweld te gebruiken. Dat was een belachelijke beslissing, dat zag hij ook wel in, want als hij ooit terugkwam in Mexico was geweld aan de orde van de dag. Als hij in de toekomst zou deelnemen aan een demonstratie of bijeenkomst op het plein, zou dat onder bedreiging van knuppels en vuurwapens zijn. Als hij zou worden aangevallen, zou hij zich dan niet verweren, terugslaan? Hij wist het niet. Misschien was het nu wel afgelopen met alle demonstraties.

Hij moest een uur wachten tot de deur naar Dakar openging. Het was Feo, dat hoorde Manuel aan de vloek die de Portugees uitte toen hij het deksel van een van de containers optilde. Het deksel viel met een klap weer terug en Feo deed de deur achter zich dicht. Alles werd weer rustig.

Er verstreek wellicht nog een half uur. De deur ging opnieuw open. Manuel werd verlamd door angst toen hij de stem van Eva hoorde. Ze riep iets naar iemand in de keuken en hij meende Feo te horen antwoorden.

De deur viel met een klap dicht en Manuel hoorde Eva's stappen op het grind. Hij keek achter de container vandaan. Ze was alleen. Hij stond langzaam op.

'Eva', fluisterde hij zachtjes.

Ze verstijfde in haar beweging toen ze haar fiets van het slot haalde.

'Ik ben het, Manuel.'

Ze draaide zich langzaam om. Hij begreep dat ze hem moeilijk kon zien en hij deed een stap naar voren terwijl hij tevens omhoog keek naar het verlichte raam.

'Jij?'

Manuel knikte.

'Wat doe jij hier?'

'Ik wil met je praten.'

Ze schudde haar hoofd, maar zei niets. Dat zag hij toch maar als een aanmoediging.

'Ik vertrek binnenkort naar huis en wilde je alleen maar gedag zeggen.'

'Waarom ...' begon ze energiek, maar ze zweeg vervolgens, alsof haar stem werd gevangen door de wind, of wellicht kon ze de juiste Engelse woorden niet vinden.

'Je denkt dat ik lieg, maar dat is niet zo', verzekerde Manuel en hij deed een paar stappen naar voren.

'Blijf daar staan! Waar is je broer?'

Manuel schudde zijn hoofd.

'Het gaat niet om hem. Het gaat om ons. Ik wil Zweden niet verlaten zonder je iets gezegd te hebben.'

'Wat dan?'

Eva's stem was hees. Hij kon amper horen wat ze zei.

'Dat ik ... dat ik graag wil ... dat je mijn land komt bezoeken.'

Hij liep snel naar haar toe, trok iets uit zijn zak en gaf het haar.

'Wat is dat?'

'Een cadeautje.'

Ze pakte de opgerolde sok aan.

'Ik had niets anders om het in te doen,' zei Manuel, 'maar hij is schoon.'

Ze stopte de sok zonder iets te zeggen in de zak van haar jack en boog zich voorover om haar fiets los te maken.

Manuel wilde zo veel zeggen, maar wist niet wat. Hij was bang dat ze zou wegrennen, hem zou vervloeken of keihard zou gaan gillen.

'Hij heeft mijn broers erin geluisd, dat weet je. Dus ik heb hém erin geluisd. Ik wilde hem in de gevangenis hebben, maar dat is niet gelukt. Ik moet ervoor zorgen dat mijn broer thuiskomt.'

'Hij zít in de gevangenis', zei Eva.

'Nee, hij is ontsnapt', zei Manuel verward. 'Maar ik moet nu gaan voordat Tessie of iemand anders komt.'

Eva keek naar de grond.

'Maar hoe komen jullie thuis?'

'Mijn broer vliegt op mijn pas en mijn ticket naar huis', verklaarde Manuel. 'En ik zie wel.'

Eva staarde hem aan.

'Snap je het dan niet? De politie is ook op zoek naar jou.'

'Heb jij met ze gesproken?'

'Ik heb niets gezegd, maar ze weten dat jij in Zweden bent. Er heeft in de krant gestaan dat jij bij een Mexicaanse drugsmaffia hoort en dat je naar Zweden bent gekomen om … Het hele vliegveld zal vol politie zitten.'

'Vol politie?' herhaalde hij.

Eva knikte.

'Ik moet gaan', zei hij.

'Armas. Heb jij hem …'

'Hij probeerde me overhoop te schieten', zei Manuel. 'Ik heb me verdedigd. Geloof me! Ik ben geen slecht mens.'

Haar oogwit lichtte op in het donker toen ze hem aankeek. Manuel had het idee dat ze bij zichzelf overwoog wat ze moest geloven.

'Misschien dat je nu moet gaan', zei ze uiteindelijk.

'In die sok zit een papiertje met mijn adres. Het telefoonnummer is van de buurman. Hij is heel aardig en spreekt een beetje Engels.'

Eva moest onverwacht lachen.

'De buurman is aardig', zei ze.

Manuel stak zijn hand uit en raakte haar wang aan. Ze schrok, maar trok zich niet terug. Manuel boog zich voorover en kuste haar snel op haar mond voordat hij de binnenplaats overstak. Ze vond dat hij op een kat leek toen hij wegglipte en verdween.

Manuel had de auto achter een container in de steeg geparkeerd. Hij trilde helemaal en had moeite om de sleutel in het contactslot te steken. Hij haalde snel door zijn neus adem als om haar geur voor de laatste keer in te ademen.

Hij reed desondanks rustig de straat op, passeerde Dakar en wist de stad uit te komen. Hij kon het moeiteloos vinden. Hij had de hele middag op de kaart zitten studeren en de weg uit zijn hoofd geleerd. Er was weinig verkeer en na een paar minuten zat hij al op weg 272 en reed in noordelijke richting.

Ondanks alles wat Eva had gezegd over de politie voelde hij zich opgelucht. Hij was erin geslaagd naar Dakar te rijden en weer terug, hij had het geluk gehad dat Eva die dag werkte, en hij was vooral gelukkig dat ze met hem had willen praten.

Het was bijna middernacht toen hij weer bij het huis in het bos kwam. Hij reed de auto de garage in. Onder de deur van het huisje sijpelde een streepje licht.

Patricio zat rechtop in bed. Op een krukje stond een kaars. Zijn broer zag er spookachtig uit in het flakkerende licht.

'Is het goed gegaan?'

Manuel knikte en trok de deur achter zich dicht.

'Heb je trek?'

'Nee', antwoordde Manuel, maar eigenlijk schreeuwde zijn maag om eten.

Hij ging op een stoel midden in de kamer zitten. Pas nu, nu hij naar zijn broer keek, zag hij ten volle de strekking van wat Eva had gezegd. Tot dan toe was hij zo vol geweest over zijn ontmoeting met haar.

'We moeten een andere manier vinden om Zweden uit te komen', zei hij. 'Jij kunt niet op mijn ticket reizen. De politie pakt je direct op als je het probeert.'

Patricio keek hem wantrouwig aan.

'Wie zegt dat?'

'Eva', zei Manuel kort, en hij zuchtte diep.

Zo gauw hij haar naam had uitgesproken, brak zijn vertwijfeling los. Hij zag hun situatie plotseling vanuit een ander perspectief. Het was alsof iemand van bovenaf neerkeek op hun primitieve huisje, omgeven door het duister van de nacht en het diepe bos, de flakkerende kaars op de kruk en Patricio en hijzelf als twee figuren die tevergeefs probeerden uit een nachtmerrie te ontsnappen. Hij zag twee vreemdelingen. Twee Zapoteken in een vijandig territorium die zich, net als soldaten die waren afgesneden van hun basis, in een onmogelijke situatie hadden gebracht. Nu restte niets anders dan capitulatie of een wanhopige vluchtpoging.

Manuels energie en fantasie waren op.

'Het spijt me', zuchtte hij.

Patricio stond op en haalde een papier uit zijn broekzak. Manuel meende een illusionist te zien die een magisch nummer voorbereidde.

'Hier is een telefoonnummer', zei Patricio, en hij stak hem het papier toe.

'Hoe bedoel je?'

'Dat heb ik van José gekregen, die Spanjaard met wie ik ben gevlucht. Als ik in grote problemen zou komen, moest ik dat nummer bellen. Degene die opneemt, is ook een Spanjaard. Maar alleen bij grote problemen. Het nummer is veilig, beweerde hij. Ik hoefde alleen maar te bellen. We hebben nu toch een groot probleem?'

Manuel staarde eerst naar Patricio en vervolgens naar het gekreukte papiertje.

'Moeten we een bandiet bellen?' vroeg hij.

'Heb jij een beter voorstel?'

Manuel stond op en keerde zijn broer de rug toe. De zorgvuldig opgestapelde houtblokken tegen de andere muur deden hem denken aan de open haard thuis in het dorp en hoe zijn moeder er aanmaakhoutjes in stopte en het vuur aan de praat kreeg. Hoe ze woordeloos deeg kneedde en een stapel tortilla's bakte, die ze in een doek wikkelde, waarna ze de chili pakte en water kookte voor koffie. Manuel meende het knapperen van het vuur te horen en hoe de haan van Gerardo keer op keer kraaide. Manuel maakte altijd grapjes met de buurman dat de haan op zijn baas leek, zowel wat temperament betrof als qua productievermogen. De armoede was nooit zo groot als op deze vroege ochtenden, wanneer hun stijve lichamen beefden van de kou. Nooit was de warmte zo goed en de saamhorigheid zo sterk als wanneer ze dichter tegen het vuur kropen, mompelend hun koffie dronken en een nieuwe dag tegemoet gingen.

'We bellen', zei Manuel opeens. 'Er is een telefoon in het grote huis.'

63

De wind kwam uit het noorden en Eva had over de velden wind
mee. Ze wenste desondanks dat ze de bus had genomen. Die was
haar bij Lilla Ultuna gepasseerd. De ontmoeting met Manuel was
beangstigend geweest. Niet omdat ze bang voor hem was, maar
omdat ze eraan werd herinnerd dat Uppsala ook een duistere kant
had, met ingrediënten als moord en drugs.

Ze fietste als een bezetene en had binnen een paar minuten de
velden achter zich gelaten en bereikte door-en-door bezweet Kuggebro, waar ze even wat kalmer aan moest doen. Toen ging het
heuvelopwaarts, eerst een vals plat langs Vilan en daarna een
aanzienlijk steiler stuk; het laatste gedeelte voor ze thuis was.

Ze had om tien uur naar huis gebeld. Hugo had opgenomen.
Eva had erop gestaan ook even met Patrik te praten om zich ervan
te vergewissen dat hij ook thuis was. Nu had ze maar één wens: hen
in bed zien liggen.

Ze werd verwelkomd door een thermosfles thee op de keukentafel, een schoteltje met een paar koekjes en een briefje dat Hugo
had geschreven en waarin hij haar welterusten wenste.

Ze sliepen. Patrik lag op zijn rug en snurkte een beetje, terwijl
Hugo op zijn buik lag met zijn armen uitgestrekt.

Eva keerde terug naar keuken, hing haar jack over de stoel,
dronk een kop thee en at een koekje. De ontmoeting met Manuel
had haar behoorlijk in de war gebracht. Zijn streling over haar
wang en zijn snelle kus hadden haar verlamd.

Ze herinnerde zich zijn presentje, haalde de kous uit haar zak en
schudde de inhoud eruit. Het was een stevig opgerold bundeltje
bankbiljetten omhuld door een kreukelig papiertje.

Ze vouwde een biljet uit, honderd dollar, en telde vervolgens
het hele stapeltje. Op de keukentafel lagen vijftig biljetten van
honderd dollar. Ze wist niet precies hoeveel een dollar waard was,
maar ze begreep dat ze tienduizenden kronen had gekregen.

Ze staarde naar het papiertje met Manuels adres en het telefoonnummer van de buurman. De aardige buurman.

Voordat Eva naar bed ging, telde ze het geld nogmaals, stopte de biljetten in een oude envelop van de sociale verzekeringsbank en verstopte hem helemaal achter in de schoonmaakkast.

Hoewel ze totaal uitgeput was, kon ze de slaap niet vatten.

'Manuel', fluisterde ze stilletjes in het donker. Ze had op de een of andere manier spijt dat ze hem had gewaarschuwd. Als hij naar Arlanda was gegaan en door de politie was opgepakt, was er een rechtszaak gekomen en was hij misschien vrijgesproken van de beschuldiging wegens moord. Het was immers niet ondenkbaar dat Armas ... Zijn broer zou wel weer worden vastgezet, maar Manuel zou ... Als hij zou worden veroordeeld voor dood door schuld, of hoe dat ook heette ...

'Schei uit', zei ze hardop, gekweld door haar eigen losse gedachten die ze niet aan elkaar kon knopen tot een samenhangende conclusie. Ze wilde aan de ene kant dat hij vast zou komen te zitten en aan de andere kant ook weer niet. Het beangstigende was dat ze hem zo goed begreep. Hij had een broer verloren en zijn andere broer had een lange gevangenisstraf gekregen. Het was vanzelfsprekend dat Manuel hem het land uit probeerde te krijgen. Hoe zou ze zelf hebben geredeneerd als Hugo of Patrik in Mexico in de gevangenis had gezeten? Zou ze niet alles in het werk hebben gesteld om hen te bevrijden, wat ze ook gedaan zouden hebben?

Nadat ze diverse pogingen had gedaan om in slaap te vallen, stond Eva op en ging ze weer naar de keuken. De klok aan de muur wees half drie aan. Ze warmde een beker melk in de magnetron. Haar blik ging onophoudelijk naar de schoonmaakkast. Nooit eerder had ze zo veel contanten gehad. Ze zou overal naartoe kunnen reizen waar ze heen wilde. Jezus, wat zou Helen nieuwsgierig worden en ook niet een kléín beetje jaloers! Maar kon ze het geld wel houden? Hoe was hij aan die vijfduizend dollar gekomen?

Ze dronk het laatste beetje melk op, dat nu was afgekoeld, stond op en liep naar de kalender. Wanneer hadden de kinderen herfstvakantie? Dat was rond Allerheiligen, maar was het de week ervoor of erna? Haar blik dwaalde naar december. Dan zouden ze drie weken vrij zijn. Stond het niet in de krant hoe veel een dollar waard was?

Ze bladerde snel door beide delen van *Upsala Nya Tidning* en vond uiteindelijk een dubbele pagina met aandelen- en valuta-koersen en andere cijfers waar ze zich nooit druk om had gemaakt. Meer dan zeven kronen voor een dollar en ze had vijfduizend dollar gekregen. Vijfendertigduizend kronen in de schoonmaak-kast!

Ze schoof de krant opzij en ging weer zitten. Stel dat de politie Manuel zou oppakken en hij zou vertellen dat hij haar geld had gegeven?

'Nee', riep ze om zichzelf te overtuigen van de onwaarschijn-lijkheid in haar overweging.

'Wat is er?'

Eva draaide zich om. Er stond een slaapdronken Hugo in de hal.

'Ik kon niet slapen', zei Eva. 'Ga maar even plassen en ga dan weer naar bed.'

'Was het leuk op je werk?'

'Het ging heel goed', zei Eva, en ze begreep dat achter Hugo's vraag een grote ongerustheid verborgen lag. De kinderen hadden gehoord en gelezen wat er was gebeurd. Misschien had Zero hen van informatie voorzien.

'Ga maar weer slapen. Ik neem een aspirientje en dan kruip ik ook weer in bed.'

Hugo ging terug naar zijn kamer en wierp een laatste blik op zijn moeder.

'Bedankt voor de thee en het briefje', zei Eva.

Hij glimlachte voorzichtig en schoof toen de deur achter zich dicht.

64

Hij stelde zich voor als Ramon, maar de gebroeders Alavez geloofden niet dat dat zijn echte naam was. Maar dat maakte niet uit. Dat hij een Spanjaard was, was overduidelijk. En ook dat hij een prof was.

Patricio en Manuel hadden die nacht met behulp van de kaart van Manuel de weg gevonden naar het plaatsje Märsta. Ze hadden een klein weggetje gevolgd dat zich door een in duister gehuld landschap slingerde, ze waren misschien tien auto's tegengekomen en toen ze eenmaal in Märsta waren, hadden ze geparkeerd voor de supermarkt die Ramon als ontmoetingsplaats had aangewezen. Ze hadden een half uur moeten wachten voordat de Spanjaard was opgedoken.

Hij had ze meegenomen naar een kelderruimte in een woonhuis.

'Als jullie vast komen te zitten, verwachten we dat jullie geen woord zeggen over onze ontmoeting.'

Wie die 'we' waren, werd niet duidelijk. Misschien bedoelde hij José Franco.

'Uiteraard', zei Patricio.

'Ik heb gehoord dat jij kunt zwijgen', zei Ramon, en hij glimlachte.

'Hoe is het met José?'

'Prima', antwoordde Ramon en zijn glimlach werd nog breder. 'Je moet de groeten hebben.'

'Doe hem de groeten terug en bedankt voor de hulp', zei Patricio.

Ondanks het vroege uur, het was nog niet eens zes uur, leek Ramon opgewekt en effectief. Hij pakte fotoapparatuur, een paar lampen en een scherm. Hij maakte een tiental foto's van Manuel en Patricio. Het was in een paar minuten klaar.

Manuel gaf hem zonder wat te zeggen het overeengekomen bedrag. Ramon bevochtigde zijn ene duim met spuug, bladerde snel door de stapel bankbiljetten en stak zijn hand uit voor een handdruk.

'Wat worden we?'

'Chilenen. Die paspoorten heb ik het meest.'

'Wanneer en hoe krijgen we ze?'

'Een van jullie rijdt naar Rotebro en laat die auto daar achter, dat is niet zo ver hiervandaan. Ik zal de weg wijzen. Neem de trein terug. Jullie wachten hier tot ik terugkom. Dat wordt vanavond.'

'Maar met de trein reizen is dom', zei Manuel. 'Iemand kan ...'

'Wordt geregeld', zei Ramon en hij liet hen even alleen.

Ze hoorden hem in de kamer ernaast rommelen en toen hij terugkwam, hield hij lachend een pruik omhoog.

'Zo word je een blanke', grijnsde de Spanjaard. 'Deze en een zonnebril, dan komt het allemaal goed. Wie van jullie gaat naar Rotebro?'

'Ik', zei Manuel.

Op van vermoeidheid en verward over de precieze instructies van de effectieve Ramon, probeerde Manuel alles te onthouden. Hij voelde een intense dankbaarheid voor de hulp die ze kregen. Hij had nooit gedacht dat het zo snel zou kunnen gaan.

'Ik weet niet hoe we je kunnen bedanken', zei hij.

Ramon klopte met zijn hand op zijn binnenzak, waar hij het geld in had gestopt dat hij zojuist had ontvangen.

'Aan de slag. Zet die pruik op.'

Het laatste wat Ramon deed, was laten zien hoe ze koffie konden zetten en waar brood, boter en frisdrank stonden.

Het laatste wat hij zei voordat Manuel en hij de kelderruimte verlieten, was dat ze niemand mochten bellen, de kelder niet mochten verlaten en geen alcohol mochten drinken.

Toen Manuel naar de kelder terugkeerde, lag Patricio op een matras in een van de twee kamers te slapen. Hij werd wakker maar sliep onmiddellijk weer in. Manuel maakte een blikje fris open en dronk gulzig. Hij had al sinds de avond ervoor dorst gehad.

Wat doet Eva nu? dacht hij verdrietig, maar hij werd meteen

kwaad op zichzelf. Waarom moest hij aan haar denken? Het was nu zaak Zweden te verlaten. Alle andere gedachten waren idioot. Hij keek naar Patricio, die iets mompelde in zijn slaap.

Manuel ging op de grond liggen en strekte zijn uitgeputte lichaam uit. We moeten ons scheren, was het laatste wat hij dacht voor hij in slaap viel.

65

Het was vijf uur 's ochtends toen Sammy Nilsson en Ola Haver het kantoor van de luchthavenpolitie binnenstapten. De combinatie van ochtendmoeheid en de spanning die de dag ervoor was opgebouwd, maakte dat ze geen van beiden erg mededeelzaam waren geweest tijdens het korte ritje naar Arlanda.

Ze werden begroet door een zeer wakkere collega. Hij stelde zich voor als Åke Holmdahl. Sammy Nilsson had vaag het idee dat hij de man eerder had gezien. Misschien hadden ze samen op de Academie gezeten?

'Ha, Nilsson, ben jij er ook?'

'Ik moet wel.'

'Mooi. De dagschotel bestaat uit een of twee Mexicanen. Het zal me een waar genoegen zijn. En jij bent Haver?' Holmdahl maakte vervolgens het gebruikelijke woordgrapje over Havers naam. 'Maar die heb je vast al eens eerder gehoord. Goed, ik zal vertellen hoe we het hadden gedacht. We hebben mensen buiten en in de hal, bij Avis en bij de incheckbalie. Er zijn twee collega's bij de gate en er staan twee hondenpatrouilles klaar. Het personeel is gebrieft en geïnstrueerd om niets te doen. Hebben jullie de collega's langs de weg gezien?'

Sammy Nilsson schudde zijn hoofd.

'Mooi!' zei Holmdahl gnuivend. 'Maar misschien hebben jullie een auto met pech zien staan? Dat is Olofsson. Dat is altijd zijn rol. Hij rapporteert of er een Opel Zafira langskomt. We hebben daarnaast nog een paar auto's in beweging.'

Ola Haver knikte.

'De collega's van Norrtälje zijn ook ter plaatse. Het is immers hun man. Als Alavez of de Alavezen opduiken, pakken we ze.'

Sammy Nilsson kwam geleidelijk aan in een beter humeur. Het was alsof het enthousiasme en vertrouwen van zijn collega besmettelijk waren.

'Is er ergens koffie?' vroeg hij.

'Maak je een geintje?' vroeg Holmdahl en Sammy Nilsson begreep dat hij ook kinderen in de tienerleeftijd moest hebben.

'Kom, dan gaan we dat even regelen. Hebben jullie ontbeten?' Holmdahl nam Nilsson en Haver mee naar een klein keukentje.

'Het vliegtuig vertrekt om kwart over acht, hè?' vroeg Ola Haver.

'BA naar Londen en dan verder naar Mexico-Stad.'

Ola Haver gaapte uitvoerig.

'Ik wilde dat ik een ticket had', zei hij.

Om half negen vatten ze de mislukking samen. Manuel Alavez had de huurauto niet ingeleverd en had ook niet ingecheckt voor het vliegtuig naar Londen.

Åke Holmdahl was niet meer zo enthousiast. Sammy Nilsson en Ola Haver waren chagrijnig. Ze hadden het gevoel dat ze besodemieterd waren.

'Tja,' zei Haver, 'zo dom was hij dus ook weer niet.'

'We moeten wat anders verzinnen', probeerde Holmdahl.

Sammy Nilsson wist plotseling waarvan ze elkaar kenden. De collega van Arlanda had korte tijd bij Orde in Uppsala gewerkt.

Beide politiemensen uit Uppsala reden over de snelweg naar het noorden. Ze hadden al gebeld naar een teleurgestelde Ann Lindell en verteld dat ze bot hadden gevangen.

Toen ze net de afrit naar Knivsta waren gepasseerd, belde Lindell. Sammy Nilsson nam op en reed vervolgens naar de kant, keek om en begon achteruit te rijden, naar de afrit.

'Wat doe je?' vroeg Haver verbaasd.

'We hebben hem gemist', zei Sammy Nilsson. 'Ik durf er wat om te verwedden dat Alavez op Arlanda was maar ons ontvangst-comité op de een of andere manier heeft ontdekt. Die huurauto staat in Rotebro.'

Hij kwam bij de afrit, reed onder de E4 door en de snelweg weer op, maar nu in zuidelijke richting.

Ze kwamen vlak na Tomas Ahlinder van de technische recher-che uit Uppsala aan. De Opel stond keurig netjes geparkeerd, vlak bij het station van de forenzentrein. Bij de auto stonden een geüniformeerde politieman en een man in burger, van wie Haver en Nilsson aannamen dat het ook een collega was.

De man in burger, die zich voorstelde als Persson, bleek degene te zijn die de auto had opgemerkt. Hij woonde in Rotebro en ging elke dag met de forenzentrein naar zijn werk op Kungsholmen in Stockholm.

'Soms werken je hersenen', zei hij lachend. 'Toevallig zag ik gisteren dat opsporingsbericht. Ik weet nog dat ik dacht dat dat een ongebruikelijk merk was voor een huurauto. En toen zag ik vandaag een Zafira met een wat apart kenteken.'

Sammy Nilsson keek naar de nummerplaat, waarvan de drie letters het woord 'gek' vormden.

'Wat zeg jij, Ahlinder?'

'Ik doe een eerste check en dan slepen we hem naar Uppsala. Als dat tenminste goed is', voegde hij eraan toe.

'Geen probleem wat mij betreft', zei de geüniformeerde collega. 'Wij zijn alleen maar blij als hij verdwijnt. Zijn er drugs in het spel?'

Sammy Nilsson knikte. Hij liep om de auto heen en keek door de ramen naar binnen, maar zag niets bijzonders.

'Wanneer is hij hier neergezet?' vroeg hij.

'Als u het mij vraagt, gisteravond of vanochtend', zei Persson. 'Ik ben hier gisteravond rond zevenen langs gelopen en toen stond-ie er volgens mij nog niet.'

'Mooi,' zei Nilsson, 'we zullen een beetje rondvragen. Het zou kunnen dat iemand iets heeft gezien.'

Hij knikte naar de buurtsuper aan de overkant.

'Ik begin daar', zei hij. 'Ola, neem jij die kiosk daar verderop?'

Een uur later besloten Nilsson en Haver op huis aan te sturen. Een sleepauto had de Opel al op de laadklep gehesen voor verder transport naar Uppsala.

Het buurtonderzoek had één ding opgeleverd. De eigenaar van de buurtsuper had die ochtend vroeg, even voor zevenen, een blond iemand bij de auto gezien. Het was hem opgevallen dat de man een zonnebril droeg hoewel het nog helemaal niet zonnig was. Toen hij een reclamebord op de stoep had gezet, had hij de man naar het station zien lopen.

Dat was alles.

'Blond', zei Sammy Nilsson, toen ze de sleepwagen op de snelweg passeerden. 'Kan het een handlanger zijn geweest?'

'Als hij überhaupt iets met de auto te maken had', zei Ola Haver. 'We weten niet of hij degene was die hem daar heeft geparkeerd.'

'Inderdaad, zwak', dat was Sammy Nilsson met hem eens. 'Maar als die auto daar vanochtend vroeg is neergezet, kan het kloppen. Alavez parkeert die auto, want hij wil niet dat die in de buurt van Arlanda wordt gezien, reist op de een of andere manier naar het vliegveld, ziet iets wat hem achterdochtig maakt en ziet af van die vlucht.'

'Het klopt niet', zei Haver.

'Wat niet?'

'Het klopt gewoon niet', hield Haver vol, zonder nader te verklaren wat hij bedoelde.

'Nee, ik weet het', zei Sammy Nilsson berustend.

Toen ze op het hoofdbureau van politie terugkwamen, heerste er een zekere opwinding op de eenheid. Fredriksson en Bea stonden bij Ottosson binnen.

'Is er iets gebeurd?' vroeg Sammy, die de geestdrift in hun ogen zag.

'Er is een knul opgedoken die beweert de zoon van Armas te zijn', zei Ottosson. 'Lindell is momenteel met hem in gesprek.'

'Is hij hier vrijwillig naartoe gekomen?' vroeg Haver.

'Is hij blond?' vroeg Sammy Nilsson.

'Nee, hij heeft een kale kop en ja, hij is uit eigen beweging hierheen gekomen', informeerde Ottosson.

'Wat zei hij?'

'Dat hij iemand wilde spreken die de moord op zijn vader onderzoekt.'

'Spreekt hij Zweeds?'

'Engels', zei Ottosson. 'We moeten even afwachten waar Lindell mee komt.'

Sammy Nilsson vertelde over de Opel in Rotebro en hoe weinig ze tot nu toe hadden. Misschien, heel misschien dat er een blonde man met een zonnebril met de auto in verband kon worden gebracht.

'Handlanger', zei Fredriksson, en Sammy zuchtte diep.

Tien minuten later kwam Lindell terug. Ze schudde haar hoofd toen ze haar collega's zag die in de koffiekamer zaten.

'Ik heb iets sterks nodig', zei ze en ze ging zitten.

'Wat zei hij?'

Lindell vertelde dat Armas' zoon tweeëndertig jaar oud was en Anthony Wild heette. Hij was geboren in Engeland. Zijn moeder was Engelse en was al jaren verdwenen. Haar zoon vermoedde dat ze in Zuidoost-Azië verbleef. Armas en Anthony hadden nooit onder één dak gewoond, Armas was vertrokken toen zijn moeder zwanger was, maar ze hadden sporadisch contact gehad. Een jaar geleden voor het laatst. Anthony was één keer eerder in Zweden geweest. Hij was twintig jaar geleden een keer bij zijn vader geweest, die toen in Kopenhagen woonde, en toen hadden ze een uitstapje naar Malmö gemaakt.

'Heb je naar die videoband gevraagd?' onderbrak Fredriksson Lindells uiteenzetting.

Lindell glimlachte. 'Ja, Anthony is sinds een paar jaar "acteur". Hij gaf toe dat hij in pornofilms speelt en daar schaamde hij zich totaal niet voor. Integendeel, hij vond het eigenlijk heel knap van zichzelf dat hij het zo ver had geschopt in die branche.'

'Wat wilde hij?' vroeg Ottosson.

'De erfenis bewaken, zou je kunnen zeggen, hoewel hij ook wel verdrietig leek. Hij is meerdere keren teruggekomen op de manier waarop Armas is overleden. En hij wil met Slobodan praten. Ze hebben elkaar nooit ontmoet, maar Anthony wist dat Armas en Slobodan jaren hebben samengewerkt. Misschien meent hij dat Armas een deel van die restaurants bezit, weet ik veel?'

'Was hij in Mexico geweest?'

Lindell had het gevoel dat ze op een persconferentie zat waarbij de vragen van alle kanten op haar werden afgevuurd. Deze keer was het Bea.

'Diverse keren. Hij zei dat als je in het zuiden van Californië woont, je vaak naar iets wat hij "Bascha" noemde, gaat.'

'Bacha', corrigeerde Haver.

'Bacha', herhaalde Lindell met een overdreven correcte uitspraak, en ze vervolgde: 'Wild is nooit in Guadalajara bij onze vriend de tatoeëerder geweest en hij wist niet dat Armas en Slobodan Mexico hadden bezocht.'

'Hoe was hij erachter gekomen dat Armas was overleden?'

'Door zijn filmmaatschappij. We hebben daar immers nogal wat navraag gedaan en toen hebben we de dood van Armas als excuus gebruikt om hen te bewegen met een naam te komen.'

'Is hij geloofwaardig?' vroeg Ottosson.

'Hij kwam op mij eerlijk over. Een beetje vreemd, misschien. Geen echte kerel, zoals jij het zou uitdrukken, Otto, maar …'

'Hij is acteur', bracht Sammy Nilsson het gezelschap in herinnering.

'Kreeg je er stijve oortjes van?' vroeg Fredriksson.

Iedereen keek Fredriksson verbaasd aan. Dat was een Sammy-opmerking en niet iets wat je van de rigide moraalridder Fredriksson zou verwachten, die zelf ook hoogrood aanliep van zijn eigen spontane commentaar.

'Met zo'n lekker hapje in huis vast wel', zei Sammy.

Iedereen moest lachen, behalve Bea.

Ze zaten nog een tijdje verder te redeneren. Anthony Wild zou uiteraard meerdere keren worden gehoord. Hij was van plan om minstens een week in de stad te blijven om de flat van Armas door te spitten en het juridische gedeelte van de erfenis te regelen. Hij wilde ook Dakar en Alhambra bezoeken om te zien waar zijn vader had gewerkt. Bovendien had hij de wens geuit om de plaats te mogen bezoeken waar zijn vader was vermoord.

Ze wisten niet of hij toestemming zou krijgen om Slobodan te ontmoeten, maar Ottosson zag geen belemmering. Er was een legitieme en redelijke belangstelling van de kant van de zoon om met de beste vriend van zijn vermoorde vader te praten, ook al zat deze vast wegens een drugsdelict.

Ann Lindell trok zich terug op haar kamer. Het gesprek met de zoon van Armas had haar eerst hoopvol gestemd, maar daarna steeds meer teleurgesteld. De kritiek van Anthony Wild, weliswaar netjes geformuleerd, maar toch duidelijk gemarkeerd, dat de moordenaar nog steeds op vrije voeten was, had haar onverwacht hard geraakt. Ze hadden al het technische bewijs, DNA, vingerafdrukken en bandensporen. Ze hadden de vraag over de weggesneden tatoeage vakkundig uitgeknobbeld en het Mexicaanse verband duidelijk gemaakt. Toen vervolgens het bestaan van de Mexicaan duidelijk werd, nu bovendien gedocumenteerd op de bezoekersvideoband van de gevangenis van Norrtälje, had ze verondersteld dat Manuel Alavez snel zou worden gepakt.

Zijn kansen werden laag ingeschat, maar hij was nog steeds voortvluchtig. Dat was bijna niet te bevatten. Manuel Alavez was een statistische abnormaliteit, iets wat nog verder werd versterkt toen Patricio Alavez was ontsnapt en zich vermoedelijk had aangesloten bij zijn broer.

Toen, zo niet eerder, had het voor hen afgelopen moeten zijn. Maar de politie was weer misleid, hoewel het misschien niet zo verwonderlijk was dat Manuel Alavez was weggebleven van Arlanda.

Lindell had moeite de autovondst in Rotebro te taxeren. Het was logisch om van die auto af te willen komen, Alavez had vast wel begrepen dat de auto werd gezocht, maar hoe verplaatsten ze zich dan nu? Als ze überhaupt plannen hadden, waar bestonden die dan uit? Het land verlaten? Maar hoe en wanneer? Patricio had geen paspoort en beide broers werden in heel Europa gezocht.

Haar gedachtegang werd gestoord doordat er op de deur werd geklopt.

'Ja', riep ze harder en geïrriteerder dan haar bedoeling was.

Ottosson keek om de hoek.

'De operatie is goed gegaan', zei hij.

Het duurde even voor ze doorhad dat hij het over Berglund had.

'Kom binnen!'

Ottosson liep de kamer in, ging zitten en vertelde dat Berglunds hersentumor goedaardig was gebleken en eenvoudig verwijderd had kunnen worden. Berglunds vrouw had vanuit het ziekenhuis gebeld.

'Godzijdank!' riep Lindell uit. 'Eindelijk goed nieuws.'

'Ja, hè?' zei Ottosson, die bijna moest huilen om zijn eigen woorden.

66

Manuel en Patricio werden gewekt door een harde bons en gingen allebei op hetzelfde moment overeind zitten, alsof ze waren gesynchroniseerd.

'Wat was dat?'

'Geen idee', zei Manuel.

Voor het smalle raampje vlak onder het plafond hoorden ze geschreeuw en opgewonden stemmen. Manuel kwam overeind.

'Het is de politie', schreeuwde Patricio verschrikt.

'Houd je stil!'

Manuel pakte de enige stoel die er was en zette hem onder het raam, dat was afgedekt met een zwarte lap stof, klom erop en begon het tape waarmee de stof vastzat los te trekken.

'Nee,' zei Patricio bang, 'ze knallen je neer.'

'Ik moet zien wat er is', zei Manuel, hij vouwde een hoekje opzij en probeerde iets door het stoffige raam te onderscheiden.

'Ik zie benen', fluisterde hij.

'Zijn het uniformen?'

'Volgens mij niet.'

Op hetzelfde moment werd het raam getroffen door een projectiel en het glas versplinterde. Manuel wierp zich instinctief op de grond. Traangas, was zijn eerste gedachte. De stemmen buiten zwegen. Een glasscherf die in het doek was blijven steken, trilde even voordat hij rinkelend op de grond belandde.

Patricio en Manuel staarden gebiologeerd naar het raam. De stof fladderde in een onverwachte windvlaag op.

Waar wachten ze op? vroeg Manuel zich af. Er ontwikkelde zich geen gas in de kelder, de stemmen buiten waren verstomd en er waren geen geluiden van de andere kant van de deur hoorbaar.

Manuel trok zijn tas naar zich toe en haalde het pistool tevoorschijn dat hij uit Armas' levenloze hand had genomen. Patricio staarde naar het wapen.

'Ben je gewapend?'

'Hou je bek', snauwde Manuel.

Plotseling hoorden ze lachen en een helder stemmetje dat schreeuwde. Manuel klom op de stoel en schoof de stof opzij.

'Ze knallen je neer', zei Patricio opnieuw.

Er zat een voetbal tussen het raamkozijn geklemd. Manuel drukte snel het tape weer terug, gleed zo ongeveer van de stoel en viel op de matras.

'Een voetbal', zei Patricio mat, en hij barstte uit in een hysterisch lachje.

'Stil! We moeten stil zijn.'

Patricio staarde naar zijn broer, die was opgestaan en over hem heen geleund stond.

'Hoe kom je aan dat pistool?'

'Dat doet er niet toe', zei Manuel, maar hij vertelde vervolgens wat er was gebeurd, dat hij de lange had moeten doden en dat hij vervolgens diens wapen had meegenomen.

Patricio staarde zijn broer als verdoofd aan. Manuel wendde zijn blik af.

'Dus de lange is dood', zei Patricio uiteindelijk toonloos.

Manuel knikte.

De stilte en passiviteit waren totaal tot ze een sleutel in het slot hoorden omdraaien, Ramon snel naar binnen glipte en de deur achter zich dichtdeed.

'Hallo Chilenen', groette hij. 'Wat is er gebeurd? Jullie kijken zo sip.'

'Kinderen hebben een voetbal door het raam geschoten', legde Manuel uit. 'We dachten dat het de politie was.'

Ramon grijnsde.

'En jullie werden bang?'

'Wat denk jij dan?' vroeg Manuel, en hij was verbaasd hoe de Spanjaard het geheel opnam.

'Dat regelen we later wel', zei Ramon en hij haalde twee paspoorten uit de binnenzak van zijn colbert. 'Nu hebben we een beetje haast. Jullie gaan vliegen.'

'Vliegen?'

Ramon vertelde hoe hij het had gedacht. Om tien over half tien dezelfde avond zou er een vliegtuig naar Londen vertrekken.

'Het vliegveld ligt een behoorlijk stukje ten zuiden van Stockholm en jullie kunnen de tickets daar kopen. Is er geen plaats, dan moeten jullie tot morgenochtend vroeg wachten. Dan moeten jullie maar in het bos slapen.'

'Maar waarom Londen?' vroeg Patricio.

'Jullie moeten zo snel mogelijk het land uit. Vanuit Londen kunnen jullie gemakkelijk verder komen.'

'Oké', zei Manuel.

Voor hem was het het belangrijkst dat ze de kelder uit mochten.

'Ik heb twee koffertjes bij me waar jullie je spullen in kunnen pakken. Ga je snel wassen. Het is belangrijk dat jullie er netjes uitzien. Ik rij jullie ernaartoe. Er hangt wel een prijsje aan. Hebben jullie geld?'

'Hoeveel kost het?'

'Drieduizend dollar.'

Manuel knikte.

'Is het zo ver?' vroeg Patricio.

Ramon moest lachen.

'Nee, maar het is jullie enige mogelijkheid. We moeten langs Stockholm. Jullie moeten in het bestelgedeelte van het busje zitten. Het is een bedrijfswagen van een schildersbedrijf. Duidelijk?'

Manuel en Patricio deden hun nieuwe paspoorten open. Abel en Carlos Morales waren de namen die hen het land uit zouden brengen.

Manuel was niet blij dat Ramon zo veel geld vroeg om hen naar een vliegveld te rijden, maar hij zei niets. Hij wist wat het antwoord zou worden.

Ze kwamen even voor achten bij het vliegveld aan. Ramon zette hen op de parkeerplaats af en gaf de broers instructies hoe ze zich moesten gedragen. Manuel pakte zijn pistool en gaf het zonder iets te zeggen aan Ramon. Die lachte even en verbaasde de broers door onmiddellijk de munitie eruit te halen, het wapen af te vegen en vervolgens een minuutje in het dichtstbijzijnde bosje te verdwijnen.

'Nu laat ik jullie alleen', zei hij toen hij terugkwam. 'Met wat geluk gaat het goed.'

Hij keek hen aan, haast teder, en gaf hun onverwacht ieder een *hug* als afscheid, sprong vervolgens in de auto en verdween.

Het vliegveld was aanzienlijk kleiner dan ze hadden verwacht. Het bestond eigenlijk uit een soort hangar met een cafetaria en een vertrekhal die meer op een busstation leek.

Op de vraag van zijn broer of ze ieder afzonderlijk een ticket zouden kopen, schudde Manuel zijn hoofd. Hij had het idee dat hij niet in staat was om wat te zeggen.

De vlucht van 21.40 uur naar Londen zat vol, kregen ze bij de informatiebalie op de terminal te horen. De vrouw achter de balie zag hun teleurstelling en probeerde hen te troosten met de mededeling dat er de volgende ochtend ook een vlucht ging. Konden ze zo lang wachten?

'Onze broer in Engeland is ziek geworden', zei Manuel. 'Er is geen mogelijkheid om mee te komen?'

'Nee, het spijt me, deze vlucht zit vol, maar op de vroege vlucht morgenochtend zijn nog drie plaatsen vrij.'

De broers keken elkaar aan. Manuel had het gevoel of het geluk hen in de steek liet. Tot zo ver, maar niet verder. Zo dichtbij. Hij keek de jonge vrouw achter de balie aan. Ze had intens blauwe ogen.

'Twee tickets, graag', zei Manuel uiteindelijk.

67

Het eerste wat Ann Lindell deed toen ze even na achten op het hoofdbureau van politie kwam, was kijken of er die avond en nacht nog tips waren binnengekomen. De politie had een speciaal telefoonnummer geopend waar het publiek naartoe kon bellen met waarnemingen die in verband konden worden gebracht met de ontsnapping en de zoektocht naar de gebroeders Alavez.

Er waren achtentwintig gesprekken binnengekomen, waarvan drie wellicht konden worden aangemerkt als interessant. Het eerste dat Lindell besloot na te trekken, kwam van een ouder echtpaar dat een inbraak in hun zomerhuis in Börje had gemeld. De inbreker had blijkbaar overnacht in een schuur en wat etenswaren gestolen, maar verder geen schade aangericht. Het merkwaardige was dat de inbreker een omgevallen appelboom in stukken had gezaagd en het hout zelfs netjes had opgestapeld. Eerst had de man gedacht dat een neef die boom had opgeruimd. Hij hielp het echtpaar altijd met praktische klusjes die ze zelf niet meer konden, maar de neef had niet begrepen waar hij het over had toen zijn oom had gebeld.

Lindell besloot Ola Haver en een technisch rechercheur naar Börje te sturen voor een eerste onderzoek.

De tweede tip betrof een vrouw die beweerde een 'man met een donkere huidskleur en een dubieus uiterlijk' te hebben gezien, die zich in de buurt van haar woning verdacht had opgehouden. Lindell checkte haar adres, keek op haar horloge en belde de vrouw.

'Ik ben dan wel oud, maar niet blind.'

'Daar ging ik ook niet van uit', zei Lindell.

'Hij was helemaal bezweet. Eerst dacht ik dat het zo'n bijbelridder of zo was.'

'Hoe bedoelt u?'

'Die rennen van hot naar her.'

Ze had een vlijmscherpe stem. Lindell glimlachte bij zichzelf.

'Het opmerkelijke was dat hij een kruis sloeg. Je leest zo vaak over dat soort religieuze gekken. Weet u hoe oud ik ben?'

'Nee', zei Lindell.

'Bijna negenentachtig. Op 20 oktober.'

'Dat zou je niet zeggen.'

'Nee, ik kan het zelf ook bijna niet geloven. Mijn man zegt dat ik net een antilope ben. En hij is gepensioneerd houtvester, dus hij kan het weten.'

'Dat geloof ik zeker,' zei Lindell, 'maar als we weer even terug gaan naar de man die u hebt gezien. Waarom belt u nu pas, een paar dagen nadat u hem hebt gezien?'

'Ik zag gisteren een krant. En hij leek op de man op de foto; die man naar wie jullie op zoek zijn. En toen zei ik tegen Carl-Ragnar dat ik moest bellen.'

'Uitstekend', zei Lindell. 'Zouden we met een paar foto's bij u langs mogen komen, zodat u daar even naar kunt kijken?'

'Doe wat u moet doen. Ik ben tot twaalf uur thuis. Daarna moet ik naar het ziekenhuis.'

'Niets ernstigs, hoop ik', zei Lindell en ze vervloekte onmiddellijk haar amateurisme.

Na het gesprek, dat met een paar minuten werd verlengd met praatjes over alle vriendinnen van de vrouw die ziek, zwak of misselijk waren, toetste ze eerst Bea's nummer, maar ze bedacht zich en belde Sammy Nilsson. Ze gaf hem de schone taak een fotocollage te maken en een innemende dame te bezoeken die in de wijk van Slobodan Andersson woonde.

De derde tip was die ochtend binnengekomen en betrof een waarneming bij de Fyriså. Een man met de merkwaardige achternaam Koort uit Bälinge had twee mannen zien kamperen bij Ulva kvarn, het handwerkdorp ten noorden van Uppsala. Het waren buitenlanders en volgens de aantekeningen die waren gemaakt, had de man gedacht dat ze op de aardbeienkwekerij werkten. Maar toen hij gisteren de eigenaar van de kwekerij bij de rivier was tegengekomen en de twee mannen had genoemd, had de kweker ontkend dat hij medewerkers had die kampeerden.

Lindell belde de tipgever. Mevrouw Koort nam op. Istvan

411

Koort was vertrokken om te gaan vissen.

'Hij komt thuis met de lunch, hopelijk zonder vis', verzuchtte de vrouw.

'Heeft hij geen mobiele telefoon?'

'Niet als hij vist.'

'Waar zou hij heen gaan?'

'Hij is meestal in de buurt van Ulva.'

Lindell vroeg of hij meteen kon bellen als hij thuiskwam.

Na de drie gesprekken voelde Lindell zich gesterkt in haar opvatting dat de gebroeders Alavez zouden worden gelokaliseerd en opgepakt. Hun mogelijkheden om zich op termijn schuil te houden, waren beperkt. Ze keek op haar horloge. Vijf voor negen. Tijd voor een eerste kop koffie.

Om 06.43 uur, drie minuten te laat, was Ryanair-vlucht FR51 opgestegen van vliegveld Skavsta even buiten Nyköping. Aan boord bevonden zich Abel en Carlos Morales. Het inchecken was probleemloos verlopen. Een korte blik op hun paspoorten, een paar zinnen in het Engels en 'goede reis', dat was alles.

Sinds ze aan boord waren en hun plaatsen hadden ingenomen, hadden ze geen woord tegen elkaar gezegd. Manuel had door het raam de contouren van een stad in de verte zien verdwijnen. Dat was het laatste wat hij van Zweden had gezien, voordat hij achteroverleunde en zijn ogen sloot.

Om 07.57 uur lokale tijd zette het vliegtuig de landing in naar Stansted Airport ten noorden van Londen. Manuel dronk zijn laatste slok koffie op en keek op zijn horloge. Een paar minuten voor negenen.

Epiloog

Het landschap leek een bruin-groen weefsel, waarbij de bebouwde velden de inslag vormden in een schering die bestond uit hoekige bergkammen. Na een tijdje werd hij duizelig van het naar buiten staren en deed hij zijn ogen dicht.

Het geroezemoes van verwachtingsvolle passagiers nam toe in het tempo waarmee het vliegtuig door de luchtlagen zakte. Hij opende zijn ogen en keek om zich heen. Voorzover hij kon zien, was hij de enige blanke in de cabine.

Hij klapte het tafeltje omhoog tegen de zitting voor hem. Het was een lange reis geweest, maar het eind kwam in zicht. Als hij het goed begrepen had, gingen er bussen naar de bergen. Zo niet, dan moest hij maar een auto huren en wellicht iemand die hem de weg kon wijzen. Hij had een royaal budget.

De bergen zagen er dreigend uit. Hoe konden mensen hier leven? Kon je iets verbouwen op dit aan flarden gescheurde terrein?

Hij zag de romp van het vliegtuig als een schaduw boven de grond zweven. Het leek wel een valk die wegstoof. De schaduw werd steeds duidelijker. Ze waren bijna geland.

Zijn taak was eenvoudig. Het enige waar hij bang voor was, was dat hij last van zijn maag zou krijgen. Hij haatte het als het ongecontroleerd uit zijn darmen stroomde.

Gerardo's zoon Enrico kwam door de steeg naast het huis van de familie Alavez aan rennen. Manuel en Patricio bevonden zich op het dak. Ze hadden koffiezakken naar buiten gedragen om bonen op uit te spreiden om te laten drogen. Ze zagen hem hijgend aan komen rennen.

'Een gringo', wist hij uit te brengen.

Manuel leunde over het hek van het dakterras.

'Wat zeg je?'

'Er is een gringo met de bus gekomen. Hij vraagt naar jullie.'

Manuel staarde de jongen aan.

Enrico knikte hevig.

'Hoe ziet hij eruit?'

'Als een gringo.'

Manuel wendde zich tot zijn broer. Patricio stond als verlamd met een lege zak in zijn hand.

'Pak onze spullen', zei Manuel, hij rende de trap af, pakte de buurjongen stevig bij zijn schouders en keek hem in zijn ogen.

'Vertel alles!'

'Dat is alles!'

Enrico staarde zijn buurman aan, die nooit eerder dreigend of gewelddadig was geweest. Manuel liet de jongen los en Enrico schudde zijn schouders alsof hij zich wilde bevrijden van het pijnlijke gevoel in zijn knokige schouders.

'Kom mee!'

Manuel liep de steeg in met de jongen op zijn hielen. Ze renden langs de afvoersloot, bogen af naar het centrum van het dorp en namen de trappen. Daar moesten ze vaart minderen. De traptreden waren spekglad van het vocht. De kleine klok van de kerk sloeg hijgend.

Manuel keek van achter het bouwvallige huis, waar de onlangs overleden timmerman Oscar Meija tot voor kort de beste ploegen van het dorp had vervaardigd. Hij ging gedeeltelijk schuil achter een grote stapel *yebágo*. Plotseling ontdekte hij de gringo. Het was een lange man. Aan zijn voeten stond een leren tas. Het leek wel een gevallen beest. Hij sprak met Felix, de dorpsgek, de jongen die nooit groot en verstandig werd. Een eindje verderop stond een groepje nieuwsgierige kinderen. De uitlaatgassen van de bus waarmee de man was gekomen, hingen nog steeds als een donkere walm over het plein en over de veranda van het gemeentehuis, waar de plaatselijke bobo's van de PRI, de Partido Revolucionario Institutional, zoals gewoonlijk stonden te pimpelen.

Felix wees dan weer hier-, dan weer daarheen, en lachte met zijn hele gezicht. Manuel begreep dat de gringo daar niet veel wijzer van zou worden. Felix trok de man aan zijn arm. De vreemdeling schudde zich los, maar draaide zich om om te zien waar de jongen heen wees. Hij keek omhoog naar de school, waar de verbleekte portretten van de helden van de revolutie op een rijtje hingen, en keerde zich vervolgens helemaal om.

Manuel wankelde. De man uit de bergen was teruggekeerd! De man die hij met een snee in zijn hals had gedood en ver weg in Zweden in het water had gedumpt, stond daar in levenden lijve.

'Was is er?' vroeg Enrico schichtig.

'Bhni guí'a', fluisterde Manuel, hij keerde zich om, struikelde over een stapel timmerhout, kwam weer op de been en rende weg alsof hij een boze geest had gezien.

Enrico bleef aarzelend staan, maar toen hij zag dat de gringo zijn tas oppakte, rende hij achter Manuel aan, die nu boven aan de trap was gekomen en tussen de struiken verdween.

De doden keren terug, de doden keren terug, dreunde Manuel tijdens het rennen zwijgend bij zichzelf op. De lange was niet alleen teruggekeerd, hij zag er bovendien jonger en gezonder uit dan toen Manuel hem in Zweden had ontmoet.

Toen Manuel het huis binnen rende, had Patricio twee plunjezakken met kleren gepakt. Maria stond achter hem en trok aan zijn shirt. Ze had keer op keer gevraagd wat er was gebeurd. Patricio maakte zich van zijn moeder los en nam woordeloos een kapmes van de muur.

'We moeten vluchten', zei Manuel heftig, maar toch verbeten, alsof zijn gezicht was verstijfd in een onveranderlijk doodsmasker.

Hij rukte zijn kapmes en een kleine bijl naar zich toe. Patricio en zijn moeder keken hem verschrikt aan. Ze hadden hem nog nooit zo aangedaan gezien.

Hij liep naar zijn moeder toe, omhelsde haar en gaf haar een kus op haar wang, trok de ene plunjezak naar zich toe en rende naar buiten.

'We komen terug', zei Patricio, hij omhelsde haar ook en verdween.

Ze liep achter hen aan naar de tuin, waar Manuel onrustig de steeg af speurde. Buurjongen Enrico stond afwachtend bij het hek.

'Waar gaan jullie naartoe?' vroeg de moeder met zo'n vertwijfeling in haar stem dat de broers even bleven staan.

Manuel wierp Patricio een blik toe voor hij antwoord gaf.

'El norte', zei hij.

Kjell Eriksson bij De Geus

De stenen kist

Wanneer een vrouw en haar dochtertje worden doodgereden, denkt de politie dat de echtgenoot, MedForsk-directeur Cederén, hier de hand in heeft gehad. Zijn dood, enkele dagen later, wordt dan ook als zelfmoord beschouwd. Maar rechercheur Ann Lindell vermoedt dat Cederéns medisch onderzoekscentrum meer met de gezinstragedie te maken heeft dan op het eerste gezicht het geval lijkt te zijn.

De dode in de sneeuw

'Little John' Jonsson, een oud-crimineel die zich hoofdzakelijk nog interesseert voor zijn tropische aquariumvissen, wordt dood aangetroffen. Hij blijkt gruwelijk gemarteld te zijn. Parallel aan het politie-onderzoek start Johns broer Lennart zijn eigen klopjacht op de dader.

Nachtzwaluw

Tijdens een hectische nacht in het centrum van Uppsala is Sebastian Holmberg vermoord. Er is een verdachte met een motief: Marcus zou Sebastian hebben gedood omdat die zijn vriendin heeft afgepikt. Maar volgens inspecteur Ann Lindell is Marcus niet tot zo'n daad in staat.

De wrede sterren van de nacht

In de omgeving van Uppsala worden kort na elkaar twee oude boeren gevonden, neergeslagen. Twee moorden zonder moordwapen, zonder aanwijzingen, zonder motief. Rechercheur Ann Lindell en haar collega's van de politie in Uppsala tasten in het duister. Lindell vermoedt dat er een verband bestaat met de verdwenen Ulrik Hindersten, een miskende Petrarcaspecialist, die door zijn dochter Laura als vermist is opgegeven.